Beck-Rechtsberater

Vereine und Steuern

dtv

Beck-Rechtsberater

Vereine und Steuern

Rechnungslegung · Besteuerungsverfahren
Gemeinnützigkeit· Spenden
Ehrenamt

Von Prof. Dr. Otto Sauer, Steuerberater,
Vizepräsident des Finanzgerichts Nürnberg a. D.,
und Franz Luger, Dipl.-Finanzwirt (FH),
Steuerberater

6., völlig überarbeitete und erweiterte Auflage
Stand: 1. November 2009

Deutscher Taschenbuch Verlag

Im Internet:

dtv.de

beck.de

Originalausgabe
Deutscher Taschenbuch Verlag GmbH & Co. KG,
Friedrichstraße 1 a, 80801 München
© 2010. Redaktionelle Verantwortung: Verlag C. H. Beck oHG
Druck und Bindung: Druckerei C. H. Beck, Nördlingen
(Adresse der Druckerei: Wilhelmstraße 9, 80801 München)
Satz: Fa. ottomedien, Darmstadt
Umschlaggestaltung: Agentur 42 (Fuhr & Partner), Mainz,
unter Verwendung eines Fotos von Panthermedia
ISBN 978-3-423-05264-1 (dtv)
ISBN 978-3-406-58894-5 (C. H. Beck)

9 783406 588945

Vorwort

Die Vielzahl der seit Erscheinen der Vorauflage in 2004 wiederum ergangenen Gesetzesänderungen hat eine vollständige Überarbeitung und in weiten Teilen völlige Neubearbeitung des Ratgebers erforderlich gemacht. Das Werk berücksichtigt den Gesetzes- und Rechtsstand 1. November 2009. An für den Ratgeber einschlägigen und eingearbeiteten Änderungsgesetzen sind insbesondere zu nennen: Das Gesetz zur weiteren Stärkung des bürgerschaftlichen Engagements vom 10. Oktober 2007, das Jahressteuergesetz 2009 vom 19. Dezember 2008, das Gesetz zur Modernisierung und Entbürokratisierung des Steuerverfahrens vom 19. Dezember 2008, das Erbschaftsteuerreformgesetz vom 24. Dezember 2008 sowie das Dritte Gesetz zum Abbau bürokratischer Hemmnisse insbesondere in der mittelständischen Wirtschaft vom 17. März 2009.

Inhalt der umfassenden Aktualisierung sind des Weiteren die umfangreiche Rechtsprechung der vergangenen Jahre sowie eine Vielzahl neuer Verwaltungserlasse. Beispielhaft seien hier das Sponsoring-Urteil des BFH vom 7. 11. 2007 I R 42/06 genannt und die BMF-Schreiben vom 18. 12. 2008 zu den Änderungen im Spendenrecht aufgrund des Gesetzes zur weiteren Stärkung des bürgerschaftlichen Engagements sowie vom 14. 10. 2009 zur Anwendung des § 3 Nr. 26a EStG (Ehrenamtspauschale).

Dieser Vereins-Ratgeber richtet sich nicht nur an gemeinnützige Vereine, er bezieht auch die steuerlichen Besonderheiten der Berufsverbände, politischen Parteien und unabhängigen Wählervereinigungen mit ein.

Die aus der Vorauflage bewährte Struktur des Werkes wurde weitgehend beibehalten. Besonderheiten der verschiedenen Vereinsarten auf der einen und allgemeine Sachverhalte der Vereinspraxis auf der anderen Seite werden jeweils in ABCs abgehandelt.

Die ersten Kapitel befassen sich mit den Steuerfragen aus der Sicht des Vereins. Sie zeigen auf, wann ein Verein welche Steuern zu zahlen hat (Kapitel A) und in welchen Fällen ein Verein bei Zahlungen von Aufwandsentschädigungen, Honoraren und Entgelten zur Einbehaltung und Abführung von Steuern der Empfänger verpflichtet ist (Kapitel B). Es wird aufgezeigt, welche Anforderungen an eine ordnungsgemäße Rechnungslegung gestellt werden und wie eine geordnete Einnahmen-/Ausgabenrechnung auszusehen hat (Kapitel C). Ausführlich dargelegt wird auch, bei welchen Satzungszwecken welche steuerlichen Besonderheiten gelten (Kapitel D). Abgerundet wird die Darstellung „aus Vereinssicht" durch eine Erläuterung der wichtigsten Verfahrensfragen im Umgang mit dem Finanzamt (Kapitel E).

Die nächsten Kapitel wenden sich an die Förderer des Vereins, nämlich Spender (Kapitel F), Mitglieder (Kapitel G) und Ehrenamtlich Tätige (Kapitel H). Hier wird im Einzelnen dargelegt, inwieweit sie Steuervorteile für ihr Engagement in Anspruch nehmen können und unter welchen materiellen und formellen Voraussetzungen Zuwendungen und Aufwendungen steuerlich abzugsfähig sind.

Der Theorieteil wird abgerundet durch eine Darstellung der Grundsätze, die gemeinnützige Vereine zu beachten haben, damit die Steuervergünstigungen der §§ 51–58 der Abgabenordnung (Textabdruck in Kapitel M) in Anspruch genommen werden können (Kapitel J), sowie durch eine neu eingefügte Abhandlung zur partiellen Steuerpflicht wirtschaftlicher Geschäftsbetriebe (Kapitel K) mit Abgrenzung zu den steuerfreien Bereichen Vermögensverwaltung und Zweckbetriebe.

Zur Veranschaulichung der jeweiligen Problematik sind häufig vorkommende Zweifelsfragen jedem Kapitel in Form eines Fragenkatalogs vorangestellt. Schaubilder und Übersichten tragen zum Verständnis der nicht immer leichten Materie bei.

Für die praktische Nutzanwendung der in den vorangegangenen Kapiteln aufgezeigten Grundzüge der Vereinsbesteuerung werden am Schluss des Ratgebers im „Praxis-ABC" (Kapitel L) allgemeine Sachverhalte aufgezeigt, mit denen viele Vereine und ihre verantwortlichen Mitarbeiter häufig konfrontiert sind.

Für Anregungen und kritische Hinweise derjenigen, die dieses Buch in der vereinstäglichen Praxis anwenden, sind wir dankbar.

Nürnberg/Regensburg im November 2009   Die Autoren

Inhaltsübersicht

Inhaltsverzeichnis

Abkürzungsverzeichnis

DZI	Deutsches Zentralinstitut für Soziale Fragen
EFG	Entscheidungen der Finanzgerichte (Zeitschrift)
EG	Europäische Gemeinschaft
ErbStG	Erbschaftsteuer- und Schenkungsteuergesetz
EStDV	Einkommensteuer-Durchführungsverordnung
EStG	Einkommensteuergesetz
EStR	Einkommensteuer-Richtlinien
etc.	et cetera
EU	Europäische Union
EuGH	Europäischer Gerichtshof
EUR	Euro
e.V.	eingetragener Verein
evtl.	eventuell
EWR	Europäischer Wirtschaftsraum
f.	folgend
ff.	fortfolgende
FG	Finanzgericht
FGO	Finanzgerichtsordnung
FinMin	Finanzministerium
FR	Finanz-Rundschau (Zeitschrift)
GbR	Gesellschaft bürgerlichen Rechts
gem.	gemäß
GewStG	Gewerbesteuergesetz
GewStR	Gewerbesteuer-Richtlinien
GG	Grundgesetz
ggf.	gegebenenfalls
gGmbH	gemeinnützige GmbH
GmbH	Gesellschaft mit beschränkter Haftung
GrEStG	Grunderwerbsteuergesetz
GrS	Großer Senat
GrStG	Grundsteuergesetz
GrStR	Grundsteuer-Richtlinien
H (mit EStR)	Hinweis der Einkommensteuer-Richtlinien
HGB	Handelsgesetzbuch

HFR .... Höchstrichterliche Finanzrechtsprechung (Zeitschrift)
HRG .... Hochschulrahmengesetz
i. d. F. .... in der Fassung
i. d. R. .... in der Regel
InvZulG .... Investitionszulagengesetz
i. S. .... im Sinne
i. V. m. .... in Verbindung mit
JStG .... Jahressteuergesetz
Kap. .... Kapitel
KG .... Kommanditgesellschaft
Kj. .... Kalenderjahr
KraftStDV ..... Durchführungsverordnung zum KraftStG
KraftStG .... Kraftfahrzeugsteuergesetz
KStG .... Körperschaftsteuergesetz
KStR .... Körperschaftsteuer-Richtlinien
LG .... Landgericht
LStDV .... Lohnsteuer-Durchführungsverordnung
LStR .... Lohnsteuerrichtlinien
mtl. .... monatlich
n. F. .... neue Fassung
NJW .... Neue Juristische Wochenschrift
NJW-RR .... Zeitschrift
Nr. .... Nummer
nv/NV .... nicht veranlagt/Nichtveranlagung
o. a. .... oben angeführt
OFD .... Oberfinanzdirektion
OHG .... Offene Handelsgesellschaft
R (mit EStR) .... Richtlinie der Einkommensteuer-Richtlinien
Rdnr. .... Randnummer
RennwLottAB ... Ausführungsbestimmungen zum Rennwett- und Lotteriegesetz
RennwLottG .... Rennwett- und Lotteriegesetz
Rz. .... Randziffer

s.	siehe
S.	Seite
Schr.	Schreiben
SGB	Sozialgesetzbuch
sog.	so genannt(e)
StEK	Steuererlasse in Karteiform
StGB	Strafgesetzbuch
StNr.	Steuer-Nummer
StPO	Strafprozessordnung
Stpfl., stpfl.	Steuerpflichtiger, steuerpflichtig
Tz.	Textziffer
u. a.	unter anderem; und andere
u. Ä.	und Ähnliche
u. dergl.	und dergleichen
UR	Umsatzsteuer-Rundschau (Zeitschrift)
Urt.	Urteil
UStDV	Umsatzsteuer-Durchführungsverordnung
UStG	Umsatzsteuergesetz
USt-IdNr.	Umsatzsteuer-Identifikationsnummer
UStR	Umsatzsteuer-Richtlinien
usw.	und so weiter
u. U.	unter Umständen
Vfg.	Verfügung
vgl.	vergleiche
v. H.	vom Hundert
v. T.	vom Tausend
wg.	wegen
wiG	wirtschaftlicher Geschäftsbetrieb
z. B.	zum Beispiel
Ziff.	Ziffer
ZSG	Gesetz über den Zivilschutz
zzgl.	zuzüglich

A. Umfang der Steuerpflicht eines Vereins

> - Welchen Steuern unterliegt ein Verein?
> - Wie hoch sind diese Steuern? Gibt es Befreiungen, Freibeträge, Freigrenzen?
> - Für welche Vereine gelten Besonderheiten?
> - Was versteht man unter Vermögensverwaltung, Zweckbetrieb, wirtschaftlichem Geschäftsbetrieb?
> - Welche Bedeutung hat die Gewichtigkeitsgrenze von 35.000 € bei gemeinnützigen Vereinen?
> - Wie werden die Besteuerungsgrundlagen ermittelt?

Vereine sind grundsätzlich wie jedermann steuerpflichtig, wenn sie den Tatbestand verwirklichen, an den das jeweilige Gesetz die Besteuerung knüpft. Die wichtigsten Besteuerungstatbestände werden in folgenden Bereichen erfüllt:
- Steuern, die an den Ertrag bzw. das Einkommen anknüpfen, wie z. B. Abgeltungssteuer, Gewerbesteuer und Körperschaftsteuer;
- Steuern, die auf das Vermögen erhoben werden, wie die Erbschaftsteuer und Grundsteuer;
- Steuern, die Vorgänge des Rechts- und Wirtschaftsverkehrs erfassen, wie die Umsatzsteuer, die Grunderwerbsteuer, die Kraftfahrzeugsteuer, die Lotteriesteuer.

I. Abgeltungssteuer

Abgeltungssteuer auf private Kapitalerträge und Veräußerungsgewinne

Mit Wirkung ab 1. 1. 2009 wurde die Besteuerung der Einkünfte aus Kapitalvermögen vollständig neu geregelt:
- Der Umfang der Kapitaleinkünfte wird durch Einbeziehung der Veräußerungsgeschäfte erweitert;
- alle im Privatvermögen zufließenden Kapitaleinkünfte werden zukünftig einheitlich mit einer 25 %igen Abgeltungssteuer zzgl. Solidaritätszuschlag und Kirchensteuer belegt;

- der Steuerabzug erfolgt an der Quelle. Kapitalerträge brauchen in der Steuererklärung nicht mehr angegeben werden.

Rechtsgrundlage hierfür ist das UnternehmensteuerreformG 2008 vom 14. 8. 2007, BGBl. I S. 1912. Die in diesem Gesetz beschlossenen zentralen Vorschriften zur Einführung einer Abgeltungssteuer ab 2009 sind:

- § 20 EStG, der die Zusammenführung von Einkünften aus Kapitalvermögen und Einkünften aus privaten Veräußerungsgeschäften mit Wertpapieren betreffend zum Gegenstand hat und
- § 32 d EStG, der einen gesonderten Steuertarif für Einkünfte aus Kapitalvermögen beinhaltet, sowie
- § 43 Abs. 5 EStG, der die Abgeltungswirkung regelt.

Mit der Erhebung der Abgeltungssteuer ist die Einkommensteuer/Körperschaftsteuer auf Kapitaleinkünfte grundsätzlich abgegolten.

Vereine müssen die 25 % Abgeltungssteuer für ihre Kapitalerträge ab 2009 aber nur zahlen, soweit ihre steuerpflichtigen Erträge den neuen Sparer-Pauschbetrag von 801 € überschreiten (Anm.: der Sparer-Pauschbetrag entspricht der Höhe nach der Summe aus dem bisherigen Werbungskosten-Pauschbetrag von 51 € sowie dem Sparer-Freibetrag von 750 €).

Zur Abstandnahme vom Steuerabzug bei Kapitalerträgen, die unter dem vorgenannten Freibetrag liegen bzw. offensichtlich dem steuerfreien Bereich der Vermögensverwaltung zuzuordnen sind, vgl. Kap. L → Stichw. „Freistellungsauftrag und NV-Bescheinigung"

II. Erbschaftsteuer und Schenkungsteuer

Vermögensübergänge auf eine sonstige juristische Person des privaten Rechts aufgrund von Erbfall, Vermächtnis oder Schenkung unterliegen der Erbschaft- bzw. Schenkungsteuer. Soweit eine Steuerbefreiung nicht gegeben ist und der maßgebliche Freibetrag nach Steuerklasse III in Höhe von 20.000 € (§ 16 Abs. 1 Nr. 7 ErbStG n. F. ab 1. 1. 2009; bis dahin 5.200 €, § 16 Abs. 1 Nr. 5 ErbStG a. F.) überschritten wird, ist eine Steuer von mindestens 30 % (bisher 17 %) zu entrichten.

Aufgrund zahlreicher sachlicher Steuerbefreiungen hat die Erbschaftsteuer und Schenkungsteuer für Vereine allerdings nur eine untergeordnete Bedeutung:

Steuerfrei bleiben Zuwendungen an Vereine, die nach der Satzung und tatsächlichen Geschäftsführung ausschließlich und unmittelbar **gemeinnützigen, mildtätigen oder kirchlichen Zwecken** dienen, vgl. § 13 Abs. 1 Ziff. 17 ErbStG. Die Art des erworbenen Vermögens ist dabei ohne Bedeutung für die Steuerbefreiung. Entscheidend ist vielmehr, ob im Zeitpunkt des Erwerbs die Voraussetzungen für die Gemeinnützigkeit des Vereins gegeben sind. Wenn die Voraussetzungen für die Anerkennung der Körperschaft, Personenvereinigung oder Vermögensmasse als kirchliche, gemeinnützige oder mildtätige Institution innerhalb von zehn Jahren nach der Zuwendung entfallen und das Vermögen nicht begünstigten Zwecken zugeführt wird, fällt die Befreiung mit Wirkung für die Vergangenheit weg,

Vgl. hierzu auch Kap. L → Stichw. „Erbschaften und Schenkungen".

III. Gewerbesteuer

Die Gewerbesteuer ist die wichtigste originäre Einnahmequelle der Gemeinden. Steuergegenstand ist der Gewerbebetrieb und seine objektive Ertragskraft.

Der Gewerbesteuer unterliegt jeder Gewerbebetrieb, der im Inland betrieben wird (§ 2 Abs. 1 GewStG). Die Tätigkeit einer sonstigen juristischen Person des Privatrechts gilt dabei insoweit als Gewerbebetrieb, als ein wirtschaftlicher Geschäftsbetrieb (ausgenommen Land- und Forstwirtschaft) unterhalten wird (§ 2 Abs. 3 GewStG). Zweckbetriebe einer gemeinnützigen Körperschaft sind von der Gewerbesteuer befreit.

Grundlage der Besteuerung ist der Gewerbeertrag (§ 7 GewStG). Das ist im Wesentlichen der Gewinn aus dem wirtschaftlichen Geschäftsbetrieb, der ggf. mittels bestimmter Hinzurechnungen (§ 8 GewStG) und bestimmter Kürzungen (§ 9 GewStG) verändert und von dem ein Freibetrag von 5.000 € (§ 11 Abs. 1 Nr. 2 GewStG) abgezogen wird. Dabei sind – wie bei der Körperschaftsteuer – alle wirtschaftlichen Geschäftsbetriebe zusammenzufassen. Der Freibetrag kommt daher nur einmal zum Tragen. Zur Anwendung der Freigrenze von 35.000 € bei gemeinnützigen Vereinen vgl. die Ausführungen zur Körperschaftsteuer.

Als Grundlage zur späteren Festsetzung der Gewerbesteuer durch die Gemeinde ermittelt das Finanzamt den so genannten Gewerbesteuermessbetrag. Dieser beträgt 3,5 % des Gewerbeertrags und wird mit Gewerbesteuermessbescheid festgesetzt. Der Steuermessbetrag ist ggf. zu zerlegen, wenn im Erhebungszeitraum (Kalenderjahr) Betriebsstätten in mehreren Gemeinden unterhalten worden sind. Der eigentliche Gewerbesteuerbescheid wird von der jeweiligen Gemeinde erlassen. Die Gewerbesteuer wird hierbei durch Anwendung eines Prozentsatzes (Hebesatzes) auf den Gewerbesteuermessbetrag festgesetzt. Der Hebesatz ist von Gemeinde zu Gemeinde verschieden. Er beträgt 200 %, wenn die Gemeinde nicht einen höheren Hebesatz bestimmt hat (§ 16 Abs. 4 GewStG). Einwendungen gegen die Ermittlung des Gewerbesteuermessbetrags müssen gegenüber dem Finanzamt geltend gemacht werden, die Gemeinde ist nur für Anträge hinsichtlich der Erhebung der Gewerbesteuer zuständig.

	Vereine ohne Steuerbegünstigung	steuerbegünstigte Vereine		
		Berufsverbände	Politische Parteien und unabhängige Wählergemeinschaften	gemeinnützige Vereine
Wirtschaftliche Geschäftsbetriebe (ohne Land- u. Forstwirtschaft)	stpfl.	stpfl.	stpfl.	stpfl. mit Ausnahme der Zweckbetriebe; Freigrenze von 35.000 €
	Freibetrag: 5.000 €			
	Höhe der Gewerbesteuer: ca. 20 % des Gewinns			

Tab. 1: Tabelle zur Gewerbesteuerpflicht

IV. Grunderwerbsteuer

Der Grundstückserwerb durch eine gemeinnützige Körperschaft ist – von allgemeinen Ausnahmen wie Erwerb von Todes wegen oder Schenkung abgesehen – grunderwerbsteuerpflichtig. Die Verwendung des erworbenen Grundstücks für gemeinnützige Zwecke usw. ist unbeachtlich. Die Grunderwerbsteuer beträgt 3,5 % (§ 11 GrEStG) des Wertes der Gegenleistung (§ 9 GrEStG).

V. Grundsteuer

Grundsteuer wird von den Gemeinden für den in ihrem Gebiet liegenden Grundbesitz erhoben. Für gemeinnützige Vereine bestehen umfangreiche Steuerbefreiungen, wenn ein Grundstück zu steuerbegünstigten Zwecken verwendet wird.

Grundsteuerpflichtig ist im Allgemeinen nur der Grundbesitz,
• auf dem ein wirtschaftlicher Geschäftsbetrieb i. S. des § 14 AO ausgeübt wird,
• der zu Wohnzwecken genutzt wird (Abweichung von körperschaftsteuerlicher Behandlung!),
• der nicht begünstigten Dritten überlassen ist.

Auf §§ 3 und 4 GrStG sowie Abschn. 12 GrStR wird im Einzelnen verwiesen.

Wird Grundbesitz nur teilweise für einen steuerbegünstigten Zweck genutzt, gilt nach § 8 GrStG Folgendes:

Erfüllt ein räumlich abgrenzbarer Teil des Grundbesitzes die objektiven Voraussetzungen der Steuerbefreiungen, bleibt dieser Teil steuerfrei. Aufteilungsmaßstab ist im Allgemeinen das Verhältnis der Nutzflächen. Ist eine räumliche Abgrenzung nicht möglich, kommt eine Steuerbefreiung nur bei Überwiegen der steuerbegünstigten Zwecke in Betracht.

Ausgangspunkt für die Ermittlung der Besteuerungsgrundlage sind die Einheitswerte der Grundstücke oder Grundstücksteile, die einem wirtschaftlichen Geschäftsbetrieb bzw. Wohnzwecken dienen. Wie bei der Gewerbesteuer wird dann durch Anwendung einer Messzahl ein Steuermessbetrag ermittelt. Den Grundsteuermessbetrag teilt das Finanzamt in einem Grundsteuermessbescheid, der unter Angabe des Einheitswerts die Veranlagung des Grundsteuermessbetrages enthält, dem Steuerpflichtigen und der hebeberechtigten Gemeinde mit. Die Gemeinde erlässt anschließend den eigentlichen Grundsteuerbescheid. Die Höhe der Grundsteuer richtet sich dabei nach dem jeweiligen Hebesatz der Gemeinde.

Erhebungszeitraum für die Grundsteuer ist das Kalenderjahr (§ 27 GrStG). Die Grundsteuer wird nach den Verhältnissen zu Beginn des Kalenderjahres festgesetzt (§ 9 GrStG). Änderungen, die während des Kalenderjahrs eintreten, können erst vom nächsten Kalenderjahr an berücksichtigt werden.

VI. Körperschaftsteuer

Die Körperschaftsteuer ist die Einkommensteuer der nicht natürlichen Personen, also eine besondere Art der Einkommensteuer für juristische Personen, andere Personenvereinigungen (soweit diese nicht Mitunternehmerschaften i. S. des Einkommensteuergesetzes sind) und Vermögensmassen. Sie alle sind „Körperschaften" im Sinne der Steuergesetze.

1. Partielle Steuerpflicht

Sonstige juristische Personen des Privatrechts sind grundsätzlich mit sämtlichen Einkünften körperschaftsteuerpflichtig, die unter eine Einkunftsart i. S. des § 2 Abs. 1 EStG fallen. Eine Ausnahme gilt für steuerbefreite Körperschaften i. S. des § 5 Abs. 1 KStG, wie z. B. gemeinnützige Körperschaften. Diese sind nur insoweit steuerpflichtig, als sie einen **wirtschaftlichen Geschäftsbetrieb** unterhalten (partielle Steuerpflicht).

Unter einem wirtschaftlichen Geschäftsbetrieb versteht man nach § 14 AO „eine selbstständige, nachhaltige Tätigkeit, durch die Einnahmen oder andere wirtschaftliche Vorteile erzielt werden, und die über den Rahmen einer (*Anm.:* steuerfreien) Vermögensverwaltung hinausgeht. Die Absicht, Gewinn zu erzielen, ist nicht erforderlich…".

Für wirtschaftliche Geschäftsbetriebe kommen Steuervergünstigungen nicht in Betracht, weil eine Körperschaft durch derartige Betätigungen zu anderen Gewerbetreibenden, land- und forstwirtschaftlichen Betrieben oder sonstigen Wirtschaftsbetrieben in Konkurrenz tritt. Steuerliche Vergünstigungen hierfür würden Wettbewerbsvorteile und damit Wettbewerbsverzerrungen bringen, die mit der gleichmäßigen und gerechten Besteuerung nicht vereinbar wären.

2. Freigrenze von 35.000 €

Gemeinnützige Einrichtungen sind darüber hinaus auch mit ihren wirtschaftlichen Geschäftsbetrieben von der Körperschaftsteuer (und Gewerbesteuer) befreit, wenn die Einnahmen einschließlich Umsatzsteuer aus steuerpflichtigen **wirtschaftlichen Geschäftsbetrieben** insgesamt 35.000 € nicht übersteigen (vgl. § 64 Abs. 3 AO). Dazu sind die Einnahmen aus allen wirtschaftlichen Geschäftsfeldern und die anteiligen Einnahmen aus (nicht steuerbegünstigten) Gemeinschaften und Personengesellschaften zusammenzufassen. Eine mehrfache Inanspruchnahme der vorgenannten Steuervergünstigung ist nicht zulässig (§ 64 Abs. 4 AO). Liegen die Einnahmen im Übrigen auch nur geringfügig über der vorgenannten Grenze, unterliegt ein evtl. Überschuss insgesamt der Körperschaftsteuer und Gewerbesteuer.

Die Freistellung des nicht begünstigten wirtschaftlichen Geschäftsbetriebs in Jahren, in denen die Einnahmen die Besteuerungsgrenzen nicht übersteigen, kann allerdings auch nachteilige Auswirkungen haben. So darf ein in dem betreffenden Veranlagungszeitraum erzielter Verlust nicht in spätere Veranlagungszeiträume vorgetragen werden.

3. Gewinnermittlung

Die Einkünfte müssen für jede Einkunftsart getrennt ermittelt werden. Dabei werden mehrere wirtschaftliche Geschäftsfelder einer Körperschaft wie ein einziger einheitlicher Geschäftsbetrieb behandelt (§ 64 Abs. 2 AO). Für die Gewinnermittlung genügt in der Regel eine **Gegenüberstellung der Betriebseinnahmen und der Be-**

triebsausgaben gem. § 4 Abs. 3 EStG i.V.m. R 4.5 EStR 2008 unter Beachtung folgender allgemeiner Besonderheiten:

- Bei der Ermittlung des Gewinns dürfen nur die durch den wirtschaftlichen Geschäftsbetrieb veranlassten Ausgaben abgezogen werden.
- Zur Berücksichtigung von Ausgaben, die sowohl den steuerbegünstigten als auch den steuerpflichtigen Bereich betreffen, vgl. Kap. L → Stichw. „Zuordnung von Ausgaben"
- Nur tatsächlich geleistete Ausgaben können bei der Gewinnermittlung als Betriebsausgaben abgesetzt werden. So darf beispielsweise die unentgeltliche Mitarbeit von Vereinsmitgliedern nicht Gewinn mindernd berücksichtigt werden. Zu den Besonderheiten bei der Ermittlung des Gewinns aus Altmaterialverwertung und Sportwerbung vgl. § 64 Abs. 5 und 6 AO.
- Überhöhte oder unzulässige Zahlungen im Rahmen des wirtschaftlichen Geschäftsbetriebs an Vereinsmitglieder, überhöhte Entgelte in Kauf-, Miet- oder Pachtverträgen mit Mitgliedern dürfen als verdeckte Gewinnausschüttungen nach § 8 Abs. 3 Satz 2 KStG den Gewinn ebenfalls nicht mindern.
- Nicht berücksichtigungsfähig im Rahmen der Gewinnermittlung sind im Übrigen weder die Gewinnverwendung zu eigenen satzungsmäßigen Zwecken noch die Zuwendung an andere gemeinnützige Körperschaften. Zuwendungen an andere gemeinnützige Organisationen sind jedoch bei der Ermittlung des zu versteuernden Einkommens in eingeschränktem Umfang abziehbar.

4. Berechnung der Körperschaftsteuer

Bemessungsgrundlage für die Körperschaftsteuer ist das zu versteuernde Einkommen (§ 7 Abs. 1 KStG). Es errechnet sich aus der Summe der steuerpflichtigen Einkünfte abzüglich folgender Beträge:

- Ausgaben zur Förderung steuerbegünstigter Zwecke i. S. der §§ 52 bis 54 AO (§ 9 Abs. 1 Nr. 2 KStG);
- Verlustabzug (§ 8 Abs. 1 KStG i.V.m. § 10d EStG);
- Freibetrag i. H. v. 5.000 € (§ 24 KStG, gilt nicht für GmbH).

Der Steuersatz beträgt 15 % des zu versteuernden Einkommens (§ 23 KStG).

| | Vereine ohne Steuerbegünstigung | steuerbegünstigte Vereine | | |
		Berufsverbände	Politische Parteien und unabhängige Wählergemeinschaften	gemeinnützige Vereine
Vermögensverwaltung	stpfl.	–	–	–
Wirtschaftliche Geschäftsbetriebe	stpfl.	stpfl.	stpfl.	stpfl. mit Ausnahme der Zweckbetriebe; Freigrenze von 35.000 €
Freibetrag: 5.000 €				
Steuersatz: 15 % des zu versteuernden Einkommens				

Tab. 2: Tabelle zur Körperschaftsteuerpflicht

VII. Kraftfahrzeugsteuer

Das Kraftfahrzeugsteuerrecht kennt keine besonderen Befreiungsvorschriften für gemeinnützige Körperschaften. Das Halten von Fahrzeugen für gemeinnützige, mildtätige oder kirchliche Zwecke ist nicht generell von der Kraftfahrzeugsteuer befreit. Ausnahmen von der Besteuerung macht das Gesetz lediglich für bestimmte Gruppen von Fahrzeugen, so etwa für

- Fahrzeuge, die (äußerlich erkennbar) ausschließlich im Feuerwehrdienst, im Katastrophenschutz, für Zwecke des zivilen Luftschutzes, bei Unglücksfällen, im Rettungsdienst oder zur Krankenbeförderung verwendet werden (§ 3 Nr. 5 KraftStG);
- Fahrzeuge von gemeinnützigen oder mildtätigen Organisationen für die Zeit, in der sie ausschließlich für humanitäre Hilfsgütertransporte in das Ausland oder für zeitlich damit zusammenhängende Vorbereitungsfahrten verwendet werden (§ 3 Nr. 5a KraftStG).

9

Steht einer gemeinnützigen Körperschaft eine Steuerbefreiung oder Steuerermäßigung zu und will sie hiervon Gebrauch machen, so hat sie dies unter Angabe der Gründe geltend zu machen. Der Wegfall der Steuervergünstigung ist dem Finanzamt unverzüglich anzuzeigen. Der Antrag und die Anzeige sind Steuererklärungen i. S. der Abgabenordnung. Die Anträge und Anzeigen sind bei der Zulassungsstelle einzureichen, wenn sie bei der Zulassung des Fahrzeugs gestellt werden, andernfalls beim Finanzamt. Zum Antragsverfahren vgl. im Einzelnen § 7 KraftStDV.

VIII. Rennwett- und Lotteriesteuer

Bei Veranstaltung einer Lotterie oder eine Tombola fällt grundsätzlich Lotteriesteuer an. Der Lotteriesteuer, die im Rennwett- und Lotteriesteuergesetz (RennwLottG) geregelt ist, unterliegen im Inland veranstaltete **öffentliche Lotterien** und Ausspielungen. Öffentlich ist eine Lotterie oder Ausspielung, wenn sich jedermann daran beteiligen kann.

Von der Besteuerung sind ausgenommen:
- öffentliche Tombolas, bei denen der Gesamtpreis der Lose den Betrag von 650 € nicht übersteigt und die Gewinne nur in Sachwerten bestehen (Anmeldung nicht erforderlich!);
- die von den zuständigen Behörden genehmigten Lotterien und Ausspielungen, bei denen der Erlös ausschließlich gemeinnützigen, mildtätigen oder kirchlichen Zwecken zugeführt wird und bei denen der Gesamtpreis der Lose 40.000 € nicht übersteigt.

Wenn die entsprechende Zweckverbindung des Ertrags der Veranstaltungen gewährleistet ist, sind auch die Veranstaltungen nicht gemeinnütziger Veranstalter befreit.

Grundlage der Besteuerung ist der Nennwert sämtlicher Lose.

Die Lotteriesteuer beträgt im Ergebnis $16^2/_3$ % der Besteuerungsgrundlage.

IX. Umsatzsteuer

1. Steuerpflichtige Tatbestände

Der Umsatzsteuer unterliegen die Einnahmen einer sonstigen juristischen Person des Privatrechts, soweit sie daraus resultieren, dass sie „Lieferungen oder sonstige Leistungen gegen Entgelt im Rahmen ihres Unternehmens" (§ 1 Abs. 1 Nr. 1 UStG) ausführt. Dies ist der Fall bei den Einnahmen im Bereich der Vermögensverwaltung und der wirtschaftlichen Geschäftsbetriebe (Zweckbetriebe eingeschlossen). Man spricht insoweit vom unternehmerischen Bereich einer Körperschaft.

Der Umsatzsteuer unterliegen nicht die Einnahmen, die einer Einrichtung ohne eine unmittelbare Gegenleistung zufließen. Das trifft zu auf die Einnahmen im ideellen Bereich, nämlich Mitgliedsbeiträge, Spenden und Zuschüsse.

Die Entnahme oder Verwendung von Gegenständen des unternehmerischen Bereichs für nichtunternehmerische Zwecke ist als sog. unentgeltliche Wertabgabe (§ 3 Abs. 1 b UStG i. V. m. Abschn. 24a UStR 2008) der Umsatzsteuer zu unterwerfen, wenn bei der Anschaffung des Gegenstands der Vorsteuerabzug in Anspruch genommen wurde.

Bei unentgeltlichen Wertabgaben an die Mitglieder, d. h. bei Leistungen, die nicht mit den Mitgliedsbeiträgen abgegolten sind, unterliegen der Umsatzsteuer mindestens die Selbstkosten oder die vergleichbaren Werte für diese Leistungen (Abschn. 155 Abs. 1 UStR 2008). Das gilt auch für verbilligte Leistungen an die Mitglieder.

Neben der Steuerpflicht für Lieferungen und Leistungen sind in § 1 des UStG noch eine Reihe weiterer Umsatzsteuertatbestände aufgeführt. Für Vereine bedeutsam ist hier insbesondere die Umsatzsteuerpflicht des Erwerbs von Waren aus den übrigen EU-Mitgliedstaaten (§ 1 Abs. 1 Nr. 5 UStG). Vgl. hierzu im Einzelnen §§ 1a, 1b und 1c UStG und Kap. L → Stichw. „Innergemeinschaftlicher Erwerb".

2. Steuerbefreiungen

Aus sozialpolitischen Erwägungen, aber auch zur Vermeidung einer mehrfachen Besteuerung ein- und desselben Vorgangs hat der Gesetzgeber zur Entlastung des Endverbrauchers eine Reihe von Steuerbefreiungen geschaffen, die in § 4 UStG aufgelistet sind. Für gemeinnützige Vereine sind insbesondere folgende Tatbestände von Bedeutung:

- **Grundstücksveräußerungen** (steuerfrei, weil sie unter das Grunderwerbsteuergesetz fallen, § 4 Nr. 9 a UStG);
- Umsätze, für die Steuer nach dem **Rennwett- und Lotteriegesetz** zu zahlen ist (§ 4 Nr. 9 b UStG);
- **Vermietung und Verpachtung** von Grundstücken und Grundstücksteilen (§ 4 Nr. 12 UStG);
- Leistungen der amtlich anerkannten Verbände der freien **Wohlfahrtspflege** und ihrer Mitgliedsorganisationen (§ 4 Nr. 18 UStG);
- Umsätze aus dem Betrieb von Theatern, Orchestern, Kammermusikensembles, Chören, Museen, botanischen Gärten, zoologischen Gärten, Tierparks, Archiven, Büchereien sowie Denkmälern der Bau- und Gartenkunst. Erforderlich ist hier eine Bescheinigung der zuständigen Landesbehörde, dass der Verein die **gleichen kulturellen Aufgaben** erfüllt **wie entsprechende Einrichtungen der öffentlichen Hand** (§ 4 Nr. 20 a UStG);
- **Vorträge, Kurse** und andere Veranstaltungen wissenschaftlicher oder belehrender Art, wenn die Einnahmen überwiegend zur Deckung der Kosten verwendet werden (§ 4 Nr. 22 a UStG);
- Beherbergung und Beköstigung von Jugendlichen im Rahmen von **Erziehungs-, Ausbildungs- oder Fortbildungsmaßnahmen** (§ 4 Nr. 23 UStG);
- bestimmte Leistungen förderungswürdiger Träger und Einrichtungen der freien **Jugendhilfe** (§ 4 Nr. 25 UStG).

3. Steuersätze

Für die nicht steuerbefreiten Leistungen gemeinnütziger Einrichtungen im Rahmen der Vermögensverwaltung und der Zweckbetriebe gilt ein ermäßigter Steuersatz von derzeit 7 % (§ 12 Abs. 2 Nr. 8 UStG). Die nicht steuerbefreiten Umsätze aus wirtschaftlichen

Geschäftsbetrieben und die Umsätze aller übrigen Vereine unterliegen im Allgemeinen dem Regelsteuersatz von 19 % der Bemessungsgrundlage (§ 12 Abs. 1 UStG). Bei bestimmten in § 12 Abs. 2 UStG aufgeführten Leistungen ermäßigt sich die Steuer auf 7 % (z. B. die Umsätze von Büchern, Zeitungen, Zeitschriften und von Kunstgegenständen.

4. Bemessungsgrundlage

Die Umsatzsteuer errechnet sich durch Anwendung des jeweiligen Steuersatzes auf die Bemessungsgrundlage. Bemessungsgrundlage ist im Allgemeinen das sog. Nettoentgelt (§ 10 Abs. 1 UStG), bei unentgeltlichen Wertabgaben der Teilwert bzw. der gemeine Wert oder die anfallenden Kosten (§ 10 Abs. 4 UStG). Ist die Umsatzsteuer im Preis nicht offen ausgewiesen, muss sie aus den (Brutto-)Einnahmen herausgerechnet werden:

- bei Einnahmen, die dem Steuersatz von 19 % unterliegen, beträgt das umsatzsteuerpflichtige Nettoentgelt 84,04 %, die Umsatzsteuer 15,97 % des Bruttoentgelts;
- bei Einnahmen, die dem Steuersatz von 7 % unterliegen, beträgt das umsatzsteuerpflichtige Nettoentgelt 93,46 %, die Umsatzsteuer 6,54 % des Bruttoentgelts.

5. Vorsteuerabzug

Die so errechnete Umsatzsteuer ist aber noch nicht der Betrag, der an das Finanzamt abzuführen ist. Nach der Systematik der Mehrwertsteuer kann der Verein hiervon die ihm in Rechnung gestellten Umsatzsteuerbeträge, die entrichtete Einfuhrumsatzsteuer und die Steuer für den innergemeinschaftlichen Erwerb als Vorsteuer abziehen, soweit sie den unternehmerischen Bereich des Vereins betreffen.

Ein Abzug ist nicht möglich, soweit die Vorsteuern auf Lieferungen oder sonstige Leistungen für den nichtunternehmerischen Bereich (ideeller Bereich) entfallen oder im Zusammenhang mit steuerfreien Umsätzen (ausgenommen Ausfuhrumsätze) stehen.

Vorsteuerbeträge, die dem steuerpflichtigen unternehmerischen Bereich nicht ausschließlich zugerechnet werden können, sind

13

nach sachgerechten Gesichtspunkten aufzuteilen. Ist dies nicht oder nur schwer möglich, kann der Verein beim Finanzamt beantragen, dass diese Vorsteuerbeträge nach dem Verhältnis der Einnahmen aus dem unternehmerischen und dem nichtunternehmerischen Bereich aufgeteilt werden. Vgl. hierzu im Einzelnen Abschn. 22 Abs. 6 UStR 2008.

6. Kleinunternehmer

Nach § 19 Abs. 1 UStG wird die Umsatzsteuer nicht erhoben, wenn die steuerpflichtigen (Brutto-)Einnahmen im vorangegangenen Kalenderjahr **17.500 €** nicht überstiegen haben und im laufenden Kalenderjahr 50.000 € nicht übersteigen werden.

Ob für einen Verein eine Umsatzpflicht im laufenden Jahr aufgrund des Vorjahresumsatzes besteht, lässt sich wie folgt feststellen:

Gesamteinnahmen (des Vorjahres) abzüglich
– nichtsteuerbare Einnahmen (Beiträge, Spenden, Zuschüsse)
– steuerfreie Einnahmen i. S. des § 4 UStG

= maßgeblicher (Vorjahres-)Umsatz.

Liegt der verbleibende Betrag unter 17.500 €, ist die Einrichtung im Folgejahr von der Umsatzsteuer freigestellt. In diesem Fall darf in den Rechnungen keine Umsatzsteuer ausgewiesen werden.

7. Vorsteuerermittlung nach einem Durchschnittssatz

Nicht bilanzierungspflichtige gemeinnützige Körperschaften mit geringen steuerpflichtigen Umsätzen können die abziehbaren Vorsteuerbeträge mit einem Durchschnittssatz i. H. v. 7 % des steuerpflichtigen Umsatzes ansetzen (vgl. § 23 a UStG). Diese Vereinfachungsregelung kann in Anspruch genommen werden, wenn der steuerpflichtige Vorjahresumsatz 35.000 € nicht überstiegen hat. Macht eine Körperschaft von diesem Wahlrecht Gebrauch, ist sie fünf Jahre daran gebunden.

	Vereine ohne Steuerbegünstigung	steuerbegünstigte Vereine		
		Berufs-verbände	Politische Parteien und unab-hängige Wählerge-meinschaften	gemeinnützige Vereine
Vermögens-verwaltung	steuerbar	steuerbar	steuerbar	steuerbar
Wirtschaftliche Geschäftsbe-triebe	steuerbar	steuerbar	steuerbar	steuerbar
	Steuersatz 19 %, Steuersatz 7 % in den Fällen des § 12 Abs. 2 UStG			Steuersatz 19 %, ermäßigter Steuersatz (7 %) für Vermögens-verwaltung, Zweckbetriebe u. andere Fälle des § 12 Abs. 2 UStG
	keine Steuer bei Befreiungstatbeständen i. S. des § 4 UStG			
	keine Erhebung der Umsatzsteuer, wenn die steuerpflichtigen Vorjahresumsätze nicht mehr als 17.500 € betragen haben			

Tab. 3: Tabelle zur Umsatzsteuerpflicht

B. Steuerabzugspflichten

I. Lohnsteuerabzug

- Stellt der Ersatz von Aufwendungen Arbeitslohn dar?
- Wann ist ein Mitarbeiter des Vereins Arbeitnehmer im steuerrechtlichen Sinn?
- In welchen Fällen ist die Zahlung von Aufwandsentschädigungen steuerfrei?
- Kann von der Durchführung des Lohnsteuerabzugs Abstand genommen werden?
- Wie ist bei sog. Mini-Jobs zu verfahren?
- Wann ist die Lohnsteuer an das Finanzamt abzuführen?

1. Entlastung des Verwaltungsaufwands durch steuerfreie Aufwandsentschädigungen

Sobald jemand in seinem Unternehmen Arbeitnehmer beschäftigt, kommen eine Reihe von Verpflichtungen auf ihn zu:

Als Arbeitgeber ist er verpflichtet, vom Arbeitslohn der Arbeitnehmer Lohnsteuer, Solidaritätszuschlag, Kirchenlohnsteuer und Sozialversicherungsbeiträge einzubehalten und an das Finanzamt bzw. die Sozialversicherungsträger abzuführen. Für jeden einzelnen Beschäftigten ist ein Lohnkonto zu führen und die Lohnsteuer nach den jeweiligen persönlichen Besteuerungsmerkmalen zu berechnen. Nach Ablauf des Kalenderjahres bzw. bei früherer Beendigung des Dienstverhältnisses schon vorher, ist das Lohnkonto abzuschließen und die Lohnsteuerbescheinigung an das Finanzamt zu übermitteln. Bei kurzfristig beschäftigten Aushilfskräften sowie bei geringfügigen Beschäftigungsverhältnissen (sog. „400-Euro-Jobs" ist unter Verzicht auf die Vorlage einer Lohnsteuerkarte eine pauschale Erhebung der Steuern möglich. Bei geringfügigen Beschäftigungsverhältnissen, für die ein Arbeitgeber den pauschalen Rentenversicherungsbeitrag von 15 % entrichtet hat, ist die Pauschsteuer nicht mit der Lohnsteuer-Anmeldung an das Finanzamt, sondern an die *Deutsche Rentenversicherung – Knappschaft-Bahn-See* zusammen mit den pauschalen Arbeitgeberbeiträgen zur Sozialversicherung abzuführen.

Auch gemeinnützige Einrichtungen sind mit diesen Arbeitgeberpflichten mehr und mehr konfrontiert. Sie können ihre Aufgaben vielfach nur durch die tatkräftige Unterstützung von haupt- oder nebenberuflichen Mitarbeitern erfüllen. Werden dafür angemessene Zahlungen geleistet, ist zu prüfen, inwieweit diese Zuwendungen den allgemeinen Bestimmungen des Lohnsteuerrechts unterliegen. Dabei spielt es keine Rolle, ob es sich um Aufgaben im ideellen Bereich, im wirtschaftlichen Bereich oder um verwaltungsmäßige Geschäfte handelt.

Um diese Aufgaben korrekt zu bewältigen, sind Kenntnisse im Steuer-, Arbeits- und Sozialversicherungsrecht erforderlich, die man als Laie in einer gemeinnützigen Organisation im Allgemeinen nicht hat. Sich mit dieser Materie zu beschäftigen, kostet viel Zeit, die dann für andere Aufgaben fehlt.

Zur Entlastung gemeinnütziger Organisationen hat deshalb der Gesetzgeber mit den Vorschriften des § 3 Nr. 26 EStG i.V.m. § 14 Abs. 1 Satz 3 SGB IV (sog. Übungsleiterpauschale i.H.v. 2.100 € für pädagogisch ausgerichtete Tätigkeiten) und § 3 Nr. 26a EStG i.V.m. § 14 Abs. 1 Satz 3 SGB IV (sog. Ehrenamtspauschale i.H.v. 500 € für organisatorische Tätigkeiten) ein Instrumentarium geschaffen, das es ermöglicht, Zahlungen, die ihrem Charakter nach entstandenen Aufwand abgelten sollen, vom Lohnsteuerabzug freizustellen.

Soweit über diese Pauschalen hinaus Zahlungen geleistet werden oder Tätigkeiten vergütet werden, die nicht unter die Tatbestandsmerkmale des § 3 Nr. 26 und 26a EStG fallen, ist zunächst zu klären, ob der Zahlungsempfänger überhaupt Arbeitnehmer des Vereins/der Einrichtung ist.

2. Begriff des Arbeitsverhältnisses

Für die Beurteilung der Frage, ob jemand Arbeitnehmer ist, kommt es wesentlich darauf an, ob die Tätigkeit selbstständig oder nichtselbstständig ausgeübt wird.

Als Arbeitnehmer einer gemeinnützigen Körperschaft sind z. B. Personen anzusehen,

- die in einem festen Anstellungsverhältnis zur Einrichtung stehen (z. B. Angestellte in der Geschäftsstelle);
- die innerhalb eines von der Körperschaft selbst unterhaltenen wirtschaftlichen Geschäftsbetriebs (z. B. Vereinsgaststätte) beschäftigt werden (z. B. Bedienungen, Reinigungskräfte);
- die für die Verwirklichung des satzungsmäßigen Zwecks haupt- und nebenberuflich verpflichtet werden (z. B. Trainer und Übungsleiter bei Sportvereinen);
- die als Sportler dem Sportverein ihre Arbeitskraft für eine Zeitdauer, die eine Reihe von sportlichen Veranstaltungen umfasst, gegen Entgelt zur Verfügung stellen (z. B. Teilnahme an Trainings- und Sportveranstaltungen);
- Ferienhelfer von Wohlfahrtsverbänden: Arbeitnehmer (Verpflichtung zur durchgehenden Betreuung).

Als selbstständig tätige Personen sind im Allgemeinen anzusehen:

- Trainer und Übungsleiter von Turn- und Sportvereinen, Chorleiter und Leiter von Kapellen bei Gesang- und Musikvereinen, wenn der Umfang ihrer Tätigkeit durchschnittlich sechs Stunden in der Woche nicht übersteigt;
- Musiker, die nur gelegentlich – z. B. anlässlich einer Vereinsveranstaltung – verpflichtet werden;
- Pächter von Vereinsgaststätten.

Von den für eine „selbstständige" Tätigkeit gezahlten Vergütungen ist kein Lohnsteuerabzug vorzunehmen. Der Zahlungsempfänger ist für die Versteuerung im Rahmen seiner Einkommensteuerveranlagung selbst verantwortlich.

3. Einkunftserzielungsabsicht oder sog. Liebhaberei bei Aufwandsentschädigungen

Die Steuerpflicht einer Aufwandsentschädigung setzt eine im Übrigen auf Vermögensmehrung gerichtete wirtschaftliche Tätigkeit des Steuerpflichtigen voraus.

Da die Zahlung der „Aufwandsentschädigung" bei den ehrenamtlichen Helfern zu einer Vermögensmehrung führt, ist damit in der

Regel der Tatbestand einer der Einkunftsarten verwirklicht. Zu dem objektiven Element der Vermögensmehrung muss aber noch das subjektive Element der Einkunftserzielungsabsicht hinzutreten (BFH GrS vom 25. 6. 1994, BStBl. II S. 751). Die Absicht der Gewinnerzielung ist eine innere Tatsache, die nur anhand äußerlicher Merkmale beurteilt werden kann. Deshalb ist unabhängig von den inneren Motiven, aus denen der Einzelne einer Beschäftigung nachgeht, eine Überschusserzielungsabsicht dann anzunehmen, wenn in der Regel Überschüsse aus der Beschäftigung tatsächlich erzielt werden. Umgekehrt ist von dem Fehlen einer Überschusserzielungsabsicht dann auszugehen, wenn die Einnahmen in Geld oder Geldeswert lediglich dazu dienen, in pauschalierender Weise die tatsächlichen Selbstkosten zu decken.

Vor diesem rechtlichen Hintergrund hat der BFH in dem Urteil vom 23. 10. 1992 (V R 59/91, BStBl. II 1993 S. 303) eine Überschusserzielungsabsicht und keine steuerlich irrelevante sog. Liebhaberei für den Fall angenommen, dass Amateurfußballer im Zusammenhang mit ihrer Betätigung Zahlungen erhalten, die nicht nur ganz unwesentlich höher sind als die ihnen entstandenen Aufwendungen.

Der in dem letztgenannten Urteil aufgestellte Maßstab für die Abgrenzung der steuerlich unerheblichen Sphäre zu der steuerlich bedeutsamen Einkunftserzielung aus nichtselbstständiger Arbeit gilt auch für die steuerliche Beurteilung der Tätigkeit ehrenamtlicher Helfer des DRK oder anderer karitativer Einrichtungen. Bei gleich hohen Überschüssen aus einer nichtselbstständig ausgeübten nebenberuflichen oder ehrenamtlichen Tätigkeit, also bei gleichem wirtschaftlichem Erfolg, kann es für die Entscheidung, ob eine steuerrechtlich erhebliche Überschusserzielungsabsicht vorliegt oder nicht, keinen Unterschied machen, ob der Beschäftigung primär zum eigenen Vergnügen (z. B. Sport) oder aber aus altruistischen, karitativen Erwägungen nachgegangen wird. Auch der Gesichtspunkt, dass die im Streitfall gezahlten Entschädigungen bei einer Umrechnung in einen Stundenlohn als gering zu bewerten sind, ist kein geeignetes Merkmal dafür, tatsächlich aus dieser Tätigkeit erzielte Überschüsse der steuerlich unerheblichen Sphäre zuzuordnen. Der in dem Verfahren vom Kl. vertretenen Auffassung, von einer subjektiven Gewinnerzielungsabsicht könne man erst reden, wenn das Entgelt in etwa dem entspreche, was einem nicht ehrenamtlich tätig werdenden Helfer gezahlt werden müsse, hat sich der Senat nicht angeschlossen.

4. Nebenberufliche und geringfügige Beschäftigungsverhältnisse

Bei gemeinnützigen Einrichtungen sind hauptberufliche Beschäftigungsverhältnisse, auf die die allgemeinen Bestimmungen des Lohnsteuerabzugs anzuwenden sind, häufig die Ausnahme. In der Regel handelt es sich um nebenberufliche Beschäftigungsverhältnisse, für die abweichende Regelungen gelten. Zu unterscheiden ist zwischen kurzfristiger Beschäftigung und geringfügig entlohnter Beschäftigung.

a) Kurzfristige Beschäftigung (§ 40a Abs. 1 EStG)

Kurzfristige Beschäftigung bedeutet, dass der Arbeitnehmer nur gelegentlich, nicht regelmäßig wiederkehrend beschäftigt werden darf. Die Dauer der Beschäftigung ist auf 18 zusammenhängende Arbeitstage begrenzt. Der Arbeitslohn während der Beschäftigungsdauer darf höchstens 62 € durchschnittlich je Arbeitstag betragen, es sei denn, die Beschäftigung wird zu einem unvorhersehbaren Zeitpunkt sofort erforderlich.

Bei kurzfristiger Beschäftigung hat der Verein die Steuer zu tragen. Die pauschale Steuer beträgt 25 % des Arbeitslohns zuzüglich Solidaritätszuschlag und Kirchensteuer.

Bei der Einkommensteuerveranlagung des Arbeitnehmers bleibt der pauschal besteuerte Arbeitslohn außer Ansatz, eine Anrechnung der pauschalen Lohnsteuer ist nicht möglich.

b) Geringfügig entlohnte Beschäftigung (Mini-Job-Regelung, § 40a Abs. 2 EStG, § 8 SGB IV)

Eine Beschäftigung in geringem Umfang und gegen geringen Arbeitslohn liegt vor, wenn bei monatlicher Lohnzahlung der Arbeitslohn 400 € nicht übersteigt.

Das Beschäftigungsverhältnis ist steuer- und sozialversicherungspflichtig. Steuer und Sozialversicherungsbeiträge werden jedoch nicht in voller Höhe erhoben. Der Beschäftigte ist von Steuern und Sozialabgaben befreit.

Lediglich der Arbeitgeber muss in der Regel die folgenden pauschalen Beiträge i. H. v. insgesamt 30 % entrichten:

- Rentenversicherung i. H. v. 15 %
- Krankenversicherung i. H. v. 13 % sowie
- Pauschsteuer i. H. v. 2 %, die sowohl Lohnsteuer, Kirchensteuer und Solidaritätszuschlag abdeckt.

Ist der Arbeitgeber zur Zahlung dieser pauschalen Abgaben verpflichtet, braucht er sich von einem geringfügig Beschäftigten keine Lohnsteuerkarte vorlegen zu lassen. Die steuerliche Seite ist rein durch die Entrichtung der Pauschsteuer erledigt. Die Pauschalabgaben inklusive der Pauschsteuer i. H. v. insgesamt 30 % sind vollständig an die Knappschaft-Bahn-See abzuführen. Wegen weiterer Einzelheiten wird auf eine Broschüre der Minijob-Zentrale verwiesen, die unter folgender Internetadresse als Download zur Verfügung steht: http://www.minijob-zentrale.de.

Statt der Entrichtung der Pauschsteuer besteht zudem wahlweise die Möglichkeit einer Individualversteuerung nach Vorlage der Lohnsteuerkarte durch den Arbeitnehmer.

In bestimmten Fällen kann der Arbeitgeber die oben dargelegten pauschalen Beiträge zur Rentenversicherung ausnahmsweise nicht entrichten, sondern muss die allgemeinen Beiträge zur Rentenversicherung abführen, etwa weil der Beschäftigte neben dem Minijob einen **weiteren** Minijob und einen Hauptberuf ausübt (zum Zusammentreffen mehrer Beschäftigungen siehe unten). In diesen Fällen besteht neben der immer möglichen Individualversteuerung die Möglichkeit, die **Lohnsteuer für diesen Minijob mit 20 %** des Arbeitsentgelts **pauschal** zu erheben (§ 40a Abs. 2a EStG). Anders als bei der einheitlichen Pauschsteuer sind bei der Lohnsteuerpauschalierung nach § 40a Abs. 2a EStG allerdings Solidaritätszuschlag und Kirchensteuer nicht enthalten. Die pauschale Lohnsteuer ist beim zuständigen Betriebsstättenfinanzamt abzuführen.

Weil die Übungsleiterpauschale (2.100 €) steuer- und sozialversicherungsfrei ist, kann die Pauschalierungsregelung für Minijobs letztlich auf Aufwandsentschädigungen bis zur Höhe von 6.900 €

(4.800 € zzgl. 2.100 €, das sind mtl. 575 €) angewendet werden. Der Arbeitgeber muss sich in diesem Fall vom Arbeitnehmer schriftlich bestätigen lassen, dass die Steuerbefreiung nicht bereits anderweitig berücksichtigt wird.

5. Lohnsteueranmeldung

Eine Lohnsteuer-Anmeldung (§ 41 a EStG) beim Finanzamt der Betriebsstätte ist entweder monatlich, vierteljährlich oder jährlich abzugeben. Abhängig ist das von der Höhe der abzuführenden Lohnsteuer des Vorjahres. Seit 1. 1. 2009 gelten folgende Grenzen:
• mehr als 4.000 €: monatlich,
• mehr als 1.000 €, aber nicht mehr als 4.000 €: vierteljährlich,
• nicht mehr als 1.000 €: jährlich.

Die Lohnsteuer-Anmeldung ist spätestens bis zum 10. Tag nach Ablauf des Anmeldungszeitraums beim Finanzamt einzureichen, das Gleiche gilt für die Abführung der Lohnsteuer.

Die Einreichung hat auf elektronischem Weg zu erfolgen. Das hierfür benötigte Programm kann kostenlos bei der Steuerverwaltung bezogen werden (gratis auf CD-ROM im Finanzamt oder als Downloadversion unter www.elster.de).

II. Steuerabzugspflichten als Veranstalter bei Auftritten ausländischer Künstler und Sportler

• Welche steuerlichen Vorschriften hat ein Verein zu beachten, wenn bei seinen Veranstaltungen ausländische Künstler oder Sportler gegen Entgelt auftreten?
• Gilt die Verpflichtung zur Vornahme des Steuerabzugs auch dann, wenn ein Arbeitsverhältnis zum Veranstalter nicht besteht?
• Ist ein Steuerabzug nur bei Einzelpersonen durchzuführen oder gilt diese Verpflichtung auch beim Engagement von Gruppen etc.?
• Was wird besteuert? Unterliegt auch die Zahlung von Nebenleistungen (z. B. Reisekosten, Übernachtung, Verpflegung) dem Steuerabzug?
• Darf vom Steuerabzug abgesehen werden, wenn in einem Doppelbesteuerungsabkommen (DBA) festgelegt ist, dass die Vergütungen nicht in der Bundesrepublik Deutschland besteuert werden?

- Muss der Steuerabzug auch dann erfolgen, wenn die Einnahmen nicht dem Künstler/Sportler selbst zufließen, sondern einem Dritten, z. B. einer ausländischen Künstleragentur?
- Welche Besonderheiten bestehen für ausländische Kulturorchester und -vereinigungen?
- Welche Aufzeichnungspflichten gelten für den Veranstalter?
- Gilt das Abzugsverfahren bei der Umsatzsteuer auch für Vereine, die nicht Unternehmer sind?
- Welche Folgen hat die Nichtzahlung oder falsche Zahlung der Steuer für den Veranstalter?

1. Steuerabzug gem. § 50a Abs. 1 EStG

a) Haftung des Veranstalters

Ausländische Künstler und Sportler, die in Deutschland weder einen Wohnsitz noch ihren gewöhnlichen Aufenthalt haben, sind mit den Einkünften aus ihrer im Inland ausgeübten künstlerischen bzw. sportlichen Tätigkeit beschränkt steuerpflichtig (§ 1 Abs. 4 i. V. m. § 49 Abs. 1 Nr. 2d, 3 und 4 EStG).

Die Einkommensteuer wird bei selbstständigen oder gewerblich tätigen beschränkt steuerpflichtigen Künstlern/Sportlern im Wege des Steuerabzugs nach § 50a Abs. 1 EStG, bei nichtselbstständigen Künstlern/Sportlern im Wege des Lohnsteuerabzugs (§ 38 Abs. 1 i. V. m. § 39d EStG) erhoben.

Der Schuldner der Vergütung haftet für die Einbehaltung und Abführung der Steuer (§ 50a Abs. 5 Satz 4 EStG).

b) Steuersatz und Bemessungsgrundlage

Der Steuersatz beträgt ab 1. 1. 2009 15 % der gesamten Einnahmen (bis 31. 12. 2008: 20 %). Die Absenkung berücksichtigt, dass ein Abzug von Betriebsausgaben/Werbungskosten auch künftig nicht möglich ist (§ 50a Abs. 2 EStG). Nicht zu den Einnahmen gehören die tatsächlichen Fahrt- und Übernachtungskosten sowie die Kosten i. H. der abzugsfähigen Verpflegungsmehraufwandspauchalen i. S. von § 4 Abs. 5 Nr. 5 EStG.

Der bisherige Staffeltarif (§ 50a Abs. 4 Satz 4 Nr. 1 bis 4 EStG a. F.) entfällt ab 2009, dafür wurde eine Geringfügigkeitsgrenze eingeführt. Bei im Inland ausgeübten künstlerischen und sportlichen

Darbietungen wird kein Steuerabzug erhoben, wenn die Einnahmen aus der einzelnen Darbietung 250 € nicht übersteigen.

Sind Gläubiger der Vergütung für eine Darbietung mehrere Personen, ist die Milderungsregelung für jede Person auf die sie entfallende Vergütung anzuwenden. In den Zeilen 31–48 des Anmeldeformulars sind die Spalten 1 bis 10 für jedes Gruppenmitglied gesondert auszufüllen.

Ist eine beschränkt steuerpflichtige Körperschaft Gläubiger der Vergütung (z. B. ein Fußballverein, ein Chor, ein Symphonieorchester, eine Künstlerverleihfirma), erzielt diese als juristische Person die Einkünfte aus der Darbietung. Eine Aufteilung ist in diesem Fall nicht vorzunehmen.

c) Betriebsausgaben-/Werbungskostenabzug bei Angehörigen eines EU-/EWR-Staates

Wenn der Vergütungsgläubiger Angehöriger eines EU-/EWR-Staates ist und auch in einem EU-/EWR-Staat seinen Wohnsitz/gewöhnlichen Aufenthalt unterhält, ist ein Betriebsausgaben- bzw. Werbungskostenabzug zulässig.

Bei Einkünften, die dem Steuerabzug nach § 50a Abs. 1 Nr. 1 EStG unterliegen, kann der Vergütungsschuldner die damit in unmittelbarem Zusammenhang stehenden Betriebsausgaben/Werbungskosten abziehen, die der Vergütungsgläubiger in vom Finanzamt nachprüfbarer Form nachweist oder die der Vergütungsschuldner übernimmt.

In diesen Fällen beträgt der Steuersatz für Vergütungen an natürliche Personen und Personenvereinigungen 30 % (statt 15 %), bei Körperschaften u. Ä. bleibt es beim Steuersatz von 15 %.

d) Einbehaltung, Fälligkeit und Anmeldung der Steuer

Die Steuer entsteht bei Zahlung der Vergütungen. In diesem Zeitpunkt hat der Schuldner der Vergütungen den Steuerabzug für Rechnung des beschränkt steuerpflichtigen Gläubigers (Steuerschuldners) vorzunehmen (§ 50a Abs. 5 EStG). Die innerhalb eines Kalendervierteljahres einbehaltene Abzugsteuer ist unter Angabe des Verwendungszwecks bis zum 10. Tag des folgenden Monats an das Finanzamt abzuführen. Bis zum gleichen Zeitpunkt hat der

Schuldner dem Finanzamt eine Steueranmeldung gem. Vordruck StAb (Steuerabzug-Anmeldung nach § 50a EStG, Download-Möglichkeit unter www.finanzamt.de) zu übersenden. Ab 2009 muss die Steueranmeldung grundsätzlich elektronisch an die Finanzverwaltung übermittelt werden, vgl. § 73e EStDV.

e) Aufzeichnungspflichten

Der Veranstalter hat als Schuldner der Vergütung besondere Aufzeichnungen zu führen. Aus diesen müssen ersichtlich sein:

- Name und Wohnung des beschränkt steuerpflichtigen Empfängers (Steuerschuldners);
- Höhe der Vergütung;
- Höhe und Art der von der Bemessungsgrundlage des Steuerabzugs abgezogenen Betriebsausgaben oder Werbungskosten;
- Tag, an dem die Vergütungen dem Empfänger zugeflossen sind;
- Höhe und Zeitpunkt der Abführung der einbehaltenen Abzugsteuer.

f) Bescheinigung für den Vergütungsgläubiger

Nach § 50a Abs. 5 Satz 6 EStG ist der Verein verpflichtet, dem betreffenden Künstler/Sportler auf Antrag eine Steuerbescheinigung nach amtlich vorgeschriebenen Muster auszuhändigen (Download-Möglichkeit auf der Internetseite des Bundeszentralamtes für Steuern: www.bzst.bund.de oder des jeweiligen Finanzamts: www.finanzamt.de).

g) Sonderregelungen gemäß DBA

Die Vorschriften über die Einbehaltung, Abführung und Anmeldung der Steuer sind auch dann anzuwenden, wenn die Vergütung aufgrund eines Doppelbesteuerungskommens vom Steuerabzug freigestellt oder der Steuerabzug nach einem niedrigeren Steuersatz vorzunehmen ist (§ 50d Abs. 1 EStG).

Bei Vergütungen i. S. des § 50a EStG darf der Schuldner den Steuerabzug nur **unterlassen oder** nach einem niedrigeren Steuersatz vornehmen; wenn das Bundeszentralamt für Steuern entweder auf Antrag bescheinigt, dass die Voraussetzungen dafür vorliegen (Freistellungsverfahren) oder den Schuldner auf Antrag hierzu allgemein ermächtigt (Kontrollmeldeverfahren).

Grundlagen und Einzelheiten des Freistellungsverfahrens sind in dem vom Bundesministerium der Finanzen herausgegebenen Merkblatt „Entlastung von deutscher Abzugsteuer gem. § 50a Abs. 4 EStG aufgrund von Doppelbesteuerungsabkommen (DBA)" vom 7. 5. 2002 (BStBl. I S. 521 ff.) und dem vom Bundeszentralamt für Steuern (BZSt) herausgegebenen Merkblatt zum Antrag nach § 50d EStG auf Erteilung einer Freistellungsbescheinigung und/oder Erstattung von deutscher Abzugsteuer aufgrund von Doppelbesteuerungsabkommen (DBA) bei Vergütungen an ausländische Künstler und Sportler (Download-Möglichkeit im Internet unter http://www.bzst.bund.de) dargestellt.

In Fällen von geringer Bedeutung kann das BZSt den deutschen Schuldner von Vergütungen i. S. des § 50a Abs. 1 Nr. 3 EStG ermächtigen, zur Entlastung von den deutschen Abzugsteuern ein vereinfachtes Verfahren (Kontrollmeldeverfahren) anzuwenden. In diesem Kontrollmeldeverfahren kann der deutsche Schuldner von sich aus bei Vergütungsgläubigern, die in einem ausländischen Staat ansässig sind, mit dem ein entsprechendes DBA besteht, den Steuerabzug unterlassen oder diesen nur nach dem gem. dem DBA höchstens zulässigen Satz vornehmen. Die Ermächtigung ist als Beleg zu den Aufzeichnungen zu nehmen.

Im Freistellungs- und Kontrollmeldeverfahren bleibt die Anmeldeverpflichtung unberührt, so dass eine Steueranmeldung auch dann abzugeben ist, wenn ein Steuerabzug nicht oder nicht in voller Höhe vorzunehmen ist (§ 50d Abs. 2 und 5 EStG).

h) Kulturorchester und Kulturvereinigungen

Ausländische Kulturvereinigungen, die nicht aufgrund der Vorschriften eines DBA vom Steuerabzug nach § 50a Abs. 1 EStG freizustellen sind, können unter bestimmten Voraussetzungen nach § 50a Abs. 4 EStG von der inländischen Einkommensteuer befreit werden. Zuständig für diese Freistellung ist nicht das BZSt, sondern das Finanzamt, das für den ersten Vergütungsschuldner (ersten Veranstalter) zuständig ist. Weitere Einzelheiten sind den BMF-Schreiben vom 20. 7. 1983, BStBl. I S. 382, und vom 30. 5. 1995, BStBl. I S. 336, zu entnehmen.

i) Veranlagungswahlrecht des Künstlers/Sportlers

Bis 31. 12. 2008 konnte bislang die nach § 50a Abs. 4 Nrn. 1 und 2 EStG a. F. einbehaltene Abzugssteuer im Wege des vereinfachten Steuererstattungsverfahrens (§ 50 Abs. 5 Satz 2 Nr. 3 EStG a. F.) für beschränkt steuerpflichtige Künstler/Sportler (KUSE) ganz oder teilweise erstattet werden.

Im Rahmen des Jahressteuergesetzes 2009 wurde dieses vereinfachte Steuererstattungsverfahren durch ein Veranlagungswahlrecht gem. § 50 Abs. 2 Satz 2 Nr. 5 EStG für beschränkt Steuerpflichtige aus EU-/EWR-Staaten ersetzt.

Für die Veranlagung ist jedoch nicht das BZSt zuständig, sondern das Betriebsstättenfinanzamts des Vergütungsschuldners bzw. das Finanzamt, in dessen Bezirk die Darbietung (bei einer Tournee die erste Darbietung) stattgefunden hat.

2. Steuerabzug gem. § 13b UStG

Steuerschuldnerschaft des Veranstalters

Sind ausländische Künstler/Sportler im Inland gewerblich oder beruflich tätig, unterliegen ihre Leistungen grundsätzlich auch der Umsatzsteuer. Evtl. Steuerbefreiungen nach § 4 UStG sind zu berücksichtigen. Die Kleinunternehmerregelung nach § 19 UStG gilt dagegen nicht für im Ausland ansässige Unternehmer.

Als Leistungsempfänger schuldet der Verein gem. § 13b Abs. 2 UStG die Umsatzsteuer für die von den Künstlern/Sportlern an ihn erbrachte Leistung. Er muss die Umsatzsteuer berechnen und an das Finanzamt abführen. Zur Bemessungsgrundlage für die Umsatzsteuer gehört alles, was der Leistungsempfänger aufwendet, um die Leistung zu erhalten. Erhält der ausländische Künstler/Sportler Anzahlungen, bevor er seine Leistung erbracht hat, ist bereits auch die Anzahlung zu versteuern.

Die einzubehaltende und abzuführende Steuer ist durch Anwendung der Steuersätze des § 12 UStG auf das Nettoentgelt zu berechnen. Die Leistungen der Sportler unterliegen dabei dem Normalsteuersatz von 19 %, die Leistungen der Künstler unter den Voraussetzungen des § 12 Abs. 2 Nr. 7a UStG dem ermäßigten Steuersatz von 7 % (soweit es sich um Leistungen der Theater, Orchester, Musikensembles, Chöre sowie die Veranstaltung von Theatervorführungen und Konzerten handelt).

Die Steuer entsteht mit Ausstellung der Rechnung, spätestens jedoch mit Ablauf des der Ausführung der Leistung folgenden Kalendermonats (§ 13 Abs. 1 Satz 1 Nr. 1 UStG).

Der Veranstalter ist gem. § 22 Abs. 2 Nr. 8 UStG verpflichtet, zur Feststellung der anzumeldenden und abzuführenden Steuer und der Grundlagen ihrer Berechnung Aufzeichnungen zu machen. Zum Umfang der Aufzeichnungspflichten vgl. im Einzelnen § 22 Abs. 2 Nrn. 1 und 2 UStG.

Die Einbehaltungs- und Abführungspflicht besteht für einen Verein nur, wenn er selbst Unternehmer ist. Bei Unternehmereigenschaft besteht diese Verpflichtung selbst dann, wenn nur steuerfreie Umsätze getätigt werden oder der Verein als Kleinunternehmer von der Umsatzsteuer befreit ist.

III. Steuerabzugspflichten als Auftraggeber von Bauleistungen

- Gilt die Bauabzugsbesteuerung auch für Vereine?
- Welche Baumaßnahmen fallen darunter?
- Gibt es Ausnahmeregelungen?
- Welches Finanzamt ist zuständig?

1. Abzugsverpflichtete

Zur Eindämmung illegaler Betätigungen im Baugewerbe hat der Gesetzgeber ein Verfahren eingerichtet, mit dem die Steueransprüche gesichert werden sollen. Dieses Verfahren ist in den §§ 48 bis 48d EStG geregelt und ist auch für Vereine zu beachten.

Danach haben bestimmte Leistungsempfänger (Auftraggeber) für genau definierte Leistungen einen Steuerabzugsbetrag zu ermitteln, von der Gegenleistung einzubehalten und an das für sie zuständige BetriebsFA abzuführen. Auch Vereine fallen grundsätzlich darunter. Sie sind insoweit zum Steuerabzug verpflichtet, als sie Unternehmer i. S. des § 2 UStG sind und Bauleistungen für ihr Unternehmen beziehen. Unternehmerisch tätig sind Vereine im Bereich der Vermögensverwaltung, der Zweckbetriebe und der wirtschaftlichen Geschäftsbetriebe.

Eine Abzugsverpflichtung besteht auch dann, wenn eine Körperschaft unter die Kleinunternehmerregelung (§ 19 UStG) fällt oder ausschließlich steuerfreie Umsätze tätigt, bspw. aus Vermietung und Verpachtung.

Vom Steuerabzugsverfahren sind alle Leistungen erfasst, die der Herstellung, Instandsetzung, Instandhaltung, Änderung oder Beseitigung von Bauwerken dienen.

Der Leistungsempfänger hat 15 % der Gegenleistung einzubehalten. Gegenleistung ist das Entgelt für die Bauleistung zuzüglich Umsatzsteuer. An den Bauunternehmer/Handwerker dürfen nur 85 % des Rechnungsbetrages ausbezahlt werden.

2. Ausnahmetatbestände

§ 48b EStG lässt es zu, dass von der Abzugsverpflichtung abgesehen werden kann, wenn der Leistende eine sog. Freistellungsbescheinigung vorlegt. Diese Freistellungsbescheinigung wird vom Finanzamt ausgestellt und in eine Datenbank eingestellt, die beim BZSt (http://www.bzst.bund.de) elektronisch abgefragt werden kann.

Der Steuerabzug kann ferner unterbleiben, wenn die Gegenleistung im laufenden Jahr den Betrag von 5.000 € voraussichtlich nicht übersteigen wird. Die Freigrenze erhöht sich auf 15.000 €, wenn der Verein ausschließlich steuerfreie Vermietungsumsätze nach § 4 Nr. 12 Satz 1 UStG ausführt. Erbringt der Leistungsempfänger neben steuerfreien Umsätzen nach § 4 Nr. 12 Satz 1 UStG weitere, ggf. nur geringfügige umsatzsteuerpflichtige Umsätze, gilt insgesamt die Freigrenze von 5.000 €.

Besteht kein Ausnahmetatbestand, ist die Steuer bis zum 10. Tag nach Ablauf des Monats, in dem die Gegenleistung erbracht worden ist, anzumelden und zu entrichten. Unterlässt der Verein die Anmeldung und Abführung der Abzugsteuer, haftet er für den Steuerausfall.

Wegen der Einzelheiten wird auf das „Merkblatt zum Steuerabzug bei Bauleistungen" des Bundesministeriums der Finanzen verwiesen.

C. Rechnungslegung

- Wem gegenüber ist der Verein rechenschaftspflichtig?
- In welcher Art und Weise hat der Verein Rechenschaft abzulegen?
- Bietet die Anerkennung der Gemeinnützigkeit dem Spender und der Öffentlichkeit die Gewähr für einen sorgsamen Umgang mit Spendengeldern und Zuschüssen?
- Wie kann ein Verein der Vertrauenskrise begegnen, die durch Subventionsmissbrauch und Spendenbetrügereien entstanden ist?
- Wie sollte eine Einnahmen-/Ausgabenrechnung aussehen, die allen am Verein Interessierten gerecht wird?
- Wo sollten die Schwerpunkte gesetzt werden bei der Erstellung einer Einnahmen-/Ausgabenrechnung?
- Wie sollte eine Einnahmen-/Ausgabenrechnung zweckmäßigerweise gegliedert sein? Wie sollte ein Kontenplan aussehen?
- Wann ist ein ergänzender Geschäftsbericht von Bedeutung? Was sollte er beinhalten? Welche Möglichkeiten eröffnet er?

I. Rechenschaftspflicht gegenüber der Mitgliederversammlung

1. Pflicht zur periodischen Rechnungslegung

Die Verpflichtung des Vorstands zur Rechnungslegung gegenüber der Mitgliederversammlung ergibt sich aus § 27 Abs. 3 BGB i.V.m. § 666 BGB (Auftragsrecht) und § 259 BGB. Danach hat der Vorstand nach Ablauf seiner Amtszeit über seine Tätigkeit Rechenschaft abzulegen. Bei längerer Vorstandstätigkeit ist nach der Auffassung im Schrifttum auch eine Unterteilung in Perioden vorzunehmen. Während der Amtszeit besteht eine Pflicht zur Rechnungslegung stets dann, wenn die Satzung Vorschriften über das Geschäftsjahr und die Abhaltung einer Jahresmitgliederversammlung enthält.

Unter Rechenschaft ablegen (inhaltsgleich mit Rechnung legen) versteht das Gesetz die geordnete Zusammenstellung der Einnahmen und Ausgaben, ggf. auch der dazugehörigen Belege. Die Zusammenstellung hat in einer verständlichen Form zu erfolgen, die eine Nachprüfung in angemessener Zeit möglich macht. Vereine mit größerem Vermögen sind nach § 260 BGB verpflichtet, ein Bestandsverzeichnis aufzustellen und der Mitgliederversammlung vorzulegen.

2. Rechenschafts- und Geschäftsbericht des Vorstandes

Zu einer ordentlichen Geschäftsführung gehört auch die Information der Mitglieder über die wesentlichen Vorkommnisse. Außerhalb der Mitgliederversammlung ist der Vorstand jedoch nach herrschender Meinung in der Rechtsprechung nicht verpflichtet, einzelnen Mitgliedern Auskünfte zu erteilen.

Der Geschäftsbericht hat in erster Linie die Aufgabe, den Verlauf des Geschäftsjahres und die Lage des Vereins darzustellen und den buchmäßigen Jahresabschluss zu erläutern. Er ist in der Regel die einzige Informationsquelle für die Mitglieder, sich ein Bild von der Lage des Vereins zu machen und soll der Jahresmitgliederversammlung die Grundlage für ihre Beschlüsse (Entlastung, Wahlen usw.) geben.

Der Rechenschafts- und Geschäftsbericht darf sich nicht nur auf den Stand am Schluss des Geschäftsjahres erstrecken, er muss vielmehr die Gestaltung des Vermögensstandes und die Entwicklung der Verhältnisse des Vereins während des verflossenen Vereinsjahres ergeben. Er muss alle Geschäftsvorfälle aufzeigen, die wesentlich für auf das Vereinsleben waren. Dazu gehören z.B. der Abschluss bedeutungsvoller Verträge, Ereignisse, die ungünstig auf den Verein einwirkten, besondere Veranstaltungen, Wettbewerbe und Ähnliches. Der Bericht hat ferner den Zu- und Abgang von Mitgliedern auszuweisen, bei Abgängen nach Möglichkeit auch den Grund des Ausscheidens der einzelnen Mitglieder. Er hat ferner die Einnahmen und die Ausgaben zu enthalten. Überschreitungen des von der Vorjahresmitgliederversammlung festgesetzten Haushaltsplans sind zu begründen. Der Rechenschaftsbericht hat dann insbesondere auch den Jahresabschluss zu erläutern. Wesentliche Abweichungen von früheren Jahresabschlüssen sind zu begründen. Dies kann für die Beurteilung der Lage des Vereins von besonderer Bedeutung sein.

Auch nach Schluss des Vereinsjahres eingetretene oder erst dann bekannt gewordene Vorgänge von besonderer Bedeutung sind mitzuteilen, weil sie die Beschlussfassung beeinflussen können. Üblich ist es, sich auch über die Aussichten im neuen Geschäftsjahr zu äußern. Der Bericht darf nichts Wesentliches verschweigen.

Wird der Rechenschafts- und Geschäftsbericht in schuldhafter Weise nicht oder nicht ordnungsgemäß erstattet, so liegt Pflichtverletzung vor, welche die Abberufung des Vorstandes zur Folge haben kann.

3. Prüfung der Geschäftsführung

Das Vereinsrecht kennt keine Pflichtprüfung der jährlichen Rechnungslegung des Vorstands. Gleichwohl werden solche Prüfungen bei vielen Vereinen regelmäßig praktiziert. Die Revisoren (Kassenprüfer) sollen die Geschäftsführung des Vorstands und der sonstigen Vereinsorgane unvermutet und unangemeldet überprüfen. Den Umfang der Überprüfung bestimmt im Zweifel die Mitgliederversammlung. In der Regel beschränkt sich der Auftrag der Rechnungsprüfer auf die formale Richtigkeit des Rechnungsabschlusses und die Einhaltung der Bestimmungen einer evtl. Finanzordnung. Darüber hinaus sollte auch versucht werden, die Wirtschaftlichkeit der einzelnen Ausgaben und deren Übereinstimmung mit der Satzung zu prüfen und diese Feststellungen an die Hauptversammlung weiterzugeben.

4. Entlastung des Vorstandes

Die Entlastung, die dem Vorstand von der Mitgliederversammlung erteilt wird, enthält die Erklärung der Mitgliederversammlung, sie billige die Geschäftsführung des Vorstands als im Großen und Ganzen gesetz- und satzungsgemäß, und der Verein verzichte auf Bereicherungs- und Schadensersatzansprüche sowie auf Kündigungsgründe, die der Mitgliederversammlung bekannt sind oder bei sorgfältiger Prüfung bekannt sein konnten. Die Grundlage des Entlastungsbeschlusses der Mitgliederversammlung bilden im Wesentlichen der Rechenschaftsbericht für den Zeitraum, auf den sich der Entlastungsbeschluss bezieht, sowie der Bericht der Rechnungsprüfer. Ansprüche, die aus den Rechenschaftsberichten des Vorstands und den der Mitgliederversammlung unterbreiteten Unterlagen nicht oder in wesentlichen Punkten nur so unvollständig erkennbar sind, dass die Vereinsmitglieder die Tragweite der ihnen abverlangten Entlastungsentscheidung nicht zu überblicken vermögen, werden von der Verzichtswirkung nicht erfasst (BGH NJW-RR 1988, 745 (748)). Eine Entlastung aufgrund eines unzulänglichen Rechenschaftsberichts ist daher nicht unwirksam, für den Vorstand aber nur von geringem Wert (LG Frankfurt NJW-RR, 1999, 396). Zwischen den Rechenschaftsberichten des Vorstands und der Verzichtswirkung der Entlastung besteht demnach eine Wechselbeziehung: je gründlicher und offener der Vorstand in seinen Rechenschaftsberichten seine Geschäftsführung darlegt, umso größer ist die Tragweite der von ihm erstrebten Entlastung.

Eine Klage des Vorstands gegen den Verein auf Entlastung hat der Bundesgerichtshof für unzulässig erklärt. Zulässig ist aber eine Klage auf Feststellung, dass Ersatzansprüche des Vereins nicht bestehen.

II. Aufzeichnungspflichten gegenüber dem Finanzamt

Hinsichtlich der Gemeinnützigkeit ist ein Nachweis dahingehend erforderlich, dass die tatsächliche Geschäftsführung auf die ausschließliche und unmittelbare Erfüllung der steuerbegünstigten Zwecke gerichtet ist und den Bestimmungen entspricht, die die Satzung über die Voraussetzungen der Steuerbegünstigung enthält. Gemäß § 63 Abs. 3 AO ist dieser Nachweis durch ordnungsgemäße Aufzeichnungen über ihre Einnahmen und Ausgaben zu führen. Hierfür sind nach § 140 AO die bereits nach Zivilrecht (vgl. oben zu I.) zu führenden Unterlagen ausreichend.

Soweit gemeinnützige Körperschaften einen steuerpflichtigen wirtschaftlichen Geschäftsbetrieb unterhalten, ergibt sich die Buchführungspflicht aus der Abgabenordnung. Nach § 141 Abs.1 AO besteht eine Verpflichtung zur Erstellung von Bilanzen mit Verlust-

und Gewinnrechnung, wenn in den nach § 64 Abs. 2 AO zusammengefassten wirtschaftlichen Geschäftsbetrieben (vgl. AEAO Nr. 3 zu § 141 AO)

- **Umsätze** (einschließlich der steuerfreien Umsätze, ausgenommen die Umsätze nach § 4 Nr. 8 bis 10 UStG) von mehr als **500.000 €** erzielt werden oder
- der **Jahresgewinn** über **50.000 €** liegt.

Sind diese Grenzen nicht überschritten, genügt es, wenn der Gewinn durch Einnahme-Überschuss-Rechnung i. S. des § 4 Abs. 3 EStG ermittelt wird.

Bei der vereinfachten Gewinnermittlung nach § 4 Abs. 3 EStG sind ergänzend dazu folgende Aufzeichnungsvorschriften zu beachten:

- AO § 143, Aufzeichnung des Wareneingangs;
- AO § 144, Aufzeichnung des Warenausgangs;
- EStG § 4 Abs. 3 Satz 5, Verzeichnis für Wirtschaftsgüter des Anlagevermögens;
- EStG § 4 Abs. 7, eingeschränkt abzugsfähige Aufwendungen für Betriebsausgaben i. S. des § 4 Abs. 5 Satz 1 Nr. 1–4, 6b und 7 EStG;
- EStG § 6 Abs. 2, Verzeichnis der geringwertigen Wirtschaftsgüter;
- LStDV § 4, Lohnkonto;
- UStG § 22, Aufzeichnungspflichten zur Feststellung der Umsatzsteuer und der Grundlagen ihrer Berechnung.

III. Informationspflicht gegenüber dem Spender und der Öffentlichkeit

Bei Wirtschaftsunternehmen ist die Rechenschaftslegung gegenüber den Geldgebern eine Selbstverständlichkeit. Die Spender und Fördermitglieder als Geldgeber gemeinnütziger Einrichtungen sind dagegen mangels gesetzlicher Regelung von der Information über deren Aktivitäten weitgehend ausgeschlossen. Dabei ist das unmittelbare Interesse des Spenders an der Rechnungslegung über die Verwendung seiner Mittel im Grunde sogar stärker als beim Anleger, denn der Spender gibt seine Mittel endgültig und nicht als Anlage.

Der Hinweis auf die Anerkennung der Gemeinnützigkeit, mit der im Allgemeinen geworben wird, ist für sich allein keine Garantie für die Spendenwürdigkeit einer Organisation. Die Bescheide des Finanzamts sagen nichts aus über die tatsächliche Qualität und Quantität der Betätigung eines Vereins. Eine vorläufige Anerkennung wird bei neu gegründeten Vereinen schon bei Vorlage einer ordnungsgemäßen Satzung ausgesprochen, ohne dass der Verein seine Tätigkeit aufgenommen haben muss. Auch der nach Überprüfung der tatsächlichen Geschäftsführung erteilte Freistellungsbescheid ist noch keine Gewähr dafür, dass die Spendenmittel im Sinn des Spenders ausgegeben wurden. Ob ein Verein effektiv und kostengünstig wirtschaftet, entzieht sich der steuerlichen Prüfung.

Für den mündigen Spender sind folglich Transparenz, Qualität und Kontrolle einer Organisation von zunehmender Bedeutung. Für den, der etwas spenden möchte, gibt es eine Art Spenden-TÜV: Das Deutsche Zentralinstitut für soziale Fragen (DZI) vergibt seit 1992 ein Gütesiegel an Hilfsorganisationen, die ihre Finanzen und Werbung freiwillig überprüfen lassen und dabei bestimmte Kriterien erfüllen. Dazu gehört unter anderem die nachprüfbare und sparsame Verwendung der Mittel, sachliche Werbung und auch, dass Provisionen für die Vermittlung von Spenden nur in Ausnahmefällen fließen dürfen. Allerdings tragen von etwa 3000 Organisationen, die in Deutschland nach Angaben des DZI überregional Spenden sammeln, gerade einmal 230 das DZI-Spendensiegel. Der Rest ist nicht zwangsläufig unseriös. Zum einen dürfen sich nur überregionale Organisationen um das Siegel bewerben, zum anderen verzichten viele Organisationen auf die Antragstellung, weil die Überprüfung mit nicht unerheblichen Kosten verbunden ist: 1000 € für den Erstantrag, 500 € für die jährliche Siegelprüfung sowie ein Anteil an den jährlichen Spenden und Beiträgen (vgl. hierzu http://www.dzi.de).

Die Diskussion um die Geschäftsführung von UNICEF hat deutlich gemacht, dass die Spender und die Öffentlichkeit erwarten, dass ihnen Rechenschaft über die anvertrauten Mittel abgelegt wird. Eine Offenlegung der Finanzen, insbesondere der Verwaltungsausgaben, ist unabdingbare Voraussetzung dafür, dass eine gemeinnützige Organisation sich auf dem Spendenmarkt behaupten und ihre Arbeit weiter ausbauen kann. „Wer spendet, schenkt Vertrauen.

Vertrauen ist das Kapital einer Spendenorganisation. Um es zu erhalten, bedarf es ehrlicher und transparenter Kommunikation. Deswegen müssen Spendenorganisationen ‚gläserne‘ Organisationen sein" so heißt es in der Pressemitteilung, in der mehrere deutsche Hilfsorganisationen am 7. 4. 2008 einen Neun-Punkte-Plan vorgelegt haben, mit dessen Hilfe sie mehr Offenheit, einheitliche Standards für die Verwendung von Spenden, stärkere Kontrolle und eine bessere Vergleichbarkeit der Hilfswerke erreichen wollen. Man habe die Spender bisher zwar gut über die Projekte in armen Ländern aufgeklärt, ihnen aber zu schlecht vermittelt, wie die Arbeit einer Hilfsorganisation in Deutschland funktioniere. Es müsse mit dem Irrglauben aufgeräumt werden, dass Hilfswerke, die Millionen Euro im Jahr in die Armutsbekämpfung investieren, dies zum Nulltarif tun können.

Der Neun-Punkte-Plan (vgl. hierzu http://www.welthunger hilfe.de) soll der Anstoß zu weiteren konkreten Maßnahmen sein. So will der Verband Entwicklungspolitik deutscher Nichtregierungsorganisationen (VENRO), in dem 110 Hilfswerke zusammengeschlossen sind, einen Verhaltenskodex für Hilfsorganisationen erstellen. Diese soll auch Sanktionsmöglichkeiten enthalten. Die Hilfswerke sprachen sich zudem dafür aus, die Kriterien für das Spendensiegel zu verschärfen und z. B. die Obergrenze für die Verwaltungs- und Werbekosten zu senken. Bisher dürfen 35 % der Spenden für diese Zwecke ausgegeben werden.

IV. Verwendungsnachweis gegenüber dem Zuwendungsgeber

1. Bestandteile des Verwendungsnachweises

Nach den jeweils zugrunde zu legenden Allgemeinen Nebenbestimmungen besteht der Verwendungsnachweis aus dem Sachbericht und dem zahlenmäßigen Nachweis. Bei Projektförderung auf Ausgabenbasis sind mit dem Nachweis grundsätzlich auch die Originalbelege (Einnahme- und Ausgabebelege) über die Einzelzahlungen und die Verträge über die Vergabe von Aufträgen vorzulegen. Zudem ist bei dieser Zuwendungsart ebenso wie bei der institutionellen Förderung im Verwendungsnachweis zu bestätigen, dass die Ausgaben notwendig waren, dass wirtschaftlich und sparsam verfahren worden ist und die Angaben mit den Büchern und Belegen übereinstimmen.

2. Sachbericht

Mit dem Sachbericht soll Auskunft über das erzielte fachliche Ergebnis gegeben werden. Er dient dazu, der Bewilligungsbehörde die Prüfung zu ermöglichen, was zur Erfüllung des Zuwendungszwecks unternommen wurde und ob der angestrebte Erfolg als erfüllt anzusehen ist. Um eine angemessene Prüfung der Unterlagen zu ermöglichen, sollten die Sachberichte über den nach den Allgemeinen Nebenbestimmungen geforderten Inhalt hinaus die wichtigsten Positionen des zahlenmäßigen Nachweises zur Aufgabenerfüllung in Beziehung setzen. Dabei sollte die Notwendigkeit und Angemessenheit der geleisteten Ausgaben für die Zweckerreichung erläutert werden. Ferner sollte das erzielte Ergebnis in Bezug auf die beabsichtigten Ziele anhand von Zielparametern dargestellt werden.

3. Zahlenmäßiger Nachweis

Der zahlenmäßige Nachweis gibt – je nach Zuwendungsart – Rechenschaft über die Einhaltung des Finanzierungsplans bzw. des Haushalts- oder Wirtschaftsplans. Er ist eine wesentliche Grundlage zur Beurteilung der Frage, ob von Seiten der Bewilligungsbehörde Rückforderungsansprüche gegen den Zuwendungsempfänger geltend zu machen sind.

In dem zahlenmäßigen Nachweis sind die Einnahmen und Ausgaben in zeitlicher Folge und voneinander getrennt entsprechend der Gliederung des Finanzierungsplans auszuweisen. Der Nachweis muss alle mit dem Zuwendungszweck zusammenhängenden Einnahmen (Zuwendungen, Leistungen Dritter, eigene Mittel) und Ausgaben enthalten. Aus dem Nachweis müssen Tag, Empfänger/ Einzahler sowie Grund und Einzelbetrag jeder Zahlung ersichtlich sein. Soweit der Zuwendungsempfänger die Möglichkeit zum Vorsteuerabzug nach § 15 UStG hat, dürfen nur die Entgelte (Preise ohne Umsatzsteuer) berücksichtigt werden.

4. Zeitnaher Nachweis

Der zeitnahe Nachweis der Verwendung ist von wesentlicher Bedeutung, um den zweckgerichteten Einsatz der Zuwendung prüfen zu können. Die Zuwendungsempfänger sind daher verpflichtet, die Verwendung der Zuwendung anhand eines Verwendungsnachweises zu belegen – bei Projektförderungen spätestens sechs Monate nach Ablauf des Förderzeitraums, bei institutionellen Förderungen sechs Monate nach Ablauf des Haushalts- oder Wirtschaftsjahres. Bei überjährigen Projektförderungen ist zusätzlich innerhalb von vier Monaten nach Ablauf eines Haushaltsjahres ein Zwischennachweis zu erbringen. Die Zuwendungsgeber haben die Einhaltung dieser Fristen zu überwachen.

5. Erfolgskontrolle und Verwendungsnachweisprüfung

Nach den Vorgaben der Bundeshaushaltsordnung haben die zuwendungsgewährenden Stellen für alle finanzwirksamen Maßnahmen Erfolgskontrollen in Form angemessener Wirtschaftlichkeitsuntersuchungen durchzuführen. Damit soll festgestellt werden, ob und in welchem Ausmaß die angestrebten Ziele erreicht worden sind (Zielerreichungskontrolle), ob die Maßnahme für die Zielerreichung ursächlich (Wirkungskontrolle) und ob sie wirtschaftlich war (Wirtschaftlichkeitskontrolle). Die Erfolgskontrolle ist nach Abschluss der Maßnahme vorzunehmen; bei Maßnahmen von mehr als zwei Jahren Dauer und in sonstigen geeigneten Fällen tritt eine begleitende Erfolgskontrolle während der Laufzeit der Maßnahme hinzu.

Nach den zuwendungsrechtlichen Verwaltungsvorschriften ist bei der Verwendungsnachweisprüfung zu kontrollieren, ob der mit der Zuwendung beabsichtigte Zweck erreicht worden ist; dabei ist – soweit in Betracht kommend – eine begleitende und abschließende Erfolgskontrolle durchzuführen.

V. Notwendigkeit einer umfassenden, standardisierten Rechnungslegung

Eine Buchführung, die nur ausgerichtet ist auf die Information der Mitglieder oder auf die steuerlichen Erfordernisse, ist nicht ausreichend. Der Verein hat auch eine Verantwortung gegenüber den Spendern und der Öffentlichkeit, die mit ihren Zuwendungen einen erheblichen Beitrag zur Bewältigung der ideellen Aufgaben des Vereins leisten. In der Literatur besteht deshalb weitgehend Übereinstimmung, neue Formen der Publizität zu entwickeln, die eine Kontrolle der Öffentlichkeit ermöglichen und eine Information der Spender vorsehen. Vgl. *Lutter*, Zur Rechnungslegung und Publizität gemeinnütziger Spenden-Vereine, BB 1988 S. 489.

Der Rahmen für eine gewisse Einheitlichkeit der Darstellung ist bei gemeinnützigen Vereinen durch die Anforderungen der Abgabenordnung (§ 63 Abs. 3 AO, AEAO Nr. 1 zu § 63 AO) vorgegeben. Dadurch ist es möglich, durch eine systematische Zusammenstellung der Einnahmen und Ausgaben das Finanzgebaren der Vereine allgemein verständlich darzulegen.

VI. Inhalt einer standardisierten Rechnungslegung

1. Die Einnahmen-/Ausgabenrechnung

Die Einnahmen-/Ausgabenrechnung sollte nach *Lutter* (a.a.O.) so beschaffen sein, dass anhand der einzelnen Gliederungspunkte die Aktivitäten des Vereins an den Zahlen erkennbar und mit anderen Vereinen vergleichbar sind. Ein klarer Einblick in Art und Struktur der Einnahmen und Ausgaben ist dabei für die Adressaten der Rechnungslegung wichtiger als ein Einblick in die Vermögenslage. Von entscheidender Bedeutung ist in diesem Zusammenhang die sachgemäße Zusammenstellung der Einnahmen und Ausgaben. Als zweckmäßig hat sich hierbei in der Praxis die steuerrechtliche Unterteilung in folgende Tätigkeitsbereiche erwiesen:

• ideeller Bereich
• Vermögensverwaltung

• Zweckbetriebe (nur bei gemeinnützigen Vereinen)
• wirtschaftliche Geschäftsbetriebe

Diese Unterteilung ist auch in den Steuererklärungsvordrucken vorgesehen, die von den gemeinnützigen Vereinen beim Finanzamt einzureichen sind. Anhand der so geordneten Zahlenangaben i.V.m. den Rechenschaftsberichten für die einzelnen Jahre des Überprüfungszeitraums ist es dem Finanzamt ohne großen Zeitaufwand möglich, zum einen die tatsächlichen Aktivitäten des Vereins zu erkennen (Frage der Gemeinnützigkeit), zum anderen die für eine evtl. Besteuerung maßgebenden Sachverhalte festzustellen und herauszugreifen.

Um die Herkunft der Mittel deutlich zu machen, sollte innerhalb dieser Tätigkeitsbereiche eine weitere Unterteilung vorgenommen werden nach den verschiedenen Einnahmequellen wie Mitgliedsbeiträge, Spenden, öffentliche Zuwendungen, Zuschüsse von übergeordneten Verbänden, Bußgelder, Erbschaften, Vermächtnisse, Zinseinnahmen, Mieten und Pachten, Lotterien, gewerblichen Betätigungen, wie z.B. Werbung und Gastronomie, sowie dem Zufluss aus der Auflösung von Rücklagen.

Auf der Ausgabenseite sollte unterschieden werden in Verwaltungskosten einerseits und Kosten der Verwirklichung des Vereinszwecks (Projektverwirklichung) andererseits. Bei der Darstellung der Projektkosten sind zweckmäßigerweise die Ausgaben für jede einzelne Maßnahme gesondert aufgeführt werden, so dass jederzeit nachvollziehbar ist, wo die Zuwendungen eingesetzt wurden und wie sich längerfristige Projekte weiterentwickelt haben. Die Einnahmen-/Ausgabenrechnung gewinnt dadurch an Übersichtlichkeit und der interessierte Förderer des Vereins wird konkret über den Stand der von ihm unterstützten Maßnahme informiert.

Einnahmen	Ausgaben
Ideeller Bereich	
Mitgliedsbeiträge . . . . (01)	Verwaltungskosten . . . . (01)
Spenden	Mitgliederverwaltung
. . . . (02)	und -pflege . . . . (02)
Zuschüsse . . . . (03)	. . . . (03)
. . . . (04)	. . . . (04)

Einnahmen	Ausgaben
. . . . (05)	Verbandsabgaben . . . . (05)
. . . .	Allgemeine Betriebs-
. . . . (06)	kosten . . . . (06)
Sonstige Einnahmen . . . . . . (07)	Sonstige Ausgaben . . . . (07)
Vermögensverwaltung	
. . . . (08)	. . . . (08)
Kapitalerträge . . . . (09)	Ausgaben Finanzanlagen . . . (09)
Miet- und Pachteinnahmen, .	Ausgaben i. Zshg. m. VuV,
Rechtevergabe . . . . (10)	Rechtevergabe . . . . (10)
Anlagenverkäufe . . . . (11)	Buchwerte Anlageverkäufe . . . (11)
Zweckbetriebe	
Einnahmen aus Sportveran-	Ausgaben für Sportveran-
staltungen . . . . (12)	staltungen . . . . (12)
Einnahmen aus kulturellen	Ausgaben für kulturelle
Veranstaltungen . . . . (13)	Veranstaltungen . . . . (13)
Einnahmen aus Sonder-	Ausgaben für Sonder-
leistungen . . . . (14)	leistungen . . . . (14)
. . . . (15)	. . . . (15)
Wirtschaftliche Geschäftsbetriebe	
Einnahmen aus Profisportveran-	Ausgaben bei Profisport-
staltungen . . . . (16)	veranstaltungen . . . . (16)
. . . . (17)	. . . . (17)
Einnahmen aus Gastronomie	Ausgaben i. Zshg. mit
und geselligen Veranstal-	Gastronomie und gesel-
tungen . . . . (18)	ligen Veranstaltungen . . . . . (18)
Einnahmen aus der Ver-	Ausgaben i. Zshg. mit der
marktung des Sports . . . . . . (19)	Vermarktung des Sports . . . (19)
Einnahmen anderer wirtschaftl.	Ausgaben andere wirtschaftl.
Geschäftsbetriebe . . . . (20)	Geschäftsbetriebe . . . . (20)
Sonstige Einnahmen (die wirt-	Sonstige Ausgaben (die wirt-
schaftl. Geschäftsbetriebe .	schaftl. Geschäftsbetriebe
insgesamt betreffend) . . . . (21)	insgesamt betreffend) . . . . (21)

2. Der Geschäftsbericht

Dem Bericht kommt nach *Lutter* (a.a.O.) auf der einen Seite die
Funktion zu, die Einnahmen-/Ausgabenrechnung zu erläutern, auf

der anderen Seite Angaben zu liefern über die Mitgliederstruktur, die Zusammensetzung der Vereinsgremien, die Beziehung zu übergeordneten Verbänden und nachgeordneten Vereinen, die Zusammenarbeit mit anderen Organisationen, die Anzahl der Arbeitnehmer und ehrenamtlichen Helfer, des Weiteren besondere Vereinsveranstaltungen zu verzeichnen und eine kurze Beschreibung der laufenden und zukünftigen Projekte zu geben.

Bei der Erläuterung der Einnahmen-/Ausgabenrechnung sind Überschreitungen des von der Vorjahresmitgliederversammlung festgesetzten Voranschlags besonders anzuführen und zu erläutern. Zu erörtern sind ferner wesentliche Abweichungen von früheren Jahresabschlüssen. Zu begründen ist insbesondere auch die Vornahme einer evtl. Rücklagenbildung, da Mitglieder und Spender im Allgemeinen davon ausgehen, dass ihre Zuwendungen unmittelbar für die Zwecke des Vereins benötigt werden.

Der Geschäftsbericht ist insbesondere dann von Bedeutung, wenn die Aktivitäten des Vereins in der Buchführung keinen Niederschlag finden, wie dies vor allem bei ehrenamtlicher Tätigkeit der Fall ist. Der Geschäftsbericht sollte daher auch als Möglichkeit der Öffentlichkeitsarbeit genutzt werden, auch wenn zu seiner Erstellung keine rechtliche Verpflichtung besteht.

- Name des Vereins, Gründungsjahr
  ....
- Vorsitzender, Vereinsgremien:
  ....
- Geschäftsstelle:
  ....
- Satzung, Satzungszweck, Arbeitsschwerpunkte
  – Datum der derzeit gültigen Fassung: ....
  – Satzungszweck
    ....
  – Arbeitsschwerpunkte:
    ....
    ....
- Gemeinnützigkeit:
  – Anerkennung der Gemeinnützigkeit zuletzt durch vorläufige Bescheinigung/Freistellungsbescheid des Finanzamts ....
  vom ...., St.Nr. ....

– letzter Überprüfungszeitraum ....

• Mitglieder:
  – Zahl der Mitglieder/Fördermitglieder: ..../..............................
  – Zusammensetzung der Mitglieder (m./w., Jugendliche/Erwachsene etc.):
  ....
  – Höhe der Mitgliederbeiträge und Aufnahmegebühren, Rechtsgrundlage:
  ....

• Personelle Situation:
  – hauptberufliche Mitarbeiter/davon teilzeitbeschäftigt: ....
  – ehrenamtliche Mitarbeiter (Anzahl/Aufgaben): ....
  ....
  ....

• Projekte, Einrichtungen, Abteilungen:
  ....
  ....

• Geplante Projekte:
  ....
  ....

• Zusammenarbeit mit anderen Organisationen und Einrichtungen (Verbandsmitgliedschaften, gemeinsame Aktivitäten):
  ....

• Finanzielle Situation:
  – Ergebnis der Einnahmen-/Ausgabenrechnung: ....
  – Geldbestände zum 31.12.20xx ....
  – Forderungen: ....
  – Verbindlichkeiten ....
  – prozentualer Anteil der einzelnen Einnahmequellen an den Gesamteinnahmen des Vereins, Abweichungen zum Vorjahr:
  ....
  ....
  – Höhe des Verwaltungsaufwands im Verhältnis zu den Gesamtausgaben des Vereins:
  ....
  ....
  – Ausgaben für Mitgliederwerbung und Öffentlichkeitsarbeit, Bezug zum Spendenaufkommen:
  ....
  ....
  – Mittelzuflüsse durch Sachleistungen (z. B. Sachspenden):
  ....

– Überschreitungen des von der Vorjahresmitgliederversammlung verabschiedeten Etats, Begründung der Abweichungen:

....

– Rücklagen:
zweckgebundene Rücklagen für folgende Vorhaben:

....

Freie Rücklagen:

....

● Haushaltsplan des Folgejahres 20xx:

....

....

D. Satzungszwecke und ihre steuerliche Behandlung

- Was bedeuten die einzelnen Satzungszwecke?
- Welche Satzungszwecke sind gemeinnützig?
- Welche Steuervergünstigungen sind mit den jeweiligen Satzungszwecken verbunden?
- Welche Satzungszwecke sind spendenbegünstigt?

▶ **Allgemeine Förderung des demokratischen Staatswesens im Geltungsbereich dieses Gesetzes**

Gemeinnützigkeit: Nach § 52 Abs. 2 Nr. 24 AO ist als Förderung der Allgemeinheit und damit als gemeinnützig anzuerkennen die „allgemeine Förderung des demokratischen Staatswesens im Geltungsbereich dieses Gesetzes; hierzu gehören nicht Bestrebungen, die nur bestimmte Einzelinteressen staatsbürgerlicher Art verfolgen oder die auf den kommunalpolitischen Bereich beschränkt sind."

Die Fassung des Gesetzes weist darauf hin, dass die Förderung als solche bereits den Charakter der Allgemeinheit tragen muss, nicht erst der Zweck (demokratisches Staatswesen). Damit sind alle parteipolitischen Gruppierungen und Aktivitäten ausgeschlossen. Wohl kann die allgemeine Förderung durch Organisationen politischer Parteien (z.B. Bildungswerke) vorgenommen werden, aber die Aktivitäten dürfen nicht auf die parteipolitische Richtung der Trägerpartei abgestellt sein. Allgemeine Förderung bedeutet deshalb, dass die politischen Vorgänge und die politischen Verhaltensweisen generell beleuchtet und publiziert werden, ohne Bindung an irgendeine politische Gruppierung.

Die steuerlichen Vorteile der Gemeinnützigkeit gelten nur für die allgemeine Förderung des deutschen demokratischen Staatswesens. Förderung der Demokratie in anderen Staaten ist in Deutschland nicht gemeinnützig.

Nicht begünstigt sind Bestrebungen, die nur bestimmte Einzelinteressen staatsbürgerlicher Art verfolgen. Dies ist eigentlich auch schon im Begriff der Allgemeinheit enthalten (§ 52 Abs. 1 AO), der hier als Grundvoraussetzung zusätzlich erfüllt sein muss. Die Wiederholung im Gesetzestext stellt klar, dass unter demokratischem Staatswesen nicht Einzelinteressen zu verstehen sind, auch wenn sie staatsbürgerlicher Art sind. Das Gemeinwesen in Form der Allgemeinheit ist allein der tragende Gesichtspunkt für die steuerlichen Begünstigungen.

Ausgeschlossen sind auch Bestrebungen, die auf den kommunalpolitischen Bereich beschränkt sind. Dies hat seinen Grund darin, dass der kommunalpolitische Bereich ein sehr begrenzter ist und die Summe der Einzelinteressen der Bürger einer Kommune – die ja ggf. recht klein sein kann – im Vordergrund steht. Diese Summe der Interessen der Bürger kann auch außerhalb demokratischer Formen verwirklicht werden. Deshalb ist der kommunalpolitische Bereich von der allgemeinen Gemeinnützigkeit ausgeschlossen.

Politische Zwecke (Beeinflussung der politischen Meinungsbildung, Förderung politischer Parteien etc.) zählen nicht zu den gemeinnützigen Zwecken i. S. des § 52 AO. Eine gewisse Beeinflussung der politischen Meinungsbildung schließt jedoch die Gemeinnützigkeit nicht aus (BFH-Urteil vom 29. 8. 1984, BStBl. II S. 844). Eine politische Tätigkeit ist danach unschädlich für die Gemeinnützigkeit, wenn eine gemeinnützige Tätigkeit nach den Verhältnissen im Einzelfall zwangsläufig mit einer politischen Zielsetzung verbunden ist und die unmittelbare Einwirkung auf die politischen Parteien und die staatliche Willensbildung gegenüber der Förderung des gemeinnützigen Zwecks weit in den Hintergrund tritt. Eine Körperschaft fördert deshalb auch dann ausschließlich ihren steuerbegünstigten Zweck, wenn sie gelegentlich zu tagespolitischen Themen im Rahmen ihres Satzungszwecks Stellung nimmt. Entscheidend ist, dass die Tagespolitik nicht Mittelpunkt der Tätigkeit der Körperschaft ist oder wird, sondern der Vermittlung der steuerbegünstigten Ziele der Körperschaft dient (BFH-Urteil vom 23. 11. 1988, BStBl. II 1989 S. 391). Dagegen ist die Gemeinnützigkeit zu versagen, wenn ein politischer Zweck als alleiniger oder überwiegender Zweck in der Satzung einer Körperschaft festgelegt ist, oder die Körperschaft tatsächlich ausschließlich oder überwiegend einen politischen Zweck verfolgt.

Vgl. hierzu auch AEAO Nr. 8, 15 und 16 zu § 52 AO sowie die Stichw. „Politische Parteien" (S. 79) und „Unabhängige Wählervereinigungen" (S. 90).

Spendenabzug: Zuwendungen sind nach § 10b Abs. 1 EStG als Sonderausgaben abzugsfähig.

▶ **Altenhilfe**

Gemeinnützigkeit und Spendenabzug: Die Altenhilfe ist nach § 8 Satz 1 Nr. 7 SGB XII eine Pflichtaufgabe des öffentlichen Gemeinwesens. Sie ist in § 71 SGB XII wie folgt definiert:

§ 71 SGB XII. (1) Alten Menschen soll außer den Leistungen nach den übrigen Bestimmungen dieses Buches Altenhilfe gewährt werden. Die Altenhilfe soll dazu beitragen, Schwierigkeiten, die durch das Alter entstehen, zu verhüten, zu überwinden oder zu mildern und alten Menschen die Möglichkeit zu erhalten, am Leben in der Gemeinschaft teilzunehmen.

(2) Als Leistungen der Altenhilfe kommen insbesondere in Betracht:

1. Leistungen zu einer Betätigung und zum gesellschaftlichen Engagement, wenn sie vom alten Menschen gewünscht wird,

2. Leistungen bei der Beschaffung und zur Erhaltung einer Wohnung, die den Bedürfnissen des alten Menschen entspricht,

3. Beratung und Unterstützung in allen Fragen der Aufnahme in eine Einrichtung, die der Betreuung alter Menschen dient, insbesondere bei der Beschaffung eines geeigneten Heimplatzes,

4. Beratung und Unterstützung in allen Fragen der Inanspruchnahme altersgerechter Dienste,

5. Leistungen zum Besuch von Veranstaltungen oder Einrichtungen, die der Geselligkeit, der Unterhaltung, der Bildung oder den kulturellen Bedürfnissen alter Menschen dienen,

6. Leistungen, die alten Menschen die Verbindung mit nahe stehenden Personen ermöglichen.

(3) Leistungen nach Absatz 1 sollen auch erbracht werden, wenn sie der Vorbereitung auf das Alter dienen.

(4) Altenhilfe soll ohne Rücksicht auf vorhandenes Einkommen oder Vermögen geleistet werden, soweit im Einzelfall Beratung und Unterstützung erforderlich sind.

Die Altenhilfe wird im wesentlichen Umfang von den Spitzenverbänden der freien Wohlfahrtspflege und ihren Mitgliedsorganisationen wahrgenommen. In § 5 SGB XII, der sich mit dem Verhältnis zur freien Wohlfahrtspflege befasst, heißt es dazu:

§ 5 SGB XII. (1) ...

(2) Die Träger der Sozialhilfe sollen bei der Durchführung dieses Buches mit den Kirchen und Religionsgesellschaften des öffentlichen Rechts sowie den Verbänden der freien Wohlfahrtspflege zusammenarbeiten. Sie achten dabei deren Selbständigkeit in Zielsetzung und Durchführung ihrer Aufgaben.

(3) Die Zusammenarbeit soll darauf gerichtet sein, dass sich die Sozialhilfe und die Tätigkeit der freien Wohlfahrtspflege zum Wohle der Leistungsberechtigten wirksam ergänzen. Die Träger der Sozialhilfe sollen die Verbände der freien Wohlfahrtspflege in ihrer Tätigkeit auf dem Gebiet der Sozialhilfe angemessen unterstützen.

(4) Wird die Leistung im Einzelfall durch die freie Wohlfahrtspflege erbracht, sollen die Träger der Sozialhilfe von der Durchführung eigener Maßnahmen absehen. Dies gilt nicht für die Erbringung von Geldleistungen.

(5) Die Träger der Sozialhilfe können allgemein an der Durchführung ihrer Aufgaben nach diesem Buch die Verbände der freien Wohlfahrtspflege beteiligen oder ihnen die Durchführung solcher Aufgaben übertragen, wenn die Verbände mit der Beteiligung oder Übertragung einverstanden sind. Die Träger der Sozialhilfe bleiben den Leistungsberechtigten gegenüber verantwortlich.

Die private Altenhilfe ist danach eine Gemeinwohltätigkeit, die das öffentliche Gemeinwesen von einer Pflichtaufgabe wesentlich entlastet. Die Altenhilfe gilt deshalb als gemeinnütziger Zweck i. S. des § 52 Abs. 2 Nr. 4 AO. Zuwendungen sind nach § 10b Abs. 1 Satz 1 EStG als Sonderausgaben abzugsfähig.

Ergänzende steuerliche Vergünstigungen: Alten-, Altenwohn- und Pflegeheime sind als Zweckbetriebe zu behandeln, wenn sie in besonderem Maße den in § 53 AO genannten Personen dienen (§ 68 Nr. 1a AO).

Gem. § 4 Nr. 16 UStG i.V.m. Abschn. 99 UStR sind Altenheime, Altenwohnheime und Pflegeheime von der Umsatzsteuer befreit, wenn im vorangegangenen Kalenderjahr mindestens 40 % der Leistungen begünstigten Personen zugute gekommen sind.

Aufwandsentschädigungen für die nebenberufliche Pflege alter, kranker oder behinderter Menschen sind bis zum Betrag von 2.100 € einkommensteuerfrei (§ 3 Nr. 26 EStG).

▶ Amateurfunken

Die Voraussetzungen und Bedingungen für die Teilnahme am Amateurfunkdienst sind geregelt im Amateurfunkgesetz, in der Verordnung zum Gesetz über den Amateurfunk (Amateurfunkverordnung) sowie in der Verordnung zur Durchführung des Gesetzes über den Amateurfunk.

Gemeinnützigkeit und Spendenabzug: Amateurfunk gilt als gemeinnütziger Zweck (vgl. § 52 Abs. 2 Nr. 23 AO). CB-Funk ist als identisch mit der Förderung des Amateurfunks anzusehen und damit ebenfalls als gemeinnützig anzuerkennen (AEAO Nr. 4 zu § 52 AO).

Spenden sind nach § 10b Abs. 1 Satz 1 EStG als Sonderausgaben abzugsfähig, Mitgliedsbeiträge sind nach § 10b Abs. 1 Satz 3 EStG nicht abziehbar.

▶ Arbeitsschutz

Unter Arbeitsschutz versteht man nach § 2 Abs. 1 Arbeitsschutzgesetz Maßnahmen zur Verhütung von Unfällen bei der Arbeit und arbeitsbedingten Gesundheitsgefahren einschließlich Maßnahmen der menschengerechten Gestaltung der Arbeit.

Grundlegende und ermächtigende Gesetze in diesem Zusammenhang sind u. a.:

das Arbeitsschutzgesetz, das Siebte Buch des Sozialgesetzbuchs (SGB VII), die Gewerbeordnung, das Heimarbeitsgesetz, das Arbeitssicherheitsgesetz, das Mutterschutzgesetz, das Jugendarbeitsschutzgesetz, das Arbeitszeitgesetz, das Gesetz über den Ladenschluss, das Fahrpersonalgesetz, das Gesetz zum Schutz vor gefährlichen Stoffen (Chemikaliengesetz), das Gentechnikgesetz, das Atomgesetz, das Sprengstoffgesetz, das Produktsicherheitsgesetz, das Medizinproduktegesetz, das Bundes-Immissionsschutzgesetz.

Gemeinnützigkeit/Spendenabzug: Die Förderung des Arbeitsschutzes zählt zu den gemeinnützigen Zwecken i. S. des § 52 Abs. 2 Nr. 12 AO. Zuwendungen sind nach § 10b Abs. 1 Satz 1 EStG als Sonderausgaben abzugsfähig.

▶ Berufsverbände

Berufsverbände sind gem. R 16 Abs. 1 KStR 2004 Vereinigungen von natürlichen Personen oder Unternehmen, die allgemeine, aus der beruflichen oder unternehmerischen Tätigkeit erwachsende ideelle und wirtschaftliche Interessen des Berufsstandes oder Wirtschaftszweiges wahrnehmen. Die Tätigkeit des Berufsverbandes muss dem Berufsstand oder Wirtschaftszweig als solchem zugute kommen, also auch Nichtmitgliedern. Die Wahrnehmung der besonderen geschäftlichen Belange der einzelnen Mitglieder darf nicht Zweck eines Berufsverbandes sein.

§ 5 KStG Befreiungen. (1) Von der Körperschaftsteuer sind befreit
...

5. Berufsverbände ohne öffentlich-rechtlichen Charakter sowie kommunale Spitzenverbände auf Bundes- oder Landesebene einschließlich ihrer Zusammenschlüsse, wenn der Zweck dieser Verbände nicht auf einen wirtschaftlichen Geschäftsbetrieb gerichtet ist. Die Steuerbefreiung ist ausgeschlossen,

a) soweit die Körperschaften oder Personenvereinigungen einen wirtschaftlichen Geschäftsbetrieb unterhalten oder

b) wenn die Berufsverbände Mittel von mehr als 10 % der Einnahmen für die unmittelbare oder mittelbare Unterstützung oder Förderung politischer Parteien verwenden.

Die Sätze 1 und 2 gelten auch für Zusammenschlüsse von juristischen Personen des öffentlichen Rechts, die wie die Berufsverbände allgemeine ideelle und wirtschaftliche Interessen ihrer Mitglieder wahrnehmen. Verwenden Berufsverbände Mittel für die unmittelbare oder mittelbare Unterstützung oder Förderung politischer Parteien, beträgt die Körperschaftsteuer 50 % der Zuwendungen;

Körperschaftsteuerbefreiung: Die Freistellung eines Berufsverbands von der Steuerpflicht beruht (in Anlehnung an die Steuerbefreiung für gemeinnützige Körperschaften) auf der Anerkennung seines Wirkens als eines Wirkens im Interesse der Allgemeinheit (BFH vom 29. 11. 1967, BStBl. II 1968 S. 236). Allerdings gelten anders als bei gemeinnützigen Körperschaften für Berufsverbände nicht die Vorschriften der §§ 52–68 AO.

Ob die Voraussetzungen für einen steuerbefreiten Berufsverband vorliegen und ob dessen Zweck nicht auf einen wirtschaftlichen Geschäftsbetrieb gerichtet ist, ist grundsätzlich anhand der Satzung zu entscheiden (BFH vom 18. 9. 1984, BStBl. II 1985 S. 92). Berufsverbände, deren Zweck schon nach Satzung auf einen wirtschaftlichen Geschäftsbetrieb gerichtet ist, sind voll steuerpflichtig. Hierbei ist es gleichgültig, ob ein solcher wirtschaftlicher Geschäftsbetrieb tatsächlich unterhalten wird.

Die Satzung muss den Zweck des Verbandes, d. h. die geförderten allgemeinen Belange eines Berufsstandes oder Wirtschaftszweiges, eindeutig wiedergeben. Maßgeblich ist auch stets die tatsächliche Geschäftsführung.

Erfüllt die Satzung die Voraussetzungen eines steuerbefreiten Berufsverbandes und stimmt die tatsächliche Geschäftsführung mit der Satzung überein, steht der Steuerbefreiung nichts im Wege.

§ 5 Abs. 1 Nr. 5 Satz 2 KStG **schließt die Steuerbefreiung insoweit aus,** als ein wirtschaftlicher Geschäftsbetrieb unterhalten wird. Berufsverbände sind mit diesem wirtschaftlichen Geschäftsbetrieb steuerpflichtig. Im Gegensatz zu den gemeinnützigen Körperschaften, bei denen zwischen steuerschädlichem und steuerunschädlichem wirtschaftlichen Geschäftsbetrieb (Zweckbetrieb) unterschieden wird, ist bei Berufsverbänden kein Zweckbetrieb möglich. Berufsverbände sind also auch mit jenen wirtschaftlichen Geschäftsbetrieben steuerpflichtig, die dem Verbandszweck dienen.

Ein Verband verliert seine Steuerbegünstigung, wenn die Verbandstätigkeit hinter die wirtschaftliche Tätigkeit so weit zurücktritt, dass der wirtschaftliche Geschäftsbetrieb dem Verband das Gepräge gibt (R 16 Abs. 1 Satz 6 KStR 2004).

Umsatzsteuerbefreiung: Nach § 4 Nr. 22 UStG i.V.m. Abschn. 115 UStR 2008 ist eine Umsatzsteuerbefreiung allgemein möglich für Vorträge, Kurse und andere Veranstaltungen wissenschaftlicher oder belehrender Art, die von Einrichtungen, die dem Zweck eines Berufsverbandes dienen, durchgeführt werden. Voraussetzung ist hier nur, dass die Einnahmen überwiegend zur Deckung der Unkosten verwendet werden.

▶ Bürgerschaftliches Engagement

Gemeinnützigkeit und Spendenabzug: Die Förderung bürgerschaftlichen Engagements zugunsten gemeinnütziger, mildtätiger und kirchlicher Zwecke zählt zu den gemeinnützigen Zwecken i. S. des § 52 Abs. 2 Nr. 25 AO i. V. m. AEAO Nr. 2.4 zu § 52. Zuwendungen sind nach § 10b Abs. 1 Satz 1 EStG als Sonderausgaben abzugsfähig.

Durch das Gesetz zur weiteren Stärkung des bürgerschaftlichen Engagements wurde mit Wirkung ab 2007 auch die Förderung bürgerschaftlichen Engagements *zugunsten* gemeinnütziger, mildtätiger und kirchlicher Zwecke in den Katalog der gemeinnützigen Zwecke aufgenommen. Damit soll der Bedeutung Rechnung getragen werden, die ehrenamtlicher Einsatz für unsere Gesellschaft hat. Eine Erweiterung der vorstehenden gemeinnützigen Zwecke ist damit nicht verbunden. Die Bedeutung der neuen Nr. 25 des Zweckkatalogs ist vielmehr darin zu sehen, dass nunmehr auch mittelbares Engagement, wie es z. B. von Freiwilligenagenturen praktiziert wird, steuerlich begünstigt wird. Dieser neue gemeinnützige Zweck kommt einer Ausnahme vom Grundsatz der Unmittelbarkeit (§ 57 AO) gleich, setzt aber im Gegensatz zu den Ausnahmetatbeständen des § 58 Nr. 1 bis 4 AO weder eine Mittelweitergabe noch eine Personal- oder Raumüberlassung voraus.

Nicht erforderlich ist, dass sich die Körperschaft selbst (unmittelbar) gemeinnützig, mildtätig oder kirchlich betätigt. Es genügt, dass sich der Verein ganz allgemein dafür einsetzt, das öffentliche Bewusstsein für die Notwendigkeit bürgerschaftlichen Engagements zu fördern.

▶ Denkmalschutz und Denkmalpflege

Die Rechtsgrundlagen für den Denkmalschutz ergeben sich aus dem Gesetz vom 1. 6. 1980, BGBl. I S. 649 und den Landesgesetzen. Denkmalschutz sind die auf die Erhaltung von Denkmälern abgestellten hoheitlichen Maßnahmen der öffentlichen Hand, insbesondere Anordnungen und sonstige Verfügungen, Erlaubnisse und Genehmigungen. Zur Denkmalpflege demgegenüber zählen Tätigkeiten und Maßnahmen nichthoheitlicher Art, die der Erhaltung von Denkmälern dienen, insbesondere Hilfe und fachliche Beratung bei Instandhaltung und Instandsetzung, Konservierung und Restaurierung von Denkmälern.

Gemeinnützigkeit und Spendenabzug: Die Förderung von Denkmalschutz und Denkmalpflege zählt zum Katalog der gemeinnützigen Zwecke i. S. des § 52 Abs. 2 Nr. 6 AO. Zuwendungen sind nach § 10b Abs. 1 Satz 1 EStG als Sonderausgaben abzugsfähig.

Ergänzende steuerliche Vergünstigungen: Für die Eigentümer von Kulturdenkmälern sind darüber hinaus noch folgende Steuerbegünstigungen von Bedeutung: §§ 7i, 10f, 10g und 11b EStG, § 13 ErbStG, § 32 GrStG.

▶ Ehe und Familie

Allgemeines: „Ehe und Familie stehen unter dem besonderen Schutze der staatlichen Ordnung", heißt es in Art. 6 Abs. 1 GG. Ehe und Familien sind freiwillig gegründete Institutionen, die sich auf der Basis von Gemeinschaftlichkeit gegründet haben, was für die staatliche Ordnung von immenser und grundlegender Wichtigkeit ist. Von Ehe und Familie hängen Staat und Gesellschaft ab. Das Grundrecht aus Art. 6 GG betont deshalb vor allem die Stellung der Kinder. Weil die Pflege und Erziehung von Kindern „das natürliche Recht der Eltern" und sogar „die zuvörderst ihnen obliegende Pflicht" ist (vgl. Art. 6 Abs. 2 GG), hat die staatliche Gemeinschaft die subsidiäre Aufgabe, über die Einhaltung dieser Pflichten zu wachen. Ziel des Staates muss sein, Kindern die Chancengleichheit i. S. der Verfassung zu gewährleisten und Familien die Möglichkeit zu geben, sich entfalten zu können. Wo das nicht funktioniert, muss der Staat subsidiär eingreifen.

Gemeinnützigkeit und Spendenabzug: Die Förderung des Schutzes von Ehe und Familie zählt zu den gemeinnützigen Zwecken i. S. des § 52 Abs. 2 Nr. 19 AO. Zuwendungen sind nach § 10b Abs. 1 Satz 1 EStG als Sonderausgaben abzugsfähig.

▶ Entwicklungszusammenarbeit

Früher hieß es „Entwicklungshilfe", heute „Entwicklungszusammenarbeit". Warum das so ist, beantwortet das Bundesministerium für wirtschaftliche Zusammenarbeit (BMZ) auf seiner Homepage wie folgt:

„Die Länder und Organisationen, mit denen Deutschland entwicklungspolitisch zusammenarbeitet, sind keine Empfänger von Hilfeleistungen mehr, sie sind unsere Partner. Die Ziele der Zusammenarbeit werden gemeinsam festgelegt, die Maßnahmen werden gemeinsam geplant und durchgeführt und auch die Verantwortung für Erfolge und Misserfolge tragen wir gemeinsam. Oft beteiligen sich unsere Partner auch an der Finanzierung der Programme. Der Begriff der ‚Entwicklungszusammenarbeit' beschreibt diese Partnerschaft viel besser als der Begriff ‚Entwicklungshilfe'. Und was wir oft vergessen: Auch Deutschland und die anderen Geberstaaten profitieren sehr von der Zusammenarbeit – z. B. durch wirtschaftliche Kontakte zu den Partnerländern und durch die Verbesserung der weltwirtschaftlichen Rahmenbedingungen."

Ob und in welcher Form Deutschland mit einem Land entwicklungspolitisch zusammenarbeitet, hängt von der Entwicklungsorientierung des Landes und seine internen Rahmenbedingungen ab. Diese analysiert das BMZ anhand eines Kriterienkataloges. Die Kriterien sind:

- armutsorientierte und nachhaltige Politikgestaltung,
- Achtung, Schutz und Gewährleistung der Menschenrechte,
- Demokratie und Rechtsstaatlichkeit,
- Leistungsfähigkeit und Transparenz des Staates,
- kooperatives Verhalten in der Staatengemeinschaft.

Zur praktischen Durchführung der Entwicklungszusammenarbeit bedient sich das BMZ sog. Durchführungsorganisationen. Verantwortliche Organisationen für die finanzielle Zusammenarbeit beispielsweise sind die Kreditanstalt für Wiederaufbau (KfW) und die Deutsche Investitions- und Entwicklungsgesellschaft DEG). Für die Technische Zusammenarbeit mit den Partnerländern ist die Deutsche Gesellschaft für Technische Zusammenarbeit (GTZ) zuständig. Der Deutsche Entwicklungsdienst (DED) hat sich auf die Vorbereitung und Entsendung von Entwicklungshelferinnen und Entwicklungshelfer spezialisiert.

In der Entwicklungspolitik der Bundesregierung spielt aber auch die Zusammenarbeit mit Nichtregierungsorganisationen (NRO) eine wachsende Rolle. Die Stärke der NRO liegt in ihren engen Kontakten zur Zivilgesellschaft in den Partnerländern, auch in Ländern, mit denen eine staatliche Zusammenarbeit aus politischen Gründen schwierig oder unmöglich ist. Durch ihre Erfahrung vor Ort haben sie oftmals langfristige entwicklungsfördernde Strukturen und Netzwerke aufgebaut. Die meisten dieser Organisationen sind private, kirchliche oder politisch orientierte Träger von Programmen und Projekten der Entwicklungszusammenarbeit. Die wichtigsten Arbeitsbereiche der NRO sind die Armutsbekämpfung, der Aufbau sozialer und institutioneller Strukturen, die Nahrungsmittel-, Not- und Flüchtlingshilfe sowie Bildungs- und Öffentlichkeitsarbeit. Viele dieser NRO sind im Verband deutscher Nichtregierungsorganisationen e.V. (VENRO) organisiert.

Damit Programme und Projekte von NRO bezuschusst werden können, müssen u. a. folgende Voraussetzungen erfüllt sein:

- Gemeinnützigkeit der Organisation und Sitz in Deutschland;
- fachliche und administrative Kompetenz;
- Erfahrung in der Zusammenarbeit mit leistungsfähigen, nicht gewinnorientierten Partnerorganisationen in Entwicklungsländern;
  das zu fördernde Projekt muss die wirtschaftliche und/oder soziale Lage armer Bevölkerungsschichten unmittelbar verbessern oder zur Achtung der Menschenrechte beitragen;
- der private Träger muss mindestens 25 % der Projektkosten als Eigenanteil aufbringen.

Gemeinnützigkeit und Spendenabzug: Die Förderung der Entwicklungszusammenarbeit ist gemeinnützig gem. § 52 Abs. 2 Nr. 15 AO. Zuwendungen sind nach § 10b Abs. 1 Satz 1 EStG als Sonderausgaben abzugsfähig.

▶ Erziehung, Volks- und Berufsbildung einschl. der Studentenhilfe

Bildung ist für die moderne Gesellschaftspolitik und Zukunftsgestaltung von zentraler Bedeutung. Sie beinhaltet nicht nur die schulische Bildung, sie beinhaltet auch die Berufsausbildung und die berufliche Fort- oder Weiterbildung.

Die Bedeutung der Erziehung für die Bildung besteht in der Verknüpfung des fachlichen Lernens mit sozialem Lernen. Die Vermittlung von Wissen muss mit der Vermittlung von „Lebenskompetenz" einhergehen (vgl. *Roman Herzog*, Rede zum Thema „Erziehung im Informationszeitalter").

Gemeinnützigkeit und Spendenabzug: Die Förderung von Erziehung, Volks- und Berufsbildung einschl. der Studentenhilfe zählt zu den gemeinnützigen Zwecken i. S. des § 52 Abs. 2 Nr. 7 AO. Zuwendungen sind nach § 10 b Abs. 1 Satz 1 EStG als Sonderausgaben abzugsfähig.

Ergänzende steuerliche Vergünstigungen:

Zweckbetriebseigenschaft von Volkshochschulen: Volkshochschulen und ähnliche Einrichtungen gelten gem. § 68 Nr. 8 AO als Zweckbetriebe. Die Steuerbegünstigung erstreckt sich sowohl auf die Kursgebühren als auch auf die Beherbergung und Beköstigung der Teilnehmer. Der Verkauf von Lehr- und Lernmaterial ist nur insoweit begünstigt, als es den Unterricht inhaltlich ergänzt, zum Einsatz im Unterricht bestimmt ist, von der Schule selbst erstellt wird und bei Dritten nicht bezogen werden kann.

Umsatzsteuerbefreiung: Für Einrichtungen im Bereich von Bildung und Erziehung kommen Umsatzsteuerbefreiungen nach § 4 Nr. 21 oder § 4 Nr. 22 UStG in Betracht.

Eine Umsatzsteuerbefreiung erhalten nach § 4 Nr. 21a UStG i.V.m. Abschn. 111 bis 114 UStR 2008 neben staatlich genehmigten Ersatzschulen auch andere allgemeinbildende oder berufsbildende Einrichtungen, wenn sie ihre fachliche Qualifikation durch eine Bescheinigung der zuständigen Landesbehörde nachweisen. Eine Umsatzsteuerbefreiung erhalten nach § 4 Nr. 21b UStG auch die selbstständigen Lehrer an den vorgenannten allgemeinbildenden oder berufsbildenden Einrichtungen. Da Bildungseinrichtungen keinen Vorsteuerabzug haben, bedeutet die Befreiung der Lehrer eine erhebliche Kostenersparnis.

Eine Umsatzsteuerbefreiung nach § 4 Nr. 22 UStG i. V. m. Abschn. 115 UStR 2008 ist allgemein möglich für Vorträge, Kurse und andere Veranstaltungen wissenschaftlicher oder belehrender Art, die von Einrichtungen, die gemeinnützigen Zwecken dienen, durchgeführt werden. Voraussetzung ist hier nur, dass die Einnahmen überwiegend zur Deckung der Unkosten verwendet werden.

Die Umsatzsteuerbefreiung gilt **nicht für die Beherbergung und Beköstigung.** Entgelte hierfür unterliegen gem. § 12 Abs. 2 Nr. 8 UStG dem ermäßigten Steuersatz.

Steuerfreie Aufwandsentschädigungen: Aufwandsentschädigungen für die nebenberufliche Tätigkeit als Ausbilder, Erzieher, Betreuer oder vergleichbare nebenberufliche Tätigkeiten sind bis zum Betrag von 2.100 € (§ 3 Nr. 26 EStG) einkommensteuerfrei (vgl. hierzu auch Kap. H II. 2. „Übungsleiterpauschale").

Grundsteuerbefreiung von Grundbesitz, der für Zwecke der Wissenschaft, des Unterrichts oder der Erziehung benutzt wird: Vgl. hierzu §§ 4 Abs. 1 Nr. 5, 5 Abs. 1 Nr. 2 GrStG.

▶ Feuerschutz

Beim Feuerschutz handelt es sich wie auch beim → Arbeits-, → Katastrophen- und → Zivilschutz sowie der → Unfallverhütung um Maßnahmen zur Abwehr von Gefahren für die Allgemeinheit. Die den Feuerschutz betreffende Gesetzgebung liegt in den Händen der Bundesländer. Nach § 1 des Bayerischen Feuerwehrgesetzes z. B. haben die Gemeinden als Pflichtaufgabe im eigenen Wirkungskreis dafür zu sorgen, dass drohende Brand- und Explosionsgefahren beseitigt und Brände wirksam bekämpft werden (abwehrender Brandschutz) sowie ausreichende technische Hilfe bei sonstigen Unglücksfällen oder Notständen im öffentlichen Interesse geleistet wird (technischer Hilfsdienst). Der abwehrende Brandschutz und der technische Hilfsdienst werden durch gemeindliche Feuerwehren (Freiwillige Feuerwehren, Berufsfeuerwehren) und durch Werksfeuerwehren besorgt. Die gemeindlichen Feuerwehren sind öffentliche Einrichtungen der Gemeinden. Die Einsatzkräfte der Freiwilligen Feuerwehren werden in der Regel von Feuerwehrvereinen gestellt.

Gemeinnützigkeit und Spendenabzug: Die Förderung des Feuerschutzes ist ein gemeinnütziger Zweck i. S. des § 52 Abs. 2 Nr. 12 AO. Zuwendungen sind nach § 10b Abs. 1 Satz 1 EStG als Sonderausgaben abzugsfähig. Die Feuerwehren selbst sind Teile von juristischen Personen des öffentlichen Rechts (Gemeinden) und als solche nicht steuerpflichtig. Die daneben noch bestehenden Feuerwehrfördervereine können gemeinnützig sein (vgl. § 58 Nr. 1 AO).

Zwar sind gemeindliche Feuerwehren öffentliche Einrichtungen der Gemeinden (z. B. gem. Art. 4 Abs. 1 Satz 2 BayFwG). Daraus folgt jedoch nicht, dass jegliches Handeln einer Freiwilligen Feuerwehr der hinter ihr stehenden Gemeinde zuzurechnen wäre. Vielmehr sind sie nur insoweit als öffentliche Einrichtungen von Gemeinden anzusehen, als sie für diese Pflichtaufgaben wahrnehmen, nämlich den abwehrenden Brandschutz sowie den technischen Hilfsdienst (Art. 1 Abs. 1 BayFwG). Die Veranstaltung von Vereinsfesten gehört nicht dazu, auch wenn sie der Traditionspflege dienen oder dazu, Mittel zu erwirtschaften, mit deren Hilfe öffentliche Aufgaben der Freiwilligen Feuerwehr erfüllt werden sollen. Wirtschaftliche Tätigkeiten wie ein Bierzeltbetrieb, die außerhalb des eigentlichen Satzungszweckes liegen, sind dem Verein zuzurechnen (vgl. hierzu FG München vom 26. 7. 2005, EFG 2006 S. 68).

▶ Gesundheitswesen und Gesundheitspflege

Begriffe:

Unter **öffentlichem Gesundheitswesen** versteht man nach SPIEGEL WISSEN die Gesamtheit der vom Staat geschaffenen Einrichtungen zur Erhaltung und Förderung oder Wiederherstellung der Gesundheit der Bevölkerung. Zu seinen Aufgaben gehören die allgemeine Gesundheitsvorsorge und -erziehung sowie die Abwehr gesundheitlicher Gefahren von der Allgemeinheit, die Durchführung der Vorschriften des Lebensmittelgesetzes sowie des Bundesseuchengesetzes, die Zulassung und Überwachung von Arzneimitteln und Impfstoffen sowie die Überwachung des Arzneimittelgesetzes,

der Schutz vor ionisierender Strahlung, die Aufsicht über Arbeits-
schutzbestimmungen sowie die Überwachung des Mutterschutz-
und Jugendarbeitsschutzgesetzes. Träger dieser Aufgaben sind die
staatlichen Gesundheitsämter der Länder und Kreise. Auch die ge-
werbeärztliche Aufsicht über die Betriebe gehört zum öffentlichen
Gesundheitswesen.

Unter **öffentlicher Gesundheitspflege** versteht man alle Maßnahmen zum Zweck der Erhaltung und Förderung der Gesundheit
eines Volkes oder einer Bevölkerungsgruppe. Der Begriff wurde bereits vor mehr als 150 Jahren von *Rudolf Virchow* geprägt. Er be-
trachtete Bildung, Wohlstand und Freiheit, aber auch hygienische
Maßnahmen wie die Einführung der Kanalisation in den Städten als
Voraussetzung für die Gesunderhaltung und Heilung der Betroffenen. Gesundheit und Krankheit darf nicht nur als eine Aufgabe
von Ärzten wahrgenommen werden, sondern kann von der Politik
durch Gestaltung von Lebens- und Verhaltensweisen entscheidend
beeinflusst werden. So ist beispielsweise der überwiegende Teil
chronischer Volkskrankheiten auf schlechte Ernährung, Alkohol
und andere Suchtmittel zurückzuführen. Übergewicht, Diabetes
und Erkrankungen des Herz- und Kreislaufsystems wären teilweise
vermeidbar, wenn individuelle Verhaltensweisen gefördert würden.
Dazu gehören gesunde Ernährung und körperliche Betätigung, die
Sorge um Trink- und Rauchgewohnheiten, aber auch institutionel-
le Angebote wie Schulsport und Bewegungsprogramme. Die 1986
von der Weltgesundheitsorganisation verabschiedete „Ottawa-
Charta" geht im Grundsatz in die gleiche Richtung: Verhaltensweisen und Lebensbedingungen werden darin als entscheidend angesehen, um die Gesundheit der Bevölkerung zu erhalten. Dies
schließt auch andere Politikbereiche wie Umwelt- und Verkehrs-
politik genauso wie Verbraucherschutz und/oder Gewaltprävention
ein. Politik und die „Sorge um das selbst", fordert die Charta, wären
noch vor der medizinischen Prävention und Krankenversorgung
wesentliche Gestalter einer gesunden Bevölkerung (vgl. hierzu *Karl
Heinz Wehkamp* „Gesundheit und mehr" in „Das Parlament" Ausgabe 50 vom 11. 12. 2006)

Die konkrete materielle oder ideelle Hilfe in Krankheitsfällen dagegen gehört zur Förderung des Wohlfahrtswesens.

Gemeinnützigkeit und Spendenabzug: Die Förderung des öffentlichen Gesundheitswesens und der öffentlichen Gesundheitspflege, insbesondere die Verhütung und Bekämpfung von übertragbaren Krankheiten, auch durch Krankenhäuser i. S. des § 67, und von Tierseuchen, zählt zu den gemeinnützigen Zwecken i. S. des § 52 Abs. 2 Nr. 3 AO. Zuwendungen sind nach § 10b Abs. 1 Satz 1 EStG als Sonderausgaben abzugsfähig.

Durch eine zeitgemäße Anpassung der Begriffe „übertragbare Krankheiten" statt „Seuchen" und die Nennung auch der Verhütung von übertragbaren Krankheiten in der geänderten Formulierung für die Anerkennung dieses Zwecks als gemeinnützig wird klargestellt, dass alle Tätigkeiten, die auf der Grundlage der bisherigen Anerkennung des Zwecks „Förderung des öffentlichen Gesundheitswesens" in § 52 Abs. 2 Nr. 2 AO a. F. als gemeinnützig behandelt wurden, weiter gemeinnützig sind und auch die Förderung der gesundheitlichen Prävention und der gesundheitlichen Selbsthilfe i. S. der §§ 20 bis 24 SGB V unter den gemeinnützigen Zweck fallen (BT-Drs. 16/5985 S. 11).

Ergänzende steuerliche Vergünstigungen:

Zweckbetriebseigenschaft der Krankenhäuser: Krankenhäuser zählen gem. § 67a AO zu den Zweckbetrieben kraft Gesetzes (zu den Anforderungen an Krankenhäuser im Anwendungsbereich der BPflV s. § 67 Abs. 1 AO, zu den Anforderungen an Krankenhäuser außerhalb des Anwendungsbereich der BPflV s. § 67 Abs. 2 AO).

Umsatzsteuerbefreiung: Leistungen der Ärzte sind gem. § 4 Nr. 14a UStG von der Umsatzsteuer befreit, Leistungen der Krankenhäuser gem. § 4 Nr. 14b UStG (vgl. hierzu auch Abschn. 96 bis 98 UStR 2008 sowie Einführungsschreiben des BMF vom 26. 6. 2009, BStBl. I S. 756 zu § 4 Nr. 14 UStG in der ab 1. 1. 2009 geltenden Fassung).

▶ Gleichberechtigung von Frauen und Männern

Allgemeines: Die Förderung der Gleichberechtigung von Frauen und Männern ist ein Verfassungsziel i. S. des Art. 3 Abs. 2 GG. Danach sind Männer und Frauen gleichberechtigt. 60 Jahre nach Verabschiedung des Grundgesetzes ist die Lebenssituation von Frauen und Männern aber noch immer sehr unterschiedlich. Die Aufgabe, diesen Verfassungsschutz rechtlich und tatsächlich durchzusetzen, kann vom Staat und seinen Behörden allein nicht erfolgreich verwirklicht werden. Die Behörden sind auf private Unterstützung angewiesen. Zu den privaten Vereinen, die die Gleichberechtigung von Männern und Frauen fördern, zählen insbesondere der Deutsche Frauenrat als Bundesvereinigung Deutscher Frauenverbände. Außerdem gibt es zahlreiche Frauenvereinigungen der autonomen Frauenbewegung.

Die Gleichstellungspolitik der Bundesregierung beruht im Wesentlichen auf drei Säulen:
- Gleichberechtigte Teilhabe von Frauen und Männern am Erwerbsleben,
- Schutz vor Gewalt und Hilfe in Notlagen,
- Erweiterung der Rollenbilder – neue Perspektiven für Männer.

Vgl. hierzu im Einzelnen das Stichwort „Gleichstellung" auf der Internet-Seite des Bundesministeriums für Familie, Senioren, Frauen und Jugend (www.bmfsfj.de).

Gemeinnützigkeit und Spendenabzug: Die Förderung der Gleichberechtigung von Frauen und Männern ist gemeinnützig i. S. des § 52 Abs. 2 Nr. 18 AO. Zuwendungen sind nach § 10b Abs. 1 Satz 1 EStG als Sonderausgaben abzugsfähig.

▶ **Heimatpflege und Heimatkunde**

Der Heimatgedanke betrifft die Pflege der Verbundenheit mit der Heimat als sozialem Erfahrungs- und Zugehörigkeitsraum mit seiner geschichtlichen und kulturellen Tradition, seinen Lebensformen und dem ihm innewohnenden Bildungswert.

Dachorganisation der Heimatverbände in der Bundesrepublik Deutschland ist der Deutsche Heimatbund. Nach § 2 seiner Satzung will er „durch Pflege der Eigenarten der Heimatregionen und wirksamen biologischen, ökologischen und kulturellen Umweltschutz einen zeitgemäßen Beitrag zur Sicherung der Lebensgrundlagen und zur Weiterentwicklung der Gesellschaft leisten." Die dem Deutschen Heimatbund angeschlossenen Landesverbände und

Ortsvereine fördern die historische Landesforschung sowie die Landes-, Volks- und Heimatkunde; sie pflegen die regionale Sprache (Mundart), Musik und Kleidung, sie treiben Brauchtumspflege, unterstützen Heimatmuseen und fördern Schulen im Fach Heimatkunde; sie geben Chroniken und landschaftsbezogene Fachliteratur heraus.

Die Heimatvereine befassen sich aber auch mit Umwelt- und Naturschutz, mit Trachtenpflege (der Deutsche Heimatbund ist der Dachverband aller Trachtenverbände), mit Denkmalpflege und Stadtbildschutz. Sie wirken in gemeindlichen Beiräten mit, nehmen Stellung zu Bebauungs- und Straßenplänen. Sie fördern den ländlichen Raum und die Dorferneuerung (Aktion „Unser Dorf soll schöner werden"). Sie pflegen öffentliche Garten- und Parkanlagen sowie Wälder, richten Wanderwege ein und unterhalten sie.

Gemeinnützigkeit und Spendenabzug: Die Förderung von Heimatpflege und Heimatkunde ist ein gemeinnütziger Zweck i. S. des § 52 Abs. 2 Nr. 22 AO. Spenden sind nach § 10b Abs. 1 Satz 1 EStG als Sonderausgaben abzugsfähig, Mitgliedsbeiträge sind nach § 10b Abs. 1 Satz 3 EStG nicht abziehbar.

▶ **Hilfe für politisch, rassisch oder religiös Verfolgte, für Flüchtlinge, Vertriebene, Aussiedler, Spätaussiedler, Kriegsopfer, Kriegshinterbliebene, Kriegsbeschädigte und Kriegsgefangene, Zivilbeschädigte und Behinderte sowie Hilfe für Opfer von Straftaten; Förderung des Andenkens an Verfolgte, Kriegs- und Katastrophenopfer; Förderung des Suchdienstes für Vermisste**

Die vorgenannten Tätigkeiten zählen zu den Pflichtaufgaben des öffentlichen Gemeinwesens. Rechtsgrundlagen hierfür enthalten das

• Gesetz über Hilfsmaßnahmen für Personen, die aus politischen Gründen außerhalb der Bundesrepublik Deutschland in Gewahrsam genommen wurden (Häftlingshilfegesetz),

• Gesetz über die Angelegenheiten der Vertriebenen und Flüchtlinge (Bundesvertriebenengesetz),

- Bundesgesetz zur Entschädigung für Opfer der nationalsozialistischen Verfolgung (Bundesentschädigungsgesetz),
- Gedenkstättenabkommengesetz,
- Gesetz über die Entschädigungen für NS-Opfer im Beitrittsgebiet,
- Gesetz über den Ausgleich beruflicher Benachteiligungen für Opfer politischer Verfolgung im Beitrittsgebiet,
- Gesetz über die Unterhaltsbeihilfe für Angehörige von Kriegsgefangenen,
- Gesetz über die Versorgung der Opfer des Krieges (Bundesversorgungsgesetz),
- Gesetz über die Entschädigung für Opfer von Gewalttaten,
- Gesetz über die Erhaltung der Gräber der Opfer von Krieg und Gewaltherrschaft (Gräbergesetz),
- Gesetz über die Rehabilitierung und Entschädigung von Opfern rechtsstaatswidriger Strafverfolgungsmaßnahmen im Beitrittsgebiet,
- (Kriminalitäts-)Opferschutzgesetz.

Gemeinnützigkeit und Spendenabzug: Die Förderung vorgenannter Zwecke zählt zu den gemeinnützigen Zwecken i. S. des § 52 Abs. 2 Nr. 10 AO. Zuwendungen sind nach § 10b Abs. 1 Satz 1 EStG als Sonderausgaben abzugsfähig.

Ergänzende steuerliche Vergünstigungen: § 68 Nr. 3 AO i.V.m. AEAO Nr. 5–7 zu § 68

(a) Werkstätten für behinderte Menschen

(b) Einrichtungen für Beschäftigungs- und Arbeitstherapie

(c) Integrationsprojekte i. S. des § 132 Abs. 1 SGB IX

§ 3 Nr. 26 EStG i.V.m. R 17 LStR: Steuerbefreiung der Aufwandsentschädigungen für die nebenberufliche Pflege behinderter Menschen.

Abschn. 103 Abs. 11 UStR 2008: Pflegegelder nach SGB XII als Entgelte für die Betreuungs-, Beköstigung-, Beherbergungs- und Beförderungsleistungen der Werkstätten für Behinderte;

Abschn. 170 Abs. 4 Nr. 4 UStR 2008: Behandlung der Umsätze im Werkstattbereich;

Abschn. 170 Abs. 10 Nr. 4 UStR 2008: Einrichtungen für Beschäftigungs- und Arbeitstherapie;

Abschn. 170 Abs. 12 UStR 2008: Verkauf von Waren;
Abschn. 170 Abs. 13 UStR 2008: Integrationsprojekte.

▶ **Hochwasserschutz**

Unter Hochwasserschutz versteht man die Summe aller Maßnahmen zum Schutz sowohl der Bevölkerung als auch der Sachgüter vor Hochwasser. Es handelt sich hierbei um

• technische Maßnahmen (Hochwasserdämme und Schutzmauern als stationäre bauliche Anlagen, aber auch mobile Elemente, die im Falle einer Hochwasserwarnung installiert werden),

• natürlichen Rückhalt der Wassermengen (landwirtschaftliche Förderung für extensivere Nutzungskonzepte, Maßnahmen zur Entsiegelung von Flächen, dezentrale Regenwasserbewirtschaftung in Siedlungsgebieten, Förderung der natürlichen Gewässerentwicklung wie Flußrückbau und Auenvernetzung) und

• Maßnahmen der weitergehenden Vorsorge (z.B. Hochwasserwarnzentralen, Ausweisung von Überschwemmungsgebieten, Aufstellung von Notfall- und Katastrophenplänen).

Gemeinnützigkeit und Spendenabzug: Die Förderung des Hochwasserschutzes zählt zu den gemeinnützigen Zwecken i.S. des § 52 Abs. 2 Nr. 8 AO. Zuwendungen sind nach § 10b Abs. 1 Satz 1 EStG als Sonderausgaben abzugsfähig.

▶ **Hundesport**

Unter Hundesport versteht man die Aufzucht und Ausbildung von Hunden für Wettkampfveranstaltungen (z.B. Hunderennen). Nicht darunter fällt die Ausbildung von Hunden zu Kampfhunden.

Gemeinnützigkeit und Spendenabzug: Die Förderung des Hundesports ist gem. § 52 Abs. 2 Nr. 23 AO als gemeinnütziger Zweck anerkannt. Spenden sind nach § 10b Abs. 1 Satz 1 EStG als Sonderausgaben abzugsfähig, Mitgliedsbeiträge sind nach § 10b Abs. 1 Satz 3 EStG nicht abziehbar.

▶ Jugendhilfe

Jugendhilfe besteht in Bildung (Ausbildung) und Erziehung Jugendlicher, aber auch in mildtätigen Maßnahmen Jugendlichen gegenüber. Die Jugendhilfe ist eine Pflichtaufgabe des Staates. Sie ist im SGB VIII geregelt.

§ 8 SGB I. Kinder- und Jugendhilfe. Junge Menschen und Personensorgeberechtigte haben im Rahmen dieses Gesetzbuchs ein Recht, Leistungen der öffentlichen Jugendhilfe in Anspruch zu nehmen. Sie sollen die Entwicklung junger Menschen fördern und die Erziehung in der Familie unterstützen und ergänzen.

§ 27 SGB I. Leistungen der Kinder- und Jugendhilfe. (1) Nach dem Recht der Kinder- und Jugendhilfe können in Anspruch genommen werden:
1. Angebote der Jugendarbeit, der Jugendsozialarbeit und des erzieherischen Jugendschutzes,
2. Angebote zur Förderung der Erziehung in der Familie,
3. Angebote zur Förderung von Kindern in Tageseinrichtungen und in Tagespflege,
4. Hilfe zur Erziehung, Eingliederungshilfe für seelisch behinderte Kinder und Jugendliche sowie Hilfe für junge Volljährige.

(2) Zuständig sind die Kreise und die kreisfreien Städte, nach Maßgabe des Landesrechts auch kreisangehörige Gemeinden; sie arbeiten mit der freien Jugendhilfe zusammen.

§ 2 SGB VIII. Aufgaben der Jugendhilfe. (1) Die Jugendhilfe umfasst Leistungen und andere Aufgaben zugunsten junger Menschen und Familien.

(2) Leistungen der Jugendhilfe sind:
1. Angebote der Jugendarbeit, der Jugendsozialarbeit und des erzieherischen Kinder- und Jugendschutzes (§§ 11 bis 14),
2. Angebote zur Förderung der Erziehung in der Familie (§§ 16 bis 21),
3. Angebote zur Förderung von Kindern in Tageseinrichtungen und in Tagespflege (§§ 22 bis 25),
4. Hilfe zur Erziehung und ergänzende Leistungen (§§ 27 bis 35, 36, 37, 39, 40),
5. Hilfe für seelisch behinderte Kinder und Jugendliche und ergänzende Leistungen (§§ 35a bis 37, 39, 40),
6. Hilfe für junge Volljährige und Nachbetreuung (§ 41).

(3) Andere Aufgaben der Jugendhilfe sind
1. die Inobhutnahme von Kindern und Jugendlichen (§ 42),

2. (weggefallen)
3. die Erteilung, der Widerruf und die Zurücknahme der Pflegeerlaubnis (§§ 43, 44),
4. die Erteilung, der Widerruf und die Zurücknahme der Erlaubnis für den Betrieb einer Einrichtung sowie die Erteilung nachträglicher Auflagen und die damit verbundenen Aufgaben (§§ 45 bis 47, 48 a),
5. die Tätigkeitsuntersagung (§§ 48, 48 a),
6. die Mitwirkung in Verfahren vor den Familiengerichten (§ 50),
7. die Beratung und Belehrung in Verfahren zur Annahme als Kind (§ 51),
8. die Mitwirkung in Verfahren nach dem Jugendgerichtsgesetz (§ 52),
9. die Beratung und Unterstützung von Müttern bei Vaterschaftsfeststellung und Geltendmachung von Unterhaltsansprüchen sowie von Pflegern und Vormündern (§§ 52 a, 53),
10. die Erteilung, der Widerruf und die Zurücknahme der Erlaubnis zur Übernahme von Vereinsvormundschaften (§ 54),
11. Beistandschaft, Amtspflegschaft, Amtsvormundschaft und Gegenvormundschaft des Jugendamts (§§ 55 bis 58),
12. Beurkundung und Beglaubigung (§ 59),
13. die Aufnahme von vollstreckbaren Urkunden (§ 60).

Die Förderung der Jugendhilfe gilt als gemeinnütziger Zweck gem. § 52 Abs. 2 Nr. 4 AO. Gemeinnützig sind auch Erholungseinrichtungen, wenn sie einem besonders schutzwürdigen Personenkreis (z. B. Kranken oder Jugendlichen) zugute kommen (AEAO Nr. 14 zu § 52 AO).

Zuwendungen sind nach § 10b Abs. 1 Satz 1 EStG als Sonderausgaben abzugsfähig.

Ergänzende steuerliche Vergünstigungen:

Zweckbetriebseigenschaft kraft Gesetzes: Die folgenden Einrichtungen zählen zu den Zweckbetrieben kraft Gesetzes:
• Kindergärten, Kinder-, Jugend- und Studentenheime, Schullandheime und Jugendherbergen (vgl. § 68 Nr. 1 b AO),
• Einrichtungen der Fürsorgeerziehung und der freiwilligen Erziehungshilfe (vgl. § 68 Nr. 5 AO).

Umsatzsteuer/Umsatzsteuerbefreiung: Umsatzsteuerbefreiungen gelten nach
• § 4 Nr. 23 UStG i.V. m. Abschn. 117 UStR 2008 für die Beherber-

gung und Beköstigung von Jugendlichen im Rahmen von Erziehungs-, Ausbildungs- oder Fortbildungsmaßnahmen,

- § 4 Nr. 24 UStG i.V. m. Abschn. 118 UStR 2008 für das Jugendherbergswesen,
- § 4 Nr. 25 UStG i.V. m. Abschn. 119 UStR 2008 für Leistungen im Rahmen der Jugendhilfe (Lehrgänge, Freizeiten, Zeltlager, Fahrten, Treffen sowie Veranstaltungen, die dem Sport oder der Erholung dienen).

Zur Neuregelung der Steuerbefreiungen nach § 4 Nr. 23 und 25 UStG für Leistungen im Rahmen der Kinder- und Jugendhilfe ab 1. 1. 2008 durch das Jahressteuergesetz 2008 wird im Einzelnen auf das BMF-Schreiben vom 2. 7. 2008, BStBl. I S. 690 verwiesen.

▶ Katastrophen- und Zivilschutz

Zivilschutz besteht in einer Reihe von Maßnahmen, die zum Ziel haben, den Bürger im Verteidigungsfall, in Friedenszeiten auch im Katastrophenfall, vor Schäden zu schützen oder ihn aus Gefahren zu retten und zu versorgen. Rechtsgrundlage ist das Gesetz über den Zivilschutz vom 25. 3. 1997, BGBl. I S. 726. Zum Zivilschutz gehören nach § 1 Abs. 2 ZSG insbesondere

- der Selbstschutz,
- die Warnung der Bevölkerung,
- der Schutzbau,
- die Aufenthaltsregelung,
- der Katastrophenschutz nach Maßgabe des § 11,
- Maßnahmen zum Schutz der Gesundheit,
- Maßnahmen zum Schutz von Kulturgut.

Gemeinnützigkeit und Spendenabzug: Der Katastrophen- und Zivilschutz zählt zu den gemeinnützigen Zwecken i. S. des § 52 Abs. 2 Nr. 12 AO. Zuwendungen sind nach § 10b Abs. 1 Satz 1 EStG als Sonderausgaben abzugsfähig.

▶ Kirchliche Zwecke

Gemeinnützigkeit: Nach § 54 AO verfolgt eine Körperschaft kirchliche Zwecke, wenn ihre Tätigkeit darauf gerichtet ist, eine Religionsgemeinschaft, die Körperschaft des öffentlichen Rechts ist, selbstlos zu fördern.

§ 54 AO betrifft nicht die ideellen Zwecke, die von Religionsgemeinschaften verfolgt werden. Religionsgemeinschaften sind als Körperschaften des öffentlichen Rechts ohnehin von der Steuer befreit. Unter Förderung kirchlicher Zwecke versteht man vielmehr die satzungsmäßige Betätigung anderer Körperschaften, die Religionsgemeinschaften des öffentlichen Rechts unterstützen.

Religionsgemeinschaften des öffentlichen Rechts sind die evangelische und die katholische Kirche als Landeskirchen, Bistum oder Pfarrgemeinde, die jüdischen Kultusvereinigungen und andere kirchliche Gemeinschaften, die in einem Land der BRD als Körperschaft des öffentlichen Rechts anerkannt sind.

Die Förderung von Religionsgemeinschaften, die nicht zu den juristischen Personen des öffentlichen Rechts gehören (Sekten, Weltanschauungsgesellschaften), zählt nicht zu den kirchlichen Zwecken i. S. des § 54 AO, sondern allenfalls zu den gemeinnützigen Zwecken i. S. des § 52 AO (Förderung der Religion, § 52 Abs. 2 Nr. 2).

Wegen der begünstigten Zwecke im Einzelnen wird auf § 54 Abs. 2 AO verwiesen.

Spendenabzug: Zuwendungen sind nach § 10 b Abs. 1 Satz 1 EStG als Sonderausgaben abzugsfähig.

▶ **Kleingärtnerei**

Vgl. hierzu das Bundeskleingartengesetz vom 28. 2. 1983, BGBl. I S. 210.

Gemeinnützigkeit und Spendenabzug: Die Förderung der Kleingärtnerei ist ein gemeinnütziger Zweck, vgl. § 52 Abs. 2 Nr. 23 AO. Spenden sind nach § 10 b Abs. 1 Satz 1 EStG als Sonderausgaben abzugsfähig, Mitgliedsbeiträge sind nach § 10 b Abs. 1 Satz 3 EStG nicht abziehbar.

▶ **Kriminalprävention**

Allgemeines: Kriminalprävention befasst sich mit der Verhütung von Straftaten. Sie zielt auf die direkte oder indirekte Beeinflussung von Personen bzw. Situationen, um das Risiko zu vermindern, dass Straftaten begangen und Menschen Täter oder Opfer werden. Soweit Straftaten nicht verhindert werden können, bemüht sich Kriminalprävention darum, den durch Straftaten entstehenden Schaden möglichst klein zu halten. Dies gilt auch für seelische Schäden beim Opfer. Opferschutz und Opferhilfe sind unverzichtbare Bestandteile der Kriminalprävention. Mit Blick auf Täter, Situation und Opfer wird zwischen primärer, sekundärer und tertiärer Prävention unterschieden:

Primäre Prävention sucht allgemein die Voraussetzungen zu beeinflussen, aus denen sich Entstehungsbedingungen von Kriminalität entwickeln können. Dies beinhaltet z. B. Jugendhilfe- und Bildungsangebote und umfasst im Grunde vielfältige Maßnahmen der Sozial-, Arbeitsmarkt-, Jugend-, Familien-, Wirtschafts-, Verkehrs- und Kulturpolitik.

Bei der sekundären Prävention geht es um Vorbeugung durch „Hilfe und Stützung von Personen in besonderen Problemlagen (z. B. Familienhilfe, Erziehungshilfe), durch Erhöhung des Tataufwandes, des Entdeckungsrisikos oder Minderung des Tatertrages, wie z. B. durch Veränderung der Tatgelegenheitsstrukturen (z. B. Einbruchsschutz, Sicherung von Waren), durch Reduzierung tatfördernder Situationen (z. B. kein Alkoholausschank bei Fußballspielen), schließlich durch Schulung oder Sicherheitstraining potentieller Opfer (z. B. Selbstverteidigungskurse).

Tertiäre Prävention schließlich setzt ein nach Begehung von Straftaten. Durch geeignete Maßnahmen soll weitere Rückfälligkeit vorgebeugt werden: dazu dient auch Entlassenenhilfe und Wiedereingliederung der Straffälligen.

Wegen weiterer Einzelheiten wird auf den Zweiten Periodischen Sicherheitsbericht der Bundesministerien des Inneren und der Justiz, Tz. 7 (S. 100–107) verwiesen.

Gemeinnützigkeit und Spendenabzug: Die Förderung der Kriminalprävention zählt zu gemeinnützigen Zwecken i. S. des § 52 Abs. 2 Nr. 20 AO. Zuwendungen sind nach § 10 b Abs. 1 Satz 1 EStG als Sonderausgaben abzugsfähig.

▶ **Küstenschutz**

Zum Begriff vgl. das Gesetz für die Gemeinschaftsaufgabe „Verbesserung der Agrarstrukturen und des Küstenschutzes".

Gemeinnützigkeit und Spendenabzug: Die Förderung des Küstenschutzes zählt zu den gemeinnützigen Zwecken i. S. des § 52 Abs. 2 Nr. 8 AO. Zuwendungen sind nach § 10b Abs. 1 Satz 1 EStG als Sonderausgaben abzugsfähig.

▶ **Kunst und Kultur**

Allgemeines: Literatur, Musik, Gesang, Architektur, Bildhauerei, Malerei, Theater, Ballett, Filmkunst, Einrichtung von Museen und kulturellen Sammlungen tragen zur Förderung und Erhaltung der Lebensgrundlagen des öffentlichen Gemeinwesens wesentlich bei. Sie haben im Allgemeinen versittlichende, verinnerlichende Wirkung. Es ist daher allgemein anerkannt, dass Kunst und Kultur dem Gemeinwohl dienen, jedenfalls im öffentlichen Interesse liegen. Die Pflege kultureller Angelegenheiten ist Aufgabe der Kultusministerien der Länder.

Gemeinnützigkeit und Spendenabzug: Die Förderung von Kunst und Kultur ist gemeinnützig gem. § 52 Abs. 2 Nr. 5 AO.

Spendenabzug: Zuwendungen sind nach § 10b Abs. 1 Satz 1 EStG als Sonderausgaben abzugsfähig. Mitgliedsbeiträge an Kulturvereine sind nach § 10b Abs. 1 Satz 2 EStG, eingefügt durch das Jahressteuergesetz 2009, selbst dann abziehbar, wenn den Mitgliedern Vergünstigungen (z. B. Jahresgaben, verbilligter Eintritt) gewährt werden. Nicht abziehbar dagegen sind Mitgliedsbeiträge an Vereine, die kulturelle Betätigungen fördern, die in erster Linie der Freizeitgestaltung dienen, § 10b Abs. 1 Satz 3 EStG (z. B. Laienchöre oder -orchester, Laientheater).

Ergänzende steuerliche Vergünstigungen:

Zweckbetriebseigenschaft kultureller Einrichtungen und Veranstaltungen: Kulturelle Einrichtungen und Veranstaltungen gemeinnütziger Vereine gelten kraft gesetzlicher Sonderregelung als Zweckbetrieb (§ 68 Nr. 7 AO, AEAO Nr. 11 und 12 zu § 68 AO). Dies setzt zwingend voraus, dass die Förderung der Kultur Satzungszweck der Körperschaft ist. Steuerbegünstigt sind insbesondere die Leistungen, für die Eintrittsgelder erhoben werden. Die Steuerbegünstigung umfasst auch die bei diesen Leistungen üblichen Nebenleistungen, z. B. den Verkauf von Katalogen, Programmheften, die Aufbewahrung der Garderobe.

Von der Steuerbegünstigung sind ausgenommen:
- der Verkauf von Speisen und Getränken an die Besucher sowie
- die Werbung (z. B. Anzeigenwerbung auf den Eintrittskarten)

Eine steuerbegünstigte kulturelle Veranstaltung liegt auch dann vor, wenn der Verein in Erfüllung seiner Satzungszwecke im Rahmen einer Veranstaltung einer anderen Person oder Körperschaft kulturelle Darbietungen erbringt. Die Veranstaltung, bei der die kulturelle Darbietung präsentiert wird, muss keine steuerbegünstigte Veranstaltung sein.

Umsatzsteuer/Umsatzsteuerbefreiung: Soweit ein Zweckbetrieb gegeben ist, kommt bei der Umsatzsteuer der **ermäßigte Steuersatz** zur Anwendung, es sei denn, es ist ein Befreiungstatbestand nach § 4 UStG (s. u.) gegeben. Der ermäßigte Steuersatz gilt nicht für Leistungen im Rahmen eines wirtschaftlichen Geschäftsbetriebs.

Umsatzsteuerbefreiung ist unter folgenden Voraussetzungen möglich:
- nach § 4 Nr. 20 UStG i.V.m. Abschn. 106–109 UStR 2008:
  - für kulturelle Einrichtungen: wenn dem Verein von den zuständigen Landesbehörden bescheinigt wurde, dass er die gleichen kulturellen Aufgaben erfüllt wie entsprechende Einrichtungen der öffentlichen Hand (Theater, Museen, Orchester ...).
  - für kulturelle Veranstaltungen: wenn die Aufführungen erbracht werden von Theatern, Orchestern, Kammermusikensembles oder Chören oder von anderen Unternehmern, die eine Bescheinigung der zuständigen Landesbehörde vorlegen können (Abschn. 110 UStR 2008). Der Veranstalter selber muss nicht zu den steuerbefreiten Einrichtungen i. S. des § 4 Nr. 20a UStR 2008 gehören. Als Nachweis gegenüber dem Finanzamt empfiehlt es sich, eine Ablichtung der Bescheinigung zu den Ver-

tragsunterlagen zu nehmen. (Beim Abschluss von Verträgen mit Künstlern etc. nach dieser Bescheinigung fragen!)
- nach § 4 Nr. 22 UStG:
  - bei Vorträgen, Kursen und anderen Veranstaltungen wissenschaftlicher oder belehrender Art (Abschn. 115 UStR 2008),
  - bei anderen kulturellen Veranstaltungen, soweit das Entgelt in Teilnehmergebühren besteht (Abschn. 116 UStR 2008).

Nebenberufliche künstlerische Tätigkeit: Aufwandsentschädigungen für eine nebenberufliche künstlerische Tätigkeit sind bis zum Betrag von 2.100 € (§ 3 Nr. 26 EStG) einkommensteuerfrei.

Auftritte ausländischer Künstler: Eine Besonderheit bei kulturellen Veranstaltungen ist das Steuerabzugsverfahren bei Auftritten ausländischer Künstler. Der Veranstalter hat hierbei eine Reihe von steuerlichen Pflichten zu erfüllen, wobei es keine Rolle spielt, ob der Künstler selbstständig oder nichtselbstständig tätig ist. Vgl. hierzu im Einzelnen die Ausführungen in Kap. B II. (S. 23 ff.).

▶ Mildtätige Zwecke

Allgemeines: Als Mildtätigkeit bezeichnet § 53 AO 1977 eine Tätigkeit, die darauf gerichtet ist, Personen selbstlos zu unterstützen, die wegen ihres körperlichen, geistigen oder seelischen Zustandes (§ 53 Satz 1 Nr. 1 AO) oder nicht ausreichender Mittel (§ 53 Satz 1 Nr. 2 AO) hilfsbedürftig sind.

Bei der Verfolgung mildtätiger Zwecke handelt es sich um einen gegenüber § 52 AO „tatbestandlich verselbstständigten steuerbegünstigten Zweck" (*Hüttemann*, Gemeinnützigkeits- und Spendenrecht, 2. Aufl., § 3 Rz. 158). Die Verfolgung mildtätiger Zwecke setzt im Unterschied zu § 52 AO keine Förderung der Allgemeinheit auf materiellem, geistigem oder sittlichem Gebiet voraus. Daher kann der unterstützte Personenkreis auch fest abgeschlossen sein oder dauernd nur klein sein. Eine Beschränkung des unterstützten Personenkreises bei § 53 AO schließt im Unterschied zu § 52 AO nur dann die Steuervergünstigung aus, wenn die Beschränkung in erster Linie eigenwirtschaftlichen Interessen i. S. des § 55 AO dient. Völlige Unentgeltlichkeit der mildtätigen Zuwendung wird nicht verlangt. Die Unterstützung darf nur nicht des Entgelts wegen erfolgen.

Zur persönlichen Hilfsbedürftigkeit vgl. im Einzelnen AEAO Nrn. 1 und 3 zu § 53 AO, zur wirtschaftlichen Hilfsbedürftigkeit AEAO Nrn. 4–7 zu § 53 AO.

Ein mildtätiger Verein muss grundsätzlich die Hilfsbedürftigkeit aller von ihm unterstützten Personen dokumentieren. Persönliche Hilfsbedürftigkeit kann z. B. durch ein ärztliches Attest, wirtschaftliche Hilfsbedürftigkeit durch Einkommensbescheinigungen nachgewiesen werden.

Spendenabzug: Zuwendungen sind nach § 10b Abs. 1 Satz 1 EStG als Sonderausgaben abzugsfähig. Der Abzugsrahmen ist seit 2007 der Gleiche wie bei gemeinnützigen und kirchlichen Zwecken.

▶ **Modellflug**

Gemeinnützigkeit und Spendenabzug: Die Förderung des Modellflugs zählt zu den gemeinnützigen Zwecken i. S. des § 52 Abs. 2 Nr. 23 AO. Identisch mit der Förderung des Modellflugs sind gem. AEAO Nr. 4 zu § 52 AO die Förderung des Baus von Schiffs-, Auto-, Eisenbahn- und Drachenflugmodellen. Spenden sind nach § 10b Abs. 1 Satz 1 EStG als Sonderausgaben abzugsfähig, Mitgliedsbeiträge sind nach § 10b Abs. 1 Satz 3 EStG nicht abziehbar.

▶ **Naturschutz und Landschaftspflege**

Einschlägige gesetzliche Grundlagen sind das Gesetz über Naturschutz und Landschaftspflege (Bundesnaturschutzgesetz) vom 25. 3. 2002, BGBl. I S. 1193, und das Gesetz zur Ordnung des Wasserhaushalts (Wasserhaushaltsgesetz) vom 19. 8. 2002, BGBl. I S. 3245.

Bundesnaturschutzgesetz

§ 1 Ziele des Naturschutzes und der Landschaftspflege. Natur und Landschaft sind auf Grund ihres eigenen Wertes und als Lebensgrundlagen des Menschen auch in Verantwortung für die künftigen Generationen im besiedelten und unbesiedelten Bereich so zu schützen, zu pflegen, zu entwickeln und, soweit erforderlich, wiederherzustellen, dass

1. die Leistungs- und Funktionsfähigkeit des Naturhaushalts,

2. die Regenerationsfähigkeit und nachhaltige Nutzungsfähigkeit der Naturgüter,

3. die Tier- und Pflanzenwelt einschließlich ihrer Lebensstätten und Lebensräume sowie

4. die Vielfalt, Eigenart und Schönheit sowie der Erholungswert von Natur und Landschaft

auf Dauer gesichert sind.

§ 2 Grundsätze des Naturschutzes und der Landschaftspflege. (1) Die Ziele des Naturschutzes und der Landschaftspflege sind insbesondere nach Maßgabe folgender Grundsätze zu verwirklichen, soweit es im Einzelfall zur Verwirklichung erforderlich, möglich und unter Abwägung aller sich aus den Zielen nach § 1 ergebenden Anforderungen untereinander und gegen die sonstigen Anforderungen der Allgemeinheit an Natur und Landschaft angemessen ist:

1. Der Naturhaushalt ist in seinen räumlich abgrenzbaren Teilen so zu sichern, dass die den Standort prägenden biologischen Funktionen, Stoff- und Energieflüsse sowie landschaftlichen Strukturen erhalten, entwickelt oder wiederhergestellt werden.

2. Die Naturgüter sind, soweit sie sich nicht erneuern, sparsam und schonend zu nutzen. Der Nutzung sich erneuernder Naturgüter kommt besondere Bedeutung zu; sie dürfen nur so genutzt werden, dass sie nachhaltig zur Verfügung stehen.

3. Böden sind so zu erhalten, dass sie ihre Funktionen im Naturhaushalt erfüllen können. Natürliche oder von Natur aus geschlossene Pflanzendecken sowie die Ufervegetation sind zu sichern. Für nicht land- oder forstwirtschaftlich oder gärtnerisch genutzte Böden, deren Pflanzendecke beseitigt worden ist, ist eine standortgerechte Vegetationsentwicklung zu ermöglichen. Bodenerosionen sind zu vermeiden.

4. Natürliche oder naturnahe Gewässer sowie deren Uferzonen und natürliche Rückhalteflächen sind zu erhalten, zu entwickeln oder wiederherzustellen. Änderungen des Grundwasserspiegels, die zu einer Zerstörung oder nachhaltigen Beeinträchtigung schutzwürdiger Biotope führen können, sind zu vermeiden; unvermeidbare Beeinträchtigungen sind auszugleichen. Ein Ausbau von Gewässern soll so naturnah wie möglich erfolgen.

5. Schädliche Umwelteinwirkungen sind auch durch Maßnahmen des Naturschutzes und der Landschaftspflege gering zu halten; empfindliche Bestandteile des Naturhaushalts dürfen nicht nachhaltig geschädigt werden.

6. Beeinträchtigungen des Klimas sind zu vermeiden; hierbei kommt dem Aufbau einer nachhaltigen Energieversorgung insbesondere durch zunehmende Nutzung erneuerbarer Energien besondere Bedeutung zu. Auf

den Schutz und die Verbesserung des Klimas, einschließlich des örtlichen Klimas, ist auch durch Maßnahmen des Naturschutzes und der Landschaftspflege hinzuwirken. Wald und sonstige Gebiete mit günstiger klimatischer Wirkung sowie Luftaustauschbahnen sind zu erhalten, zu entwickeln oder wiederherzustellen.

7. Beim Aufsuchen und bei der Gewinnung von Bodenschätzen, bei Abgrabungen und Aufschüttungen sind dauernde Schäden des Naturhaushalts und Zerstörungen wertvoller Landschaftsteile zu vermeiden. Unvermeidbare Beeinträchtigungen von Natur und Landschaft sind insbesondere durch Förderung natürlicher Sukzession, Renaturierung, naturnahe Gestaltung, Wiedernutzbarmachung oder Rekultivierung auszugleichen oder zu mindern.

8. Zur Sicherung der Leistungs- und Funktionsfähigkeit des Naturhaushalts ist die biologische Vielfalt zu erhalten und zu entwickeln. Sie umfasst die Vielfalt an Lebensräumen und Lebensgemeinschaften, an Arten sowie die genetische Vielfalt innerhalb der Arten.

9. Die wild lebenden Tiere und Pflanzen und ihre Lebensgemeinschaften sind als Teil des Naturhaushalts in ihrer natürlichen und historisch gewachsenen Artenvielfalt zu schützen. Ihre Biotope und ihre sonstigen Lebensbedingungen sind zu schützen, zu pflegen, zu entwickeln oder wiederherzustellen.

10. Auch im besiedelten Bereich sind noch vorhandene Naturbestände, wie Wald, Hecken, Wegraine, Saumbiotope, Bachläufe, Weiher sowie sonstige ökologisch bedeutsame Kleinstrukturen zu erhalten und zu entwickeln.

11. Unbebaute Bereiche sind wegen ihrer Bedeutung für den Naturhaushalt und für die Erholung insgesamt und auch im Einzelnen in der dafür erforderlichen Größe und Beschaffenheit zu erhalten. Nicht mehr benötigte versiegelte Flächen sind zu renaturieren oder, soweit eine Entsiegelung nicht möglich oder nicht zumutbar ist, der natürlichen Entwicklung zu überlassen.

12. Bei der Planung von ortsfesten baulichen Anlagen, Verkehrswegen, Energieleitungen und ähnlichen Vorhaben sind die natürlichen Landschaftsstrukturen zu berücksichtigen. Verkehrswege, Energieleitungen und ähnliche Vorhaben sollen so zusammengefasst werden, dass die Zerschneidung und der Verbrauch von Landschaft so gering wie möglich gehalten werden.

13. Die Landschaft ist in ihrer Vielfalt, Eigenart und Schönheit auch wegen ihrer Bedeutung als Erlebnis- und Erholungsraum des Menschen zu sichern. Ihre charakteristischen Strukturen und Elemente sind zu erhalten

oder zu entwickeln. Beeinträchtigungen des Erlebnis- und Erholungswerts der Landschaft sind zu vermeiden. Zum Zweck der Erholung sind nach ihrer Beschaffenheit und Lage geeignete Flächen zu schützen und, wo notwendig, zu pflegen, zu gestalten und zugänglich zu erhalten oder zugänglich zu machen. Vor allem im siedlungsnahen Bereich sind ausreichende Flächen für die Erholung bereitzustellen. Zur Erholung im Sinne des Satzes 4 gehören auch natur- und landschaftsverträgliche sportliche Betätigungen in der freien Natur.

14. Historische Kulturlandschaften und -landschaftsteile von besonderer Eigenart, einschließlich solcher von besonderer Bedeutung für die Eigenart oder Schönheit geschützter oder schützenswerter Kultur-, Bau- und Bodendenkmäler, sind zu erhalten.

15. Das allgemeine Verständnis für die Ziele und Aufgaben des Naturschutzes und der Landschaftspflege ist mit geeigneten Mitteln zu fördern. Bei Maßnahmen des Naturschutzes und der Landschaftspflege ist ein frühzeitiger Informationsaustausch mit Betroffenen und der interessierten Öffentlichkeit zu gewährleisten.

...

Ein wichtiger Aspekt in dem seit 1. 4. 2002 geltenden modernisierten Bundesnaturschutzgesetz ist die Weiterentwicklung der Beteiligung anerkannter **Naturschutzvereine** mit dem Ziel, eine erhöhte Akzeptanz von naturschutzrelevanten Entscheidungen zu erreichen. Darüber hinaus wird erstmalig im Bundesrecht die **Vereinsklage** eingeführt. Eine Befreiung von Auflagen für Schutzgebiete und Planfeststellungsverfahren kann zum Gegenstand einer Vereinsklage werden.

Wasserhaushaltsgesetz

§ 1a Grundsatz. (1) Die Gewässer sind als Bestandteil des Naturhaushaltes und als Lebensraum für Tiere und Pflanzen zu sichern. Sie sind so zu bewirtschaften, dass sie dem Wohl der Allgemeinheit und im Einklang mit ihm auch dem Nutzen einzelner dienen, vermeidbare Beeinträchtigungen ihrer ökologischen Funktionen und der direkt von ihnen abhängenden Landökosysteme und Feuchtgebiete im Hinblick auf deren Wasserhaushalt unterbleiben und damit insgesamt eine nachhaltige Entwicklung gewährleistet wird. Dabei sind insbesondere mögliche Verlagerungen von nachteiligen Auswirkungen von einem Schutzgut auf ein anderes zu berücksichtigen; ein hohes Schutzniveau für die Umwelt insgesamt, unter Berücksichtigung der Erfordernisse des Klimaschutzes, ist zu gewährleisten.

(2) Jedermann ist verpflichtet, bei Maßnahmen, mit denen Einwirkungen auf ein Gewässer verbunden sein können, die nach den Umständen erforderliche Sorgfalt anzuwenden, um eine Verunreinigung des Wassers oder eine sonstige nachteilige Veränderung seiner Eigenschaften zu verhüten, um eine mit Rücksicht auf den Wasserhaushalt gebotene sparsame Verwendung des Wassers zu erzielen um die Leistungsfähigkeit des Wasserhaushaltes zu erhalten und um eine Vergrößerung und Beschleunigung des Wasserabflusses zu vermeiden.

(3) Durch Landesrecht wird bestimmt, dass der Wasserbedarf der öffentlichen Wasserversorgung vorrangig aus ortsnahen Wasservorkommen zu decken ist, soweit überwiegende Gründe des Wohls der Allgemeinheit nicht entgegenstehen.

(4) Das Grundeigentum berechtigt nicht

1. zu einer Gewässerbenutzung, die nach diesem Gesetz oder nach den Landeswassergesetzen einer Erlaubnis oder Bewilligung bedarf,

2. zum Ausbau eines oberirdischen Gewässers.

Gemeinnützigkeit und Spendenabzug: Die Förderung des Naturschutzes und der Landschaftspflege ist durch § 52 Abs. 2 Nr. 8 AO als gemeinnütziger Zweck anerkannt. Zuwendungen sind nach § 10 b Abs. 1 Satz 1 EStG als Sonderausgaben abzugsfähig.

▶ Pflanzenzucht

Gemeinnützigkeit und Spendenabzug: Die Förderung der Pflanzenzucht ist ein gemeinnütziger Zweck, vgl. § 52 Abs. 2 Nr. 23 AO (vgl. hierzu auch AEAO Nr. 10 zu § 52 AO betr. Obst- und Gartenbauvereine, Bonsai und Aquarien- und Terrarienkunde). Spenden sind nach § 10 b Abs. 1 Satz 1 EStG als Sonderausgaben abzugsfähig, Mitgliedsbeiträge sind nach § 10 b Abs. 1 Satz 3 EStG nicht abziehbar.

▶ Politische Parteien

Stellung und Aufgaben der Parteien sind in § 1 des Gesetzes über politische Parteien (Parteiengesetz) vom 31. 1. 1994 (BGBl. I S. 149) geregelt. Danach sind die Parteien ein verfassungsrechtlich notwendiger Bestandteil der freiheitlichen demokratischen Grundordnung. Sie erfüllen mit ihrer freien, dauernden Mitwirkung an der politischen Willensbildung des Volkes eine ihnen nach dem Grundgesetz obliegende und von ihm verbürgte öffentliche Aufgabe. Die Parteien wirken an der Bildung des politischen Willens des Volkes auf allen Gebieten des öffentlichen Lebens mit, indem sie insbesondere auf die Gestaltung der öffentlichen Meinung Einfluss nehmen, die politische Bildung anregen und vertiefen, die aktive Teilnahme der Bürger am politischen Leben fördern, zur Übernahme öffentlicher Verantwortung befähigte Bürger heranbilden, sich durch Aufstellung von Bewerbern an den Wahlen in Bund, Ländern und Gemeinden beteiligen, auf die politische Entwicklung in Parlament und Regierung Einfluss nehmen, die von ihnen erarbeiteten politischen Ziele in den Prozess der staatlichen Willensbildung einführen und für eine ständige lebendige Verbindung zwischen dem Volk und den Staatsorganen sorgen. Die Parteien legen ihre Ziele in politischen Programmen nieder. Die Parteien verwenden ihre Mittel ausschließlich für die ihnen nach dem Grundgesetz und diesem Gesetz obliegenden Aufgaben.

Gemeinnützigkeit: Nach AEAO Nr. 15 zu § 52 AO zählen politische Zwecke **nicht** zu den gemeinnützigen Zwecken. Politische Parteien zählen jedoch zu den steuerbefreiten Körperschaften i. S. des § 5 Abs. 1 Nr. 7 KStG.

Spendenabzug: Steuerliche Vergünstigungen für Zuwendungen an Politische Parteien enthalten die §§ 34g und 10b EStG.

Nach § 34g Nr. 1 EStG sind Mitgliedsbeiträge und Spenden bis zur Höhe von 825 € (bei Zusammenveranlagung von Ehegatten bis zur Höhe von 1.650 €) durch hälftigen Abzug von der Steuerschuld begünstigt.

Der 825 bzw. 1.650 € übersteigende Betrag der Zuwendungen ist gem. § 10b Abs. 2 EStG i.V.m. R 10b.2 EStR 2008 als Sonderausgabe berücksichtigungsfähig.

Muster für Zuwendungsbestätigungen an politische Parteien sind abgedruckt im BMF-Schreiben vom 13. 12. 2007, BStBl. I 2008 S. 4 (Muster 5: Mitgliedsbeiträge/Geldzuwendungen, Muster 6: Sachzuwendungen).

Umsatzsteuerbefreiung: Nach § 4 Nr. 18a UStG sind von den unter § 1 Abs. 1 Nr. 1 UStG fallenden Umsätzen steuerfrei,

„die Leistungen zwischen den selbstständigen Gliederungen einer politischen Partei, soweit diese Leistungen im Rahmen der satzungsgemäßen Aufgaben gegen Kostenerstattung ausgeführt werden".

Gliederungen sind insbesondere die Landesverbände und die Kreisverbände. Begünstigte Leistungen sind Leistungen, die sich im Rahmen der satzungsgemäßen Aufgaben der Partei bewegen. Es handelt sich insbesondere um Lieferung von Informationsmaterial, um Personalgestellung für die Erfüllung politischer Aufgaben, die Übernahme von Buchführungsarbeiten usw.

▶ Religion

Das Grundgesetz garantiert in Art. 4 GG die Religionsfreiheit. Die Religionsausübung ist dem staatlichen Zugriff entzogen. Gleichwohl ist die Religion nicht irrelevant für das Gemeinwohl. Nach dem Gutachten der Sachverständigenkommission zur Prüfung des Gemeinnützigkeits- und Spendenrechts (BMF-Schriftenreihe Heft 40, 113 f.) gehört die Religion zu den Lebensgrundlagen des freiheitlichen Gemeinwesens, von der die sittliche und politische Kultur abhängen. Sie ist eine jener Voraussetzungen, aus denen das freiheitliche Gemeinwesen lebt, ohne dass der Staat sie gewährleisten könnte oder über sie verfügen dürfte. In dem Bewusstsein, dass die Religion Normen sittlichen Handelns und Zusammenlebens vertritt, Lebenssinn und -wert vermittelt und zu verantwortlichem Handeln in der Gemeinschaft motiviert, ordnet Art. 7 Abs. 3 GG an, dass der Religionsunterricht ordentliches Lehrfach ist. Der Staat respektiert kirchliche Feiertage und begünstigt Religionsgesellschaften auch durch Steuervergünstigungen (s. § 3 Abs. 1 Nr. 4 GrStG; § 13 Abs. 1 Nr. 16a ErbStG). Private Vereinigungen, die die Religion fördern, üben eine Gemeinwohltätigkeit aus, weil ihre Tätigkeit dazu beiträgt, die Lebensgrundlagen des öffentlichen Gemeinwesens zu erhalten.

Gemeinnützigkeit und Spendenabzug: Die Förderung der Religion ist ein gemeinnütziger Zweck i. S. des § 52 Abs. 2 Nr. 2 AO. Hier nicht erfasst sind die „kirchlichen Zwecke" des § 54 AO. Zuwendungen sind nach § 10b Abs. 1 Satz 1 EStG als Sonderausgaben abzugsfähig.

▶ **Rettung aus Lebensgefahr**

Gemeinnützigkeit und Spendenabzug: Die Förderung der Rettung aus Lebensgefahr ist gemeinnützig gem. § 52 Abs. 2 Nr. 11 AO. Zuwendungen sind nach § 10 b Abs. 1 Satz 1 EStG als Sonderausgaben abzugsfähig.

Dieser Zweck wurde durch das Gesetz zur weiteren Stärkung des bürgerschaftlichen Engagements vom 10. 10. 2007, BGBl. I S. 2332, unverändert aus der Anlage 1 zu § 48 Abs. 2 EStDV in die AO übernommen.

▶ **Soldaten- und Reservistenbetreuung**

Gemeinnützigkeit und Spendenabzug: Die Soldaten- und Reservistenbetreuung zählt nach § 52 Abs. 2 Nr. 23 AO i.V. m. AEAO Nr. 13 zu § 52 AO zu den gemeinnützigen Zwecken. Vorausgesetzt wird, dass es sich um eine materielle, geistige oder sittliche Betreuung handelt. Ein besonderes Betreuungsbedürfnis für diesen Personenkreis ist nicht ohne Weiteres ersichtlich. Die Gemeinnützigkeit bloßer Traditions- und Kameradschaftspflege unter ehemaligen Angehörigen einer Division hat der BFH im Urteil vom 31. 10. 1963, BStBl. III 1964 S. 20 verneint. Bei Kameradschaftsvereinen ist genau zu prüfen, was der praktizierte Vereinszweck ist und worin die Förderung des Gemeinwohls liegen kann, das Wachhalten von Erinnerungen an die Soldatenzeit (Kriegszeit) fördert das Gemeinwohl nicht.

Spenden sind nach § 10 b Abs. 1 Satz 1 EStG als Sonderausgaben abzugsfähig, Mitgliedsbeiträge sind nach § 10 b Abs. 1 Satz 3 EStG nicht abziehbar.

▶ **Sport**

Gemeinnützigkeit: Die Gemeinnützigkeit ergibt sich aus § 52 Abs. 2 Nr. 21 AO. Der Begriff „Sport" i. S. dieser Gesetzesvorschrift umfasst Betätigungen, die die allgemeine Definition des Sports erfüllen und der körperlichen Ertüchtigung dienen. Vorauszusetzen ist daher eine körperliche, über das ansonsten übliche Maß hinausgehende Aktivität, die durch äußerlich zu beobachtende Anstrengungen oder durch die einem persönlichen Können zurechenbare

Kunstbewegung gekennzeichnet ist (BFH vom 29. 10. 1997 I R 13/97, BStBl. II 1998 S. 9). Motorsport ist daher auch begünstigt, ebenso Ballonfahren, nicht dagegen Skat, Bridge, Gospiel, Gotcha, Paintball, Tischfußball und Tipp-Kick (AEAO Nr. 6 zu § 52 AO).

Entscheidend ist nach AEAO Nr. 7 zu § 52 AO ferner, dass der Sport nicht gegen Entgelt ausgeübt wird. Jede entgeltliche Ausübung des Sports zerstört die Gemeinnützigkeit. Die Entgeltlichkeit stellt gleichzeitig eine gewerbliche Tätigkeit dar. So sind auch Spieler in Verbandsligen, mit denen Verträge abgeschlossen sind, keine „Amateursportler" i. S. des Gemeinnützigkeitsrechts. Desgleichen sind Sportler, die Rechte zur Vermarktung ihres Namens und Bildes gegen Entgelt – etwa einem „Werbepartner" – überlassen, nicht „Amateursportler" i. S. des Gemeinnützigkeitsrechts, sie unterhalten insoweit einen Gewerbebetrieb.

In § 58 Nr. 9 AO ist bestimmt, dass die Förderung des bezahlten Sports neben dem unbezahlten Sport unschädlich ist.

Spendenabzug: Spenden sind nach § 10b Abs. 1 Satz 1 EStG als Sonderausgaben abzugsfähig, Mitgliedsbeiträge sind nach § 10b Abs. 1 Satz 3 EStG nicht abziehbar.

Ergänzende steuerliche Vergünstigungen:

Zweckbetrieb Sportliche Veranstaltungen: § 67a AO regelt die Zweckbetriebseigenschaft von sportlichen Veranstaltungen. Als sportliche Veranstaltung ist die organisatorische Maßnahme anzusehen, die es aktiven Sportlern (die nicht Mitglieder des Vereins zu sein brauchen) ermöglicht, Sport zu treiben. Vgl. hierzu AEAO Nr. 3 zu § 67a AO. Zur Frage, inwieweit Sportreisen und Sportunterricht als sportliche Veranstaltung zu behandeln sind, vgl. AEAO Nr. 4 und 5 zu § 67a AO.

Nach § 67a AO und AEAO Nr. 1 zu § 67a AO sind die (gesamten) sportlichen Veranstaltungen eines Sportvereins ein steuerbegünstigter Zweckbetrieb, solange die Bruttoeinnahmen insgesamt 35.000 € im Jahr nicht übersteigen. Liegen die Bruttoeinnahmen über 35.000 €, sind die (gesamten) sportlichen Veranstaltungen als wirtschaftlicher Geschäftsbetrieb zu behandeln. Der Vorteil dieser Regelung liegt auf der Hand. Der Verein darf auch im Rahmen eines

Zweckbetriebs Sportler für ihren Einsatz bezahlen und ist auch nicht daran gehindert, Ablösesummen zu entrichten. Ist aufgrund der Höhe der Einnahmen ein wirtschaftlicher Geschäftsbetrieb gegeben, können die im sportlichen Bereich üblicherweise entstehenden Verluste mit Gewinnen anderer wirtschaftlicher Geschäftsbetriebe (z. B. Sponsoring, Werbung) verrechnet werden. Die Nachteile bei Vorliegen eines wirtschaftlichen Geschäftsbetriebs sind: Anwendung des vollen Steuersatzes bei der Umsatzsteuer, keine Steuerbefreiung nach § 3 Nr. 26 EStG für die Übungsleiterentschädigungen, kein Spendenabzug.

Der Verein hat aber auch die Möglichkeit (Option), auf die Anwendung der grundsätzlichen Regelung zu verzichten (§ 67a Abs. 2 AO) und sich für eine Trennung nach Veranstaltungen, bei denen ausschließlich Amateursportler eingesetzt werden (Zweckbetrieb, wobei dann die Höhe der Einnahmen keine Rolle mehr spielt), und Veranstaltungen, bei denen auch bezahlte Sportler eingesetzt werden (wirtschaftlicher Geschäftsbetrieb) zu entscheiden (§ 67a Abs. 3 AO, AEAO Nr. 22 zu § 67a AO). Die Option bindet den Verein für mindestens fünf Veranlagungszeiträume. Die steuerlichen Vor- und Nachteile sind daher genau abzuwägen.

Gastronomie und Werbung anlässlich sportlicher Veranstaltungen: Gastronomie und Werbung stellen stets einen steuerpflichtigen wirtschaftlichen Geschäftsbetrieb dar, vgl.:

- AEAO Nr. 6 und 7 zu § 67a AO betr. Verkauf von Speisen und Getränken – auch an Wettkampfteilnehmer, Schiedsrichter, Kampfrichter, Sanitäter usw.;
- AEAO Nr. 10 zu § 67a AO betr. Unterhaltung von Club-Häusern, Kantinen, Vereinsheimen oder Vereinsgaststätten, auch wenn diese Einrichtungen ihr Angebot nur an Mitglieder richten;
- AEAO Nr. 9 Satz 1 zu § 67a AO betr. entgeltliche Übertragung des Rechts zur Nutzung von Werbeflächen in Sportstätten;
- AEAO Nr. 9 Satz 4 zu § 67a AO betr. Werbung auf Sportkleidung und Sportgeräten.

Umsatzsteuerliche Besonderheiten: Die umsatzsteuerliche Behandlung von sportlichen Veranstaltungen richtet sich nach der Zuordnung der Einnahmen. Liegt ein Zweckbetrieb vor, ist der ermäßigte

Steuersatz anzuwenden. Ist dagegen ein wirtschaftlicher Geschäftsbetrieb gegeben, gilt der volle Umsatzsteuersatz von 19 %

Eine Steuerbefreiung kommt allenfalls für Teilnehmergebühren in Betracht (vgl. hierzu § 4 Nr. 22b UStG i.V.m. Abschn. 116 Abs. 5 UStR 2008). Die Befreiung ist nicht davon abhängig, ob eine Veranstaltung als Zweckbetrieb oder als wirtschaftlicher Geschäftsbetrieb gilt.

Hinzuweisen ist noch auf Abschn. 16 Abs. 6 UStR 2008, wo geregelt ist, dass bei Einnahmeteilung der Platzverein die gesamten Einnahmen der Umsatzsteuer zu unterwerfen hat. Entsprechendes gilt, wenn der Verband als Veranstalter auftritt.

Veranstaltungen mit ausländischen Sportlern: Wenn bei sportlichen Veranstaltungen nicht im Inland wohnhafte Künstler oder Sportler auftreten, ist der Verein gem. §§ 50a Abs. 4 EStG und 18 Abs. 8 UStG verpflichtet, von den Vergütungen Einkommensteuer und ggf. auch Umsatzsteuer einzubehalten und an das Finanzamt abzuführen. Auf die Ausführungen im Kapitel B. II (S. 23 ff.) wird im Einzelnen verwiesen.

Überlassung von Sportanlagen: Keine sportliche Veranstaltung i.S. des § 67a AO ist die Nutzungsüberlassung von Sportanlagen. Die Vermietung von Sportstätten und Betriebsvorrichtungen auf kurze Dauer schafft lediglich die Voraussetzungen für sportliche Veranstaltungen. Sie ist jedoch selbst keine sportliche Veranstaltung, sondern ein wirtschaftlicher Geschäftsbetrieb eigener Art. Dieser ist als Zweckbetrieb i.S. des § 65 AO anzusehen, wenn es sich bei den Mietern um Mitglieder des Vereins handelt. Bei der Vermietung auf kurze Dauer an Nichtmitglieder tritt der Verein dagegen in größerem Umfang in Wettbewerb zu nicht begünstigten Vermietern (§ 65 Nr. 3). Diese Art der Vermietung ist deshalb als steuerpflichtiger wirtschaftlicher Geschäftsbetrieb zu behandeln.

Ertragsteuerliche Behandlung der Überlassung von Sportanlagen

• Gebrauchsüberlassung einer bestimmten, nur dem Mieter zur Verfügung stehenden Grundstücksfläche (z.B. Kegelbahnen, Tennisplätze) unter Ausschluss anderer Personen
 – auf längere Dauer = Vermögensverwaltung

- auf kurze Dauer (z. B. stundenweise Vermietung, auch wenn die Stunden für einen längeren Zeitraum im Voraus festgelegt werden)
- an Mitglieder = Zweckbetrieb
- Nichtmitglieder = wirtschaftlicher Geschäftsbetrieb
- Gestattung der Benutzung der Sportanlage im Rahmen des allgemeinen Sportbetriebs gegen Eintrittsgeld (Vertrag besonderer Art) = wirtschaftlicher Geschäftsbetrieb.

Beispiele:
- Benutzung eines Sportplatzes oder eines Schwimmbades durch Einzelpersonen im Rahmen des allgemeinen Sport- bzw. Badebetriebs gegen Eintrittsgeld (Abschn. 81 Abs. 2 Nr. 8 UStR 2008);
- Nutzung einer überdachten Schießanlage durch Schützen zur Ausübung des Schießsports ohne Ausschluss weiterer Schützen gegen ein Eintrittsgeld und ein nach Art und Anzahl der abgegebenen Schüsse bemessenes Entgelt (Abschn. 81 Abs. 2 Nr. 13 UStR 2008);
- Zurverfügungstellung einzelner Schwimmbahnen an Vereine oder Schulen unter Aufrechterhaltung des allgemeinen Badebetriebs (Abschn. 81 Abs. 2 Nr. 10 UStR 2008).

Umsatzsteuerliche Behandlung der Überlassung von Sportanlagen

Vermietungsumsätze: Bei Vermietung, gleich ob langfristig oder kurzfristig, war bis 31. 12. 2004 das Entgelt in einen steuerfreien und in einen steuerpflichtigen Teil aufzuteilen. Nachdem der BFH durch Urt. vom 31. 5. 2001 – V R 97/98 (BStBl. II 2001 S. 658) unter Berufung auf den EuGH seine Rechtsprechung zur umsatzsteuerrechtlichen Behandlung der Vermietung von Sportanlagen geändert hat, ist nunmehr bei der Vermietung von Sportanlagen von einer einheitlichen steuerpflichtigen Leistung auszugehen.

Vertrag besonderer Art: Die Steuerpflicht erstreckt sich auf die gesamte Leistung (vgl. Abschn. 81 UStR 2008).

Steuerfreie Aufwandsentschädigungen: Aufwandsentschädigungen für die nebenberufliche Tätigkeit als Übungsleiter sind bis zum Betrag von 2.100 € (§ 3 Nr. 26 EStG) einkommensteuerfrei (vgl. hierzu auch Kap. H. II.2. „Übungsleiterpauschale").

▶ **Strafgefangenenfürsorge**

Die Strafgefangenenbetreuung soll verhindern, dass (ehemalige) Strafgefangene rückfällig werden und durch Fortsetzung ihres gesellschaftsfeindlichen Verhaltens erneut Schaden anrichten (s. § 2 Strafvollzugsgesetz).

Die Strafgefangenenbetreuung ist eine Aufgabe des Staates. Soweit sie von privaten Vereinigungen wahrgenommen wird, handelt es sich um eine staatsentlastende Gemeinwohltätigkeit.

Gemeinnützigkeit und Spendenabzug: Die Förderung der Fürsorge für Strafgefangene und ehemalige Strafgefangene ist gemeinnützig gem. § 52 Abs. 2 Nr. 17 AO. Zuwendungen sind nach § 10b Abs. 1 Satz 1 EStG als Sonderausgaben abzugsfähig.

▶ **Tierschutz**

Zum Begriff des Tierschutzes vgl. Tierschutzgesetz vom 25. 5. 1998, BGBl. I S. 1105, 1818 und Allgemeine Verwaltungsvorschrift zur Durchführung des Tierschutzgesetzes vom 9. 2. 2000, Bundesanzeiger Nr. 36a/2000 vom 22. 2. 2000 sowie Art. 20a GG.

Durch die Verankerung des Tierschutzes in der Verfassung soll dem Gebot eines sittlich zu verantwortenden Umgangs des Menschen mit den Tieren Rechnung getragen werden. Der von Wissenschaft und Forschung (z. B. Klonen von Tieren, Tierversuche) und Tiernutzung oft nicht berücksichtigte Schutz von Tieren vor Leiden, Schäden und Schmerzen macht es aus ethischer Verantwortung des Menschen für die Mitgeschöpfe notwendig, dass der Tierschutz Verfassungsrang erhält.

Gemeinnützigkeit und Spendenabzug: Tierschutz zählt zu den gemeinnützigen Zwecken i. S. des § 52 Abs. 2 Nr. 14 AO. Zuwendungen sind nach § 10b Abs. 1 Satz 1 EStG als Sonderausgaben abzugsfähig.

▶ **Tierzucht**

Gemeinnützigkeit und Spendenabzug: Die Förderung der Tierzucht gilt als gemeinnütziger Zweck (vgl. § 52 Abs. 2 Nr. 23 AO sowie AEAO Nr. 2.3 und 10 zu § 52 AO).

Die Anerkennung der Tierzucht als gemeinnützig erfordert, dass sie als Hobby, zu ideellen Zwecken, ausgeübt wird. Die gewerbliche Tierzucht (vgl. § 1 TierZG vom 22. 1. 1998, BGBl. I S. 145) ist nicht begünstigt. Eine Körperschaft, die Tiere zu gewerblichen Zwecken züchtet, d. h. um sie mit Gewinnerzielungsabsicht zu vermarkten, handelt nicht selbstlos und kann deshalb nicht gemeinnützig sein; Gleiches gilt für Interessenverbände gewerblicher Züchter.

Spenden sind nach § 10b Abs. 1 Satz 1 EStG als Sonderausgaben abzugsfähig, Mitgliedsbeiträge sind nach § 10b Abs. 1 Satz 3 EStG nicht abziehbar.

▶ Traditionelles Brauchtum

Traditionelles Brauchtum ist die aus der Vergangenheit überlieferte, bewusste Äußerung bestimmter hergebrachter Verhaltensweisen im Volksleben, oft beeinflusst durch Religion und Weltanschauung (s. FG Schleswig-Holstein EFG 1999 S. 50). Brauchtumspflege ist Kulturförderung, nicht Förderung von Kommerz. Die Gemeinnützigkeit des Karnevals war früher nicht anerkannt, weil überwiegend Geselligkeit und Unterhaltung angenommen wurde (s. Erlass NRW StEK AO 1977 § 52 Nr. 15). Der Gesetzgeber unterstellt bei Karnevalsvereinen jetzt einen Schwerpunkt „Brauchtumspflege". Die Narrenzünfte der allemannischen Fastnacht waren schon immer als gemeinnützig anerkannt. Studentische Verbindungen (z. B. Burschenschaften) und ähnliche Vereine (z. B. Landjugendvereine) werden von der Finanzverwaltung in der Regel nicht als Brauchtums-, sondern als Geselligkeitsvereine angesehen, daher nicht als gemeinnützig anerkannt (AEAO Nr. 6 zu § 52 AO). Dem traditionellen Brauchtum werden auch Schützenfeste zugeordnet. Pflege, Ausbreitung und Reinhaltung des Skatspiels ist keine Brauchtumspflege (FG Schleswig-Holstein a.a.O.).

Gemeinnützigkeit und Spendenabzug: Die Förderung des traditionellen Brauchtums einschließlich des Karnevals, der Fastnacht und des Faschings ist durch § 52 Abs. 2 Nr. 23 AO als gemeinnütziger Zweck anerkannt. Spenden sind nach § 10b Abs. 1 Satz 1 EStG als Sonderausgaben abzugsfähig, Mitgliedsbeiträge sind nach § 10b Abs. 1 Satz 3 EStG nicht abziehbar.

▶ Umweltschutz

Umweltschutz besteht in Maßnahmen zur Erhaltung oder Wiederherstellung der natürlichen Lebensgrundlagen von Menschen, Tieren und Pflanzen. Zum Umweltschutz gehören insbesondere der Immissionsschutz (Reinhaltung von Luft und Wasser, Lärmschutz einschließlich Fluglärmschutz, Lärmbekämpfung, Strahlenschutz) und die Abfallbeseitigung.

Die wichtigsten Rechtsgrundlagen sind das Bundesimmissionsschutzgesetz, das Gesetz zum Schutz gegen Fluglärm, das Gesetz zur Verhütung der Meeresverschmutzung durch das Einbringen von Abfällen durch Schiffe und Luftfahrzeuge, das Gesetz zur Verhütung der Meeresverschmutzung vom Lande aus, das Strahlenschutzvorsorgegesetz, das Abfallverbringungsgesetz, das Umweltinformationsgesetz, das Gesetz über die Umweltverträglichkeitsprüfung, das Kreislaufwirtschafts- und Abfallgesetz, das Gesetz zum Schutz vor schädlichen Bodenveränderungen und zur Sanierung von Altlasten.

Naturschutz ist Teil des Umweltschutzes im weiteren Sinne, **Landschaftsschutz** ist Teil des Naturschutzes. Durch den Landschaftsschutz werden naturnahe Flächen zur Erhaltung ihrer ökologischen Vielfalt sowie eines ausgeglichenen Naturhaushalts und ihres Erholungswertes gegen Veränderungen (insbesondere durch Abholzung, Bebauung, Industrialisierung) geschützt oder wiederhergestellt (etwa durch Aufforstung). Als gesetzliche Grundlagen sind zu nennen das Gesetz über Naturschutz und Landschaftspflege (Bundesnaturschutzgesetz) und das Gesetz zur Ordnung des Wasserhaushalts.

Ziele und Grundsätze des Umweltschutzes, des Naturschutzes und des Landschaftsschutzes ergeben sich aus den erwähnten Gesetzen. § 1a Abs. 1 Wasserhaushaltsgesetz (s. S. 78) spricht ausdrücklich davon, dass der Gewässerschutz dem „Wohl der Allgemeinheit" dienen solle. § 1 des Bundesnaturschutzgesetzes (s. S. 75) nennt als Ziel des Naturschutzes die Sicherung der „Lebensgrundlagen der Menschen". Der Umweltschutz dient auch der Ausführung des Art. 2 Abs. 2 Satz 1 GG, nämlich dem Schutz des Lebens und der Gesundheit der Menschen.

Private Organisationen unterstützen die Umweltbestrebungen des Staates in wirksamer Weise. Sie tragen in erheblichem Maße zur Vertiefung des Umweltbewusstseins und des Naturschutzgedankens der Bevölkerung, zur Entwicklung des Kenntnisstandes und zur Förderung der Diskussion hierzu bei.

Der hohe Gemeinwohlwert des Umweltschutzes kommt auch dadurch zum Ausdruck, dass Art. 20a GG im Jahr 1994 den Umweltschutz zur Staatsaufgabe bestimmt hat.

Gemeinnützigkeit und Spendenabzug: Die Gemeinnützigkeit ergibt sich aus § 52 Abs. 2 Nr. 8 AO. Nach BFH vom 13. 12. 1978, BStBl. II 1979 S. 482 steht der Anerkennung von Umweltschutz, Naturschutz und Landschaftsschutz als gemeinnützig nicht entgegen, dass die Bestrebungen sich gegen die Planungen staatlicher Stellen und gegen technische Großprojekte der Bundesbahn richten. Die Bestrebungen müssen allerdings verfassungsmäßig sein. Dem Umweltschutz dienen auch Maßnahmen von Bürgerinitiativen gegen Vorbereitungen zum Bau oder gegen den Bau und Betrieb nuklearer Entsorgungsanlagen für radioaktive Abfälle; dabei ist es unerheblich, dass durch die Aktivitäten die staatliche Energiepolitik tangiert wird; die politischen Implikationen rechtfertigen nicht die Einstufung einer solchen Bürgerinitiative als politischer Verein (BFH vom 29. 8. 1984, BStBl. II S. 844). Ein Umweltschutzverein ist jedoch nicht gemeinnützig, wenn er außerhalb der verfassungsmäßigen Ordnung agiert, etwa durch „gewaltfreien Widerstand" (Sitzblockaden) oder Nichtbefolgung polizeilicher Anordnungen (BFH vom 29. 8. 1984, BStBl. II 1985 S. 106).

Zuwendungen sind nach § 10b Abs. 1 Satz 1 EStG als Sonderausgaben abzugsfähig.

▶ **Unabhängige Wählervereinigungen**

Gemeinnützigkeit/Steuerbefreiung: Zwecke kommunaler Wählervereinigungen erfüllen nicht die Voraussetzungen der Gemeinnützigkeit (s. hierzu die Ausführungen zum Satzungszweck „Förderung des demokratischen Staatswesens" auf S. 47 f.). Kommunale Wählervereinigungen erhalten aber genauso wie politische Parteien i. S. des § 2 des PartG eine Steuerbefreiung nach § 5 Abs. 1 Nr. 7 KStG.

Wirtschaftliche Geschäftsbetriebe sind von der Steuerbefreiung ausgenommen.

Spendenabzug: Zuwendungen an unabhängige Wählervereinigungen sind **nicht** nach § 10 b EStG **begünstigt.** Das Einkommensteuergesetz sieht in § 34 g eine Steuerermäßigung in Höhe von 50 % der Ausgaben, höchstens jeweils 825 € (bei Zusammenveranlagung von Ehegatten 1.650 €) vor. Voraussetzung hierfür ist, dass

- der Zweck des Vereins ausschließlich darauf gerichtet ist, durch Teilnahme mit eigenen Wahlvorschlägen an Wahlen auf Bundes-, Landes- oder Kommunalebene bei der politischen Willensbildung mitzuwirken, und
- der Verein auf Bundes-, Landes- oder Kommunalebene bei der jeweils letzten Wahl wenigstens ein Mandat errungen oder der zuständigen Wahlbehörde oder dem zuständigen Wahlorgan angezeigt hat, dass er mit eigenen Wahlvorschlägen auf Bundes-, Landes- oder Kommunalebene an der jeweils nächsten Wahl teilnehmen will.

Nimmt der Verein an der jeweils nächsten Wahl nicht teil, wird die Ermäßigung nur für die bis zum Wahltag an ihn geleisteten Beiträge und Spenden gewährt. Die Ermäßigung für Beiträge und Spenden an den Verein wird erst wieder gewährt, wenn er sich mit eigenen Wahlvorschlägen an einer Wahl beteiligt hat. Die Ermäßigung wird in diesem Falle nur für Beiträge und Spenden gewährt, die nach Beginn des Jahres, in dem die Wahl stattfindet, geleistet werden.

Muster für Zuwendungsbestätigungen i. S. des § 34 g EStG sind abgedruckt im BMF-Schreiben vom 13. 12. 2007, BStBl. I 2008 S. 4 (Muster 7 für Geldzuwendungen/Mitgliedsbeitrag, Muster 8 für Sachzuwendungen).

▶ Unfallverhütung

Unter Unfallverhütung versteht man Maßnahmen des Arbeitsschutzes und der Arbeitssicherheit sowie die Verkehrssicherheit.

Die Verhütung von Arbeitsunfällen, Berufskrankheiten und arbeitsbedingten Gesundheitsgefahren sowie die Sicherstellung einer wirksamen Ersten Hilfe in den Betrieben und Verwaltungen ist durch das Siebte Buch Sozialgesetzbuch den Berufsgenossenschaften als Träger der gesetzlichen Unfallversicherung übertragen. Die Berufsgenossenschaften erlassen aufgrund § 15 SGB VII Vorschriften zur Unfallverhütung, die für ihre Mitglieder (Unternehmen) und die Versicherten rechtsverbindlich sind. Technische Aufsichtspersonen wachen darüber, dass die Unfallverhütungsvorschriften eingehalten werden, und beraten die Unternehmer und die Versicherten.

Verkehrssicherheit soll Unfälle vermeiden (aktive Sicherheit) und die Folgen von Unfällen verringern (passive Sicherheit). Verkehrssicherheit beinhaltet in erster Linie die Straßenverkehrssicherheit, aber auch die Schienen- und Eisenbahnverkehrssicherheit, die Luftverkehrssicherheit und die Schiffsverkehrssicherheit.

Gemeinnützigkeit und Spendenabzug: Die Förderung der Unfallverhütung zählt zu den gemeinnützigen Zwecken i. S. des § 52 Abs. 2 Nr. 12 AO. Zuwendungen sind nach § 10 b Abs. 1 Satz 1 EStG als Sonderausgaben abzugsfähig.

▶ Verbraucherberatung und Verbraucherschutz

Verbraucherberatung ist von wesentlicher Bedeutung in unserer marktwirtschaftlichen Wirtschaftsordnung. Die Verbraucher stehen einem vielfältigen Waren- und Dienstleistungsangebot gegenüber, das in vielen Bereichen nur schwer überschaubar ist. Verbraucherinformation muss daher Marktvorgänge transparenter machen und dadurch dem einzelnen Verbraucher helfen, sich bei wirtschaftlichen Dispositionen am Markt besser behaupten zu können. Die Beratung hilft Geld sparen, die Rechtsberatung außerdem die Justiz zu entlasten.

Verbraucherschutz hat das Ziel, die Grundrechte der Verbraucher auf Sicherheit, Information und Wahlfreiheit zu verwirklichen und dafür zu sorgen, dass die Interessen der Verbraucher Gehör finden.

Gemeinnützigkeit und Spendenabzug: Die Förderung von Verbraucherberatung und Verbraucherschutz zählt zu den gemeinnützigen Zwecken i. S. des 52 Abs. 16 AO. Zuwendungen sind nach § 10 b Abs. 1 Satz 1 EStG als Sonderausgaben abzugsfähig.

▶ Völkerverständigung

Die Völkerverständigung soll zur Entwicklung und Stärkung freundschaftlicher Beziehungen zwischen den Völkern und damit zur Friedenssicherung und Entspannung beitragen. Sie ist ein Anliegen des Grundgesetzes (s. Art. 9 Abs. 2, Art. 24 und 26 GG).

Die Allgemeine Erklärung der Menschenrechte der Vereinten Nationen vom 10. Dezember 1948 (Bulletin der Bundesregierung 1951 S. 124) hält es für wesentlich, „die Entwicklung freundschaftlicher Beziehungen zwischen den Nationen zu fördern" (Präambel). Auch die Schlussakte von Helsinki vom 1. August 1975 (BT-Drs. 7/3867) befasst sich mit der Völkerverständigung.

Der Völkerverständigung dienen alle Aktivitäten, die zur zwischenmenschlichen Begegnung der Völker beitragen, das Wissen über andere Völker mehren und die Einsicht in die Vorteile friedlichen Zusammenlebens der Völker vertiefen. Hierzu gehören z. B. die Förderung der Betreuung ausländischer Besucher in Deutschland, Förderung der Begegnungen zwischen Deutschen und Ausländern in Deutschland, Förderung des Austauschs von Informationen über Deutschland und das Ausland.

Die Tätigkeit zur Förderung der Völkerverständigung kann sich mit anderen begünstigten Aktivitäten überschneiden, insbesondere mit der Förderung von Bildung, Kunst und Kultur, aber auch mit der Entwicklungshilfe. Die Förderung kultureller Toleranz wird als ein wichtiges Element der Völkerverständigung angesehen. Daher bildet auswärtige Kulturpolitik einen Schwerpunkt der Völkerverständigung.

In der Bundesrepublik Deutschland wird die Förderung der Völkerverständigung in besonderem Maße durch private Institutionen betrieben. Soweit die Tätigkeit dieser Institutionen tatsächlich der Völkerverständigung dient, wird durch sie eine staatsentlastende Gemeinwohltätigkeit ausgeübt.

Gemeinnützigkeit und Spendenabzug: Die Förderung internationaler Gesinnung, der Toleranz auf allen Gebieten der Kultur und der Völkerverständigung ist ein gemeinnütziger Zweck i. S. des § 52 Abs. 2 Nr. 13 AO. Zuwendungen sind nach § 10b Abs. 1 Satz 1 EStG als Sonderausgaben abzugsfähig.

▶ Wissenschaft und Forschung

Wissenschaft und Forschung sind für die Existenz einer Gemeinschaft von fundamentaler Bedeutung, etwa für die Ernährung, für den wirtschaftlichen Fortschritt, für den technischen Standard, für die Verteidigung, für das Zusammenleben innerhalb der Gemeinschaft. Ihre Förderung ist für das Gemeinwohl unerlässlich.

Wissenschaft und Forschung werden daher in erheblichem Umfang vom Staat gefördert. In Bund und Ländern sind Wissenschaftsministerien eingerichtet. Der Staat unterhält nach Maßgabe des Hochschulrahmengesetzes des Bundes (HRG) und der Hochschulgesetze der Länder wissenschaftliche Hochschulen und andere Forschungseinrichtungen (dazu Art. 75 Abs. 1 Nr. 1a GG). Die Hochschulen sind, von wenigen Ausnahmen abgesehen, Körperschaften des öffentlichen Rechts und zugleich staatliche Einrichtungen. Die langfristige überregionale Planung der Hochschulentwicklung und deren finanzielle Auswirkungen sind im Bildungsgesamtplan der Bund-Länder-Kommission für Bildungsplanung enthalten. Die laufenden Ausgaben der Hochschulen werden im Wesentlichen von den Ländern getragen. Über die Bund-Länder-Gemeinschaftsaufgabe „Neubau und Ausbau der Hochschulen" (Art. 91a Abs. 1 Nr. 1 GG; Gesetz über die Gemeinschaftsaufgabe „Ausbau und Neubau von wissenschaftlichen Hochschulen") ist auch der Bund an der Planung und Finanzierung der Hochschulinvestitionen beteiligt. Die Hochschulforschung wird durch den Bund mit Sonderprogrammen unterstützt. Ferner gibt es Steuervergünstigungen zugunsten der Forschung (s. z.B. § 10g EStG; § 32 Abs. 2 GrStG; § 2 Abs. 2 Nr. 1b InvZulG).

Wissenschaft und Forschung werden auch durch private Vereinigungen in erheblichem Umfang gefördert. Diese Vereinigungen üben eine staatsentlastende Gemeinwohltätigkeit aus und tragen zur Erhaltung der Lebensgrundlagen der öffentlichen Gemeinwesen bei.

Vgl. hierzu ferner § 22 HRG, Aufgaben und Koordination der Forschung sowie § 25 HRG, Forschung mit Mitteln Dritter.

Gemeinnützigkeit und Spendenabzug: Die Förderung von Wissenschaft und Forschung gilt als gemeinnütziger Zweck (§ 52 Abs. 2

Nr. 1 AO). Zuwendungen sind nach § 10b Abs. 1 Satz 1 EStG als Sonderausgaben abzugsfähig.

Ergänzende steuerliche Vergünstigungen:

Zweckbetriebseigenschaft: Wirtschaftliche Geschäftsbetriebe von Wissenschafts- und Forschungseinrichtungen, deren Träger sich überwiegend aus Zuwendungen der öffentlichen Hand oder Dritter oder aus der Vermögensverwaltung finanzieren, gelten kraft Gesetzes als Zweckbetriebe (§ 68 Nr. 9 AO). Der Wissenschaft und Forschung dient auch die Auftragsforschung. Nicht zum Zweckbetrieb gehören Tätigkeiten, die sich auf die Anwendung gesicherter wissenschaftlicher Erkenntnisse beschränken, die Übernahme von Projektträgerschaften sowie wirtschaftliche Tätigkeiten ohne Forschungsbezug.

Zur gemeinnützigkeitsrechtlichen Behandlung von Forschungseinrichtungen des privaten Rechts vgl. auch BMF-Schreiben vom 22. 9. 1999, BStBl. I S. 944.

Umsatzsteuer: Die satzungsmäßig erbrachten Forschungsumsätze von Wissenschafts- und Forschungseinrichtungen, deren Träger sich überwiegend aus Zuwendungen der öffentlichen Hand oder Dritter oder aus der Vermögensverwaltung finanzieren, unterliegen nach Abschn. 170 Abs. 10 UStR 2008 auch weiterhin dem ermäßigten Steuersatz, weil mit ihrer Ausführung selbst die steuerbegünstigten Zwecke der Körperschaft unmittelbar verwirklicht werden. Dies gilt auch für die Auftragsforschung. Die Steuerermäßigung kann nicht in Anspruch genommen werden für Tätigkeiten, die sich auf die Anwendung gesicherter wissenschaftlicher Erkenntnisse beschränken, für die Übernahme von Projekttätigkeiten sowie für wirtschaftliche Tätigkeiten ohne Forschungsbezug.

▶ **Wohlfahrtswesen**

Die Träger des privaten Wohlfahrtswesens nehmen eine das öffentliche Gemeinwesen von einer Pflichtaufgabe entlastende Tätigkeit insbesondere in den Bereichen Familienhilfe, Kranken- und Behindertenhilfe, Gefährdeten- und Suchtkrankenhilfe, Asylantenhilfe wahr. Die Träger unterhalten Krankenhäuser, Erholungs- und Kurheime, Kinderheime und Kindertagesstätten, Behindertenheime und Sozialstationen. Sie nehmen auch ambulante sozialpflegerische Dienste wahr.

Wie sich insbesondere aus §§ 5 Abs. 1 bis 5 und 75 SGB XII ergibt, wirken die öffentlichen und privaten Träger des Sozialwesens zusammen. Die Organisationen der freien Wohlfahrtspflege sind wichtige Partner der behördlichen Wohlfahrtspflege.

Träger des privaten Wohlfahrtswesens sind die in der Bundesarbeitsgemeinschaft der Freien Wohlfahrtspflege e.V. zusammengeschlossenen Spitzenverbände der Freien Wohlfahrtspflege und ihre zahlreichen Mitgliedsorganisationen.

SGB XII

§ 5 Verhältnis zur freien Wohlfahrtspflege. (1) Die Stellung der Kirchen und Religionsgesellschaften des öffentlichen Rechts sowie der Verbände der freien Wohlfahrtspflege als Träger eigener sozialer Aufgaben und ihre Tätigkeit zur Erfüllung dieser Aufgaben werden durch dieses Buch nicht berührt.

(2) Die Träger der Sozialhilfe sollen bei der Durchführung dieses Buches mit den Kirchen und Religionsgesellschaften des öffentlichen Rechts sowie den Verbänden der freien Wohlfahrtspflege zusammenarbeiten. Sie achten dabei deren Selbständigkeit in Zielsetzung und Durchführung ihrer Aufgaben.

(3) Die Zusammenarbeit soll darauf gerichtet sein, dass sich die Sozialhilfe und die Tätigkeit der freien Wohlfahrtspflege zum Wohle der Leistungsberechtigten wirksam ergänzen. Die Träger der Sozialhilfe sollen die Verbände der freien Wohlfahrtspflege in ihrer Tätigkeit auf dem Gebiet der Sozialhilfe angemessen unterstützen.

(4) Wird die Leistung im Einzelfall durch die freie Wohlfahrtspflege erbracht, sollen die Träger der Sozialhilfe von der Durchführung eigener Maßnahmen absehen. Dies gilt nicht für die Erbringung von Geldleistungen.

(5) Die Träger der Sozialhilfe können allgemein an der Durchführung ihrer Aufgaben nach diesem Buch die Verbände der freien Wohlfahrtspflege beteiligen oder ihnen die Durchführung solcher Aufgaben übertragen, wenn die Verbände mit der Beteiligung oder Übertragung einverstanden sind. Die Träger der Sozialhilfe bleiben den Leistungsberechtigten gegenüber verantwortlich.

(6) ...

§ 75 Einrichtungen und Dienste. (1) Einrichtungen sind stationäre und teilstationäre Einrichtungen im Sinne von § 13. Die §§ 75 bis 80 finden auch für Dienste Anwendung, soweit nichts Abweichendes bestimmt ist.

(2) Zur Erfüllung der Aufgaben der Sozialhilfe sollen die Träger der Sozial-

hilfe eigene Einrichtungen nicht neu schaffen, soweit geeignete Einrichtungen anderer Träger vorhanden sind, ausgebaut oder geschaffen werden können. Vereinbarungen nach Absatz 3 sind nur mit Trägern von Einrichtungen abzuschließen, die insbesondere unter Berücksichtigung ihrer Leistungsfähigkeit und der Sicherstellung der Grundsätze des § 9 Abs. 1 zur Erbringung der Leistungen geeignet sind. Sind Einrichtungen vorhanden, die in gleichem Maße geeignet sind, hat der Träger der Sozialhilfe Vereinbarungen vorrangig mit Trägern abzuschließen, deren Vergütung bei vergleichbarem Inhalt, Umfang und Qualität der Leistung nicht höher ist als die anderer Träger.

(3) Wird die Leistung von einer Einrichtung erbracht, ist der Träger der Sozialhilfe zur Übernahme der Vergütung für die Leistung nur verpflichtet, wenn mit dem Träger der Einrichtung oder seinem Verband eine Vereinbarung über

1. Inhalt, Umfang und Qualität der Leistungen (Leistungsvereinbarung),
2. die Vergütung, die sich aus Pauschalen und Beträgen für einzelne Leistungsbereiche zusammensetzt (Vergütungsvereinbarung) und
3. die Prüfung der Wirtschaftlichkeit und Qualität der Leistungen (Prüfungsvereinbarung)

besteht. Die Vereinbarungen müssen den Grundsätzen der Wirtschaftlichkeit, Sparsamkeit und Leistungsfähigkeit entsprechen. Der Träger der Sozialhilfe kann die Wirtschaftlichkeit und Qualität der Leistung prüfen.

(4) Ist eine der in Absatz 3 genannten Vereinbarungen nicht abgeschlossen, darf der Träger der Sozialhilfe Leistungen durch diese Einrichtung nur erbringen, wenn dies nach der Besonderheit des Einzelfalls geboten ist. Hierzu hat der Träger der Einrichtung ein Leistungsangebot vorzulegen, das die Voraussetzung des § 76 erfüllt, und sich schriftlich zu verpflichten, Leistungen entsprechend diesem Angebot zu erbringen. Vergütungen dürfen nur bis zu der Höhe übernommen werden, wie sie der Träger der Sozialhilfe am Ort der Unterbringung oder in seiner nächsten Umgebung für vergleichbare Leistungen nach den nach Absatz 3 abgeschlossenen Vereinbarungen mit anderen Einrichtungen trägt. Für die Prüfung der Wirtschaftlichkeit und Qualität der Leistungen gelten die Vereinbarungsinhalte des Trägers der Sozialhilfe mit vergleichbaren Einrichtungen entsprechend. Der Träger der Sozialhilfe hat die Einrichtung über Inhalt und Umfang dieser Prüfung zu unterrichten. Absatz 5 gilt entsprechend.

(5) ...

Gemeinnützigkeit und Spendenabzug. Die Förderung des Wohlfahrtswesens ist ein gemeinnütziger Zweck i. S. des § 52 Abs. 2 Nr. 9 AO. Zuwendungen sind nach § 10b Abs. 1 Satz 1 EStG als Sonderausgaben abzugsfähig.

Ergänzende steuerliche Vergünstigungen:

Zweckbetriebseigenschaft: Bei Einrichtungen der Wohlfahrtspflege wird das Vorhandensein eines Zweckbetriebs unterstellt, wenn sie in besonderem Maße den in § 53 AO genannten Personen dienen (vgl. § 66 AO). Folglich brauchen die Voraussetzungen des § 65 AO nicht geprüft zu werden. Wohlfahrtspflege ist ein Unterfall der Mildtätigkeit. Die Verfolgung mildtätiger Zwecke setzt keine bestimmte Größe des betreuten Personenkreises voraus. Zur Wohlfahrtspflege zählen insbesondere die zahlreichen im Bundessozialhilfegesetz und im Sozialgesetzbuch genannten Maßnahmen. Gesetzlich geregelte Beispiele für Zweckbetriebe enthalten

- § 68 Nr. 1a AO, AEAO Nr. 2 zu § 68 AO: Alten-, Altenwohn- und Pflegeheime (vgl. hierzu § 1 des Heimgesetzes), Erholungsheime (z. B. Heime für erholungsbedürftige Mütter), Mahlzeitendienste (z. B. Essen auf Rädern);
- § 68 Nr. 3 AO, AEAO Nr. 5–7 zu § 68 AO: Werkstätten für Behinderte (vgl. SGB III).

Umsatzsteuerbefreiung: Leistungen der amtlich anerkannten Verbände der freien Wohlfahrtspflege und der der freien Wohlfahrtspflege dienenden Körperschaften, Personenvereinigungen und Vermögensmassen, die einem Wohlfahrtsverband als Mitglied angeschlossen sind, sind gem. § 4 Nr. 18 UStG i.V.m. § 23 UStDV und Abschn. 103 UStR 2008 von der Umsatzsteuer befreit.

E. Besteuerungsverfahren

- Welches Finanzamt ist für den Verein zuständig?
- Ist das Finanzamt verpflichtet, Vereine zu beraten? Wann ist eine Auskunft verbindlich?
- Welche steuerlichen Pflichten hat ein Verein zu beachten?
- Wer ist dem Finanzamt gegenüber verantwortlich für die Erfüllung der steuerlichen Pflichten?
- Sind die Vereinsmitglieder berechtigt, Auskunft über die steuerlichen Verhältnisse des Vereins einzuholen?
- Welche Wirkung entfaltet eine vorläufige Bescheinigung? Wie lange ist sie gültig?
- Was ist ein Freistellungsbescheid?
- Wie oft erfolgt eine Überprüfung durch das Finanzamt? Welche Steuererklärungen sind abzugeben?
- Wann sind Bescheide des Finanzamts anfechtbar?
- Wann darf das Finanzamt eine Außenprüfung durchführen?
- Wie kann ich die Erhebung der Steuer aufhalten? Wann kann die Einziehung einer Steuer gestundet werden? Welche Voraussetzungen müssen für den Erlass einer Steuerschuld vorliegen?
- Wer haftet für die Steuerschulden des Vereins? Haften evtl. auch die Mitglieder?

I. Zuständiges Finanzamt

Die Betreuung der Vereine ist bei wenigen großen Finanzämtern zusammengefasst. So ist es möglich, dass ein anderes Finanzamt für den Verein zuständig ist, als das am Ort vorhandene, bei dem z. B. der 1. Vorsitzende seine Einkommensteuererklärung abgeben muss.

Für die Körperschaftsteuer ist das Finanzamt zuständig, in dessen Bezirk sich die Geschäftsleitung (§ 20 AO) befindet. Die Geschäftsleitung im Allgemeinen befindet sich dort, wo der Vorstand bzw. der Geschäftsführer seine Entscheidungen trifft (§ 10 AO).

Für die Umsatzsteuer ist das Finanzamt zuständig, in dessen Bezirk der Verein (vorwiegend) unternehmerisch tätig ist (§ 21 AO).

Weitere örtliche Zuständigkeiten sind geregelt für

- die Anmeldung und Abführung der Lohnsteuer (§ 41a Abs. 1 Nr. 1 EStG),
- die Festsetzung und Zerlegung der Steuermessbeträge, die die Grundlage für die Grund- und Gewerbesteuer der Gemeinden bilden (§ 22 AO),
- die Erbschaft- und Schenkungsteuer (§ 35 ErbStG),
- die Grunderwerbsteuer (§ 17 GrEStG),
- die Kraftfahrzeugsteuer (§ 1 KraftStDV),
- die Lotteriesteuer (§ 30 RennwLottAB),
- die Rennwettsteuer (§ 15 RennwLottAB).

II. Anerkennung der Gemeinnützigkeit

Eine besonderes Anerkennungsverfahren ist im steuerlichen Gemeinnützigkeitsrecht nicht vorgesehen. Ob ein Verein steuerbegünstigt ist, entscheidet das Finanzamt im Veranlagungsverfahren (Festsetzungsverfahren) für die jeweilige Steuer und für den jeweiligen Steuerabschnitt durch Steuer-(Freistellungs-)Bescheid (vgl. BFH vom 13. 12. 1978 I R 77/76, BStBl. II 1979 S. 481).

1. Vorläufige Bescheinigung

Auf Antrag eines gemeinnützigen Vereins, bei dem die Voraussetzungen der Steuerbegünstigung noch nicht im Veranlagungsverfahren festgestellt worden sind (insbesondere bei Neugründung), bescheinigt das zuständige Finanzamt vorläufig (z.B. für den Empfang steuerbegünstigter Spenden oder für eine Gebührenbefreiung), dass der Verein steuerlich erfasst ist und die eingereichte Satzung alle Voraussetzungen erfüllt, die u.a. für die Steuerbefreiung nach § 5 Abs. 1 Nr. 9 KStG vorliegen müssen. Die vorläufige Bescheinigung über die Gemeinnützigkeit stellt nach AEAO Nr. 5 zu § 59 AO keinen Verwaltungsakt, sondern lediglich eine Auskunft über den gekennzeichneten Teilbereich der für die Steuervergünstigung erforderlichen Voraussetzungen dar. Sie sagt z.B. nichts über die Übereinstimmung von Satzung und tatsächlicher Geschäftsführung aus. Sie wird befristet erteilt und ist frei widerruflich. Abgesehen vom Widerruf verliert sie ihre Gültigkeit, sobald ein Steuerbescheid oder ein Freistellungsbescheid ergeht. Die Steuerbefreiung wird spätestens alle drei Jahre überprüft.

2. Freistellungsbescheid

Wenn ein Verein in vollem Umfang von der Körperschaftsteuer freigestellt ist, also kein steuerpflichtiger wirtschaftlicher Geschäftsbetrieb unterhalten wird, oder zwar ein steuerpflichtiger wirtschaftlicher Geschäftsbetrieb unterhalten wird, dieser aber unter Berücksichtigung des Freibetrags nach § 24 KStG zu keiner Körperschaftsteuer führt, erteilt das Finanzamt einen sog. Körperschaftsteuer-Freistellungsbescheid. Bei gemeinnützigen Vereinen enthält der Freistellungsbescheid auch Hinweise zur Ausstellung von Spendenbestätigungen. Er dient als Nachweis der Gemeinnützigkeit zur Vorlage bei Banken, Dachverbänden, Zuschussgebern etc.

III. Rechte gegenüber dem Finanzamt

1. Beratung, Auskunft

Nach § 89 Abs. 1 AO sollen die Finanzbehörden u. a. die Abgabe von Erklärungen oder die Stellung von Anträgen anregen, Auskünfte erteilen und ähnliche Hilfestellungen leisten. Diese Fürsorgepflicht besteht auch und in besonderem Maße gegenüber Vereinen. Die Finanzämter stehen den Vereinen in der Regel auch über den Bereich des § 89 AO hinaus bei Zweifelsfragen allgemeiner Art beratend zur Seite und sind ihnen im Rahmen des Möglichen bei der Erstellung von Steuererklärungen behilflich, damit auch kleinere Vereine, die keinen Steuerfachmann in ihren Reihen haben oder die sich keinen Steuerberater leisten können, ihre Steuerangelegenheiten ordnungsgemäß abwickeln können.

Nach § 89 Abs. 2 AO können die Finanzämter auf Antrag auch eine verbindliche Auskunft über die steuerliche Beurteilung von genau bestimmten, noch nicht verwirklichten Sachverhalten erteilen. An der Auskunft muss im Hinblick auf die erheblichen steuerlichen Auswirkungen ein besonderes Interesse bestehen. Zuständig hierfür ist die Finanzbehörde, die bei Verwirklichung des dem Antrag zugrunde liegenden Sachverhalts örtlich zuständig sein würde. Die Erteilung einer solchen verbindlichen Auskunft ist allerdings gebührenpflichtig (§ 89 Abs. 3 bis 5 AO). Die Höhe der Gebühren errechnet sich nach § 34 des Gerichtskostengesetzes und richtet sich nach dem Wert, den die verbindliche Auskunft für den Antragsteller hat. Bei einem Mindeststreitwert von 5.000 € sind das z. B. 121 €. Ist ein Gegenstandswert auch nicht durch Schätzung bestimmbar, ist eine Zeitgebühr zu berechnen; sie beträgt 50 € je angefangene halbe Stunde und mindestens 100 €.

2. Rechtsbehelfe

Wenn der Verein mit einem Bescheid des Finanzamts nicht einverstanden ist, besteht die Möglichkeit, dagegen Rechtsbehelf einzulegen. Außergerichtliche Rechtsbehelfe sind der Einspruch und die Beschwerde, nach Ergehen einer Einspruchsentscheidung/Beschwerdeentscheidung ist Klageerhebung beim Finanzgericht möglich. Welcher Rechtsbehelf zulässig ist, wo er einzureichen ist und in welcher Frist, darüber gibt die dem Bescheid beigefügte Rechtsbehelfsbelehrung im Einzelnen Auskunft. Einspruchs- und Beschwerdeverfahren sind kostenfrei, es sind weder Formvorschriften zu beachten noch besteht Vertretungszwang.

Durch die Einlegung eines Rechtsbehelfs wird die Wirksamkeit des angefochtenen Bescheids nicht gehemmt, insbesondere wird die Erhebung der Steuer nicht aufgehalten. Ist das gewollt, muss zusätzlich Antrag auf Aussetzung der Vollziehung gestellt werden. Anspruch auf Aussetzung der Vollziehung eines Bescheids besteht, wenn ernsthafte Zweifel an der Rechtmäßigkeit des angefochtenen Verwaltungsakts vorliegen oder wenn die Vollziehung für den Steuerpflichtigen eine unbillige Härte zur Folge hätte.

Nicht jeder Bescheid des Finanzamts ist anfechtbar. Ein Rechtsbehelf ist beispielsweise nicht zulässig bei Ablehnung oder Widerruf der vorläufigen Anerkennung der Gemeinnützigkeit. Der Grund ist darin zu sehen, dass die vorläufige Bescheinigung über die Anerkennung der Gemeinnützigkeit lediglich eine Auskunft darüber ist, dass der Verein steuerlich erfasst ist und nach der Satzung gemeinnützige Zwecke verfolgt. Sie sagt z. B. nichts über die Übereinstimmung von Satzung und tatsächlicher Geschäftsführung aus. Der Rechtsweg ist erst im Veranlagungsverfahren möglich. Eine Beschwer ist dagegen dann gegeben, wenn ein Verein die Freistellung wegen Gemeinnützigkeit begehrt und das Finanzamt unter Ablehnung der Steuerbefreiung einen auf 0 € lautenden Steuerbescheid erlässt.

IV. Steuerliche Pflichten

1. Verantwortlichkeit des Vorstandes

Nach § 34 Abs. 1 AO haben die gesetzlichen Vertreter juristischer Personen und die Geschäftsführer nichtrechtsfähiger Personenvereinigungen deren steuerliche Pflichten zu erfüllen. Dazu gehören z. B. die Buchführungs-, Erklärungs-, Mitwirkungs- oder Auskunftspflichten (§§ 90, 93, 140 ff. AO) sowie die Verpflichtung, Steuern zu zahlen.

Diese Pflichten obliegen sowohl beim rechtsfähigen (e. V.) als auch beim nichtrechtsfähigen Verein dem Vorstand. Beim eingetragenen Verein hat der Vorstand die Stellung eines gesetzlichen Vertreters, beim nichtrechtsfähigen Verein die eines geschäftsführenden Gesellschafters. Ist bei einem nichtrechtsfähigen Verein kein Vorstand bestellt, so hat der Geschäftsführer die Pflichten zu erfüllen, fehlt auch dieser, so kann sich die Finanzbehörde unmittelbar an jedes Mitglied halten.

2. Haftung für steuerliche Verbindlichkeiten

a) Haftung des Vorstands

Der Vorstand haftet als gesetzlicher Vertreter gem. § 69 AO, soweit Ansprüche aus dem Steuerschuldverhältnis gegen den Verein infolge vorsätzlicher oder grob fahrlässiger Verletzung der ihm auferlegten Pflichten nicht oder nicht rechtzeitig festgesetzt oder erfüllt oder soweit infolgedessen Steuervergütungen oder Steuererstattungen ohne rechtlichen Grund gezahlt werden. Die Haftung umfasst auch die infolge der Pflichtverletzung zu zahlenden Säumniszuschläge.

Der Verein haftet gem. § 70 AO, soweit durch Verfehlungen seiner gesetzlichen Vertreter/Geschäftsführer bei dritten Personen Steuern verkürzt werden, z. B. durch Ausstellen falscher Spendenbescheinigungen.

Vgl. hierzu:

- **BFH vom 21. 8. 2000** VII B 260/99, BFH/NV 2001 S. 413: Sind dem zweiten Vorsitzenden eines Vereins dessen Liquiditätsschwierigkeiten bekannt, wird eine von vornherein schriftlich vereinbarte Aufgabenverteilung dahingehend, dass die steuerlichen Verpflichtungen der erste Vorsitzende wahrzunehmen hat, hinfällig und es gilt der Grundsatz der Gesamtverantwortlichkeit. In diesem Fall ist der zweite Vorsitzende zur Überwachung und Nachprüfung der Einhaltung der steuerlichen Verpflichtungen des Vereins durch den ersten Vorsitzenden verpflichtet.

- **BFH vom 23. 6. 1998** VII R 4/98, DStR 1998 S. 1423: Ein ehrenamtlich und unentgeltlich tätiger Vorsitzender eines Vereins, der sich als solcher wirtschaftlich betätigt und zur Erfüllung seiner Zwecke Arbeitnehmer beschäftigt, haftet für die Erfüllung der steuerlichen Verbindlichkeiten des Vereins grundsätzlich nach denselben Grundsätzen wie ein Geschäftsführer einer GmbH.

- **BFH vom 4. 5. 1998** I B 116/96, BFH/NV 1998 S. 1460: ... 2. Wird eine juristische Person von mehreren Personen gesetzlich vertreten, ist grundsätzlich jede von ihnen für die Erfüllung der steuerlichen Pflichten verantwortlich. Durch eine interne Aufgabenverteilung kann diese Verantwortlichkeit begrenzt werden. Die Begrenzung, die sich auch auf die Haftung auswirkt, setzt jedoch voraus, dass von vornherein, klar und eindeutig – und somit schriftlich – festgelegt worden ist, welcher der gesetzlichen Vertreter für welche Aufgabe zuständig ist. Die Begrenzung gilt nur insoweit und nur solange, als kein Anlass besteht, an der ordnungsgemäßen Erfüllung der steuerlichen Pflichten durch den zuständigen gesetzlichen Vertreter zu zweifeln.
3. Werden Geschäfte des laufenden Geschäftsverkehrs, die für die juristische Person nicht von existentieller Bedeutung sind, regelmäßig von einem der gesetzlichen Vertreter wahrgenommen, dürfen sich die anderen gesetzlichen Vertreter ohne schriftliche Festlegung der Aufgabenverteilung auf die ordnungsgemäße Wahrnehmung nur dann verlassen, wenn folgende Voraussetzungen erfüllt sind: Der die Aufgabe wahrnehmende gesetzliche Vertreter muss persönlich vertrauenswürdig sein. Der ihm vertrauende andere gesetzliche Vertreter muss generelle Kenntnis davon haben, dass die Geschäftsführung ordnungsgemäß wahrgenommen wird. Es muss ge-

währleistet sein, dass die Geschäfte die Grenzen des laufenden Geschäftsverkehrs nicht überschreiten und dass bei einer auch nur entfernt zu befürchtenden Gefährdung der Liquidität oder des Vermögens der juristischen Person alle gesetzlichen Vertreter unverzüglich unterrichtet werden.

- **BFH vom 20. 1. 1998** VII R 80/97, BFH/NV 1998 S. 814: 1. Der Vorsitzende eines Vereins muss im Haftungsverfahren wegen nicht abgeführter Lohnsteuer die unanfechtbar gewordenen Lohnsteueranmeldungen des Vereins gegen sich gelten lassen, weil er als Vertreter des Vereins in der Lage gewesen wäre, sie anzufechten.
2. Allein das Bemühen des Vereinsvorsitzenden, die zur Erfüllung der steuerlichen Pflichten des Vereins benötigten Geldmittel zu beschaffen, schließt eine grob fahrlässige Pflichtverletzung i. S. des § 69 AO 1977 nicht aus. Auch ein Vereinsvorsitzender muss notfalls die auszuzahlenden Löhne kürzen, um das Finanzamt wegen Lohnsteuer anteilig befriedigen zu können.

b) Haftung der Mitglieder

Die Mitglieder eines rechtsfähigen Vereins haften entsprechend der Rechtslage im Zivilrecht nicht für Steuerschulden des Vereins. Anders ist die Rechtslage beim nichtrechtsfähigen Verein; nach § 54 BGB haften die Mitglieder gesamtschuldnerisch für alle Verbindlichkeiten des Vereins. In der Praxis ist diese Haftung jedoch auf das Vereinsvermögen beschränkt.

c) Strafrechtliche Folgen steuerlicher Pflichtverletzung

Die Verletzung der dem Verein obliegenden steuerlichen Pflichten kann für die gesetzlichen Vertreter/Geschäftsführer u. U. ein Straf- und Bußgeldverfahren zur Folge haben.

Wer vorsätzlich den Finanzbehörden oder anderen Behörden über steuerlich erhebliche Tatsachen unrichtige oder unvollständige Angaben macht, die Finanzbehörden pflichtwidrig über steuerlich erhebliche Tatsachen in Unkenntnis lässt, und dadurch Steuern verkürzt oder für sich oder einen anderen nicht gerechtfertigte Steuervorteile erlangt, macht sich einer Steuerhinterziehung (§ 370 AO) schuldig. Auch der Versuch ist strafbar. Eine Steuerverkürzung liegt vor, wenn Steuern nicht, nicht in voller Höhe oder nicht rechtzeitig festgesetzt werden. Steuerhinterziehung wird mit Freiheitsstrafe bis zu fünf Jahren oder mit Geldstrafe, in besonders schweren Fällen mit Freiheitsstrafe bis zu zehn Jahren bestraft.

Wer leichtfertig (grob fahrlässig) bewirkt, dass Steuern verkürzt werden, begeht eine Ordnungswidrigkeit i. S. des § 378 AO (leichtfertige Steuerverkürzung). Die Ordnungswidrigkeit kann mit einer Geldbuße bis zu 50.000 € geahndet werden.

Ordnungswidrig i. S. des § 379 AO (Steuergefährdung, Geldbuße bis zu 5.000 €) handelt, wer vorsätzlich oder leichtfertig Belege ausstellt, die in tatsächlicher Hinsicht unrichtig sind, oder gesetzliche Aufzeichnungs- oder Buchführungspflichten verletzt. Hinzukommen muss, dass dadurch eine Steuerverkürzung ermöglicht wird oder nicht gerechtfertigte Steuervorteile erlangt werden können.

Ordnungswidrig i. S. des § 380 AO (Gefährdung der Abzugsteuern, Geldbuße zu 25.000 €) handelt, wer vorsätzlich oder leichtfertig seiner Verpflichtung, Steuerabzugsbeträge (z. B. Lohnsteuer) einzubehalten und abzuführen, nicht, nicht vollständig oder nicht rechtzeitig nachkommt.

Wer eine Steuerhinterziehung oder leichtfertige Steuerverkürzung begangen hat, kann unter bestimmten Voraussetzungen Straffreiheit erlangen, wenn er unrichtige oder unvollständige Angaben bei der Finanzbehörde berichtigt oder ergänzt oder unterlassene Angaben nachholt (Selbstanzeige, § 371 AO bzw. § 378 Abs. 3 AO).

V. Steuerschulden

Ein Erlass rückständiger Steuern kommt im Allgemeinen nicht in Betracht. Die Voraussetzungen hierfür sind sehr streng und dürften nur in Ausnahmefällen gegeben sein. Aber auch ein Aufschub der Steuerzahlung durch Stundung ist nicht ohne Weiteres möglich.

1. Erlass von Steuerschulden

Anträge auf Erlass rückständiger Steuern aus wirtschaftlichen Geschäftsbetrieben werden in der Regel damit begründet, dass der Verein den Gewinn nur für seine gemeinnützigen Zwecke verwendet hat bzw. dass der Verein gezwungen war, wirtschaftliche Tätigkeiten auszuüben, um Mittel für seine satzungsmäßigen Zwecke zu beschaffen. Entgegen einer weit verbreiteten Meinung rechtfertigt ein solches Vorbringen keinen Erlass der Steuerschulden.

Möglich ist einzig und allein ein Erlass aus persönlichen Billig-keitsgründen. Solche Billigkeitsgründe sind allerdings nur gegeben, wenn durch die Entrichtung der Steuern ein Verein in seiner Exis-tenz gefährdet würde und der Vereinszweck nicht mehr verfolgt werden könnte. Ein Erlass kommt daher nicht in Betracht, wenn von dem Gewinn nach Zahlung der Steuern nichts mehr oder nicht mehr viel übrig bleibt, was dem steuerbegünstigten Zweck zugeführt werden könnte. Dadurch hat sich zwar die einzelne Aktion nicht „gelohnt", aber die Existenz des Vereins wäre (noch) nicht gefähr-det.

Die Erhebung von Steuern wird von der Finanzverwaltung im Übrigen selbst bei Zahlungsunfähigkeit des wirtschaftlichen Ge-schäftsbetriebs noch nicht als unbillig angesehen, solange die Steu-ern aus dem steuerlich nicht relevanten Bereich aufgebracht werden können. Die Aufnahme eines Kredits zur Begleichung der Steuer-schulden ist zumutbar.

Erlassunwürdigkeit ist gegeben bei

- Unterlassung von Maßnahmen zur Abtragung der Steuerschul-den, FG Münster vom 9. 5. 1995 15 K 915/94 U, EFG 1995 S. 755;
- bei selbstverschuldeter Finanzknappheit und unterlassener zu-mutbarer Mittelbeschaffung, FG Schleswig-Holstein vom 23. 6. 1994 2 K 138/92, EFG 1995 S. 152.

2. Zahlungsaufschub durch Stundung

Bedeutet die Einziehung eines Steuerbetrages bei Fälligkeit eine erhebliche Härte für den Verein, so kann der geschuldete Betrag ganz oder teilweise gestundet werden, wenn hierdurch der Steuer-anspruch nicht gefährdet wird (§ 222 AO).

Eine Stundung kommt im Allgemeinen nicht in Betracht bei Steu-erabzugsbeträgen (z. B. Lohnsteuer), denn diese Steuern zahlt der Verein nicht als Steuerschuldner, er hat sie vielmehr nur für Rech-nung des betreffenden Arbeitnehmers abzuführen.

Dem Stundungsantrag ist eine zeitnahe Darstellung der wirt-schaftlichen Verhältnisse des Vereins beizufügen. Für die Dauer der Stundung werden Zinsen berechnet. Die Zinsen betragen 0,5 % pro Monat.

VI. Überprüfung der steuerbefreiten (steuerbegünstigten) Körperschaften

1. Überprüfung im Dreijahresturnus

Die Finanzämter sind verpflichtet, auch gemeinnützige Körperschaften regelmäßig zu überprüfen. Sie müssen prüfen, ob die Voraussetzungen der Abgabenordnung für die Gewährung der Steuervergünstigungen wegen der Förderung steuerbegünstigter Zwecke nach der Satzung und nach der tatsächlichen Geschäftsführung erfüllt wurden und ob Steuern – die bei umfangreichen wirtschaftlichen Betätigungen trotz der Steuerbegünstigung anfallen können – festzusetzen sind.

Steuerbegünstigte Körperschaften werden – wenn nicht wegen umfangreicher wirtschaftlicher Betätigungen regelmäßig Steuern anfallen – im Allgemeinen nur in dreijährigem Abstand anhand der vereinfachten Erklärung KSt-Gem 1 geprüft. Die Prüfung umfasst alle drei Jahre, wobei der Schwerpunkt aber auf dem letzten Jahr liegt. Zur Entlastung der Vertreter der steuerbegünstigten Körperschaften greift das Finanzamt bei der Prüfung so weit wie möglich auf die bei den Körperschaften in der Regel schon vorhandenen Unterlagen zurück (Gegenüberstellung der Einnahmen und Ausgaben, Kassenbericht, Protokolle der Mitgliederversammlungen usw.). Es ist deshalb zweckmäßig, diese Unterlagen für jedes Jahr des dreijährigen Prüfungszeitraums der Erklärung beizufügen.

Steuerbefreite (steuerbegünstigte) Körperschaften mit einem wirtschaftlichen Geschäftsbetrieb werden in der Regel jährlich zur Abgabe von Steuererklärungen aufgefordert, wenn für einen der letzten drei Veranlagungszeiträume Körperschaftsteuer festgesetzt worden ist.

2. Außenprüfung

Die Überprüfung der tatsächlichen Geschäftsführung steuerbegünstigter Körperschaften erfolgt in der Regel an Amtsstelle. In begründeten Fällen kann aber auch eine Außenprüfung angeordnet werden. Bei Vereinen ist nach § 193 Abs. 1 AO eine Außenprüfung durch das Finanzamt dann zulässig, wenn sie einen wirtschaftlichen Geschäftsbetrieb unterhalten. Bei Vereinen ohne wirtschaftliche Aktivitäten dagegen kommt nach § 193 Abs. 2 AO eine Außenprüfung nur dann in Betracht, wenn die für die Besteuerung erheblichen Verhältnisse der Aufklärung bedürfen, und andererseits eine Prüfung innerhalb des Finanzamts nach Art und Umfang des zu prüfenden Sachverhalts nicht zweckmäßig ist. Die Außenprüfung kann eine oder mehrere Steuerarten, einen oder mehrere Besteuerungszeiträume umfassen oder sich auf bestimmte Sachverhalte beschränken (Lohnsteuerabzug, Abgrenzung der wirtschaftlichen Tätigkeit vom ideellen Bereich, Verlagerungen in den Sektor der Vermögensverwaltung, sachgerechte Zuordnung der Vorsteuern, Ausstellung von Spendenbescheinigungen, Übereinstimmung von Satzung und tatsächlicher Geschäftsführung). Der Umfang der Außenprüfung wird durch das Finanzamt in einer schriftlichen Prüfungsanordnung festgelegt.

F. Spendenabzug

- Was versteht man unter steuerbegünstigten Zuwendungen?
- In welchem Umfang sind Spenden steuerlich abzugsfähig?
- Wie müssen Zuwendungsbestätigungen aussehen?
- Wer darf Zuwendungsbestätigungen ausstellen?
- In welchen Fällen muss keine Spendenbescheinigung ausgestellt werden?
- Darf der Spender auf die Richtigkeit der Zuwendungsbestätigung vertrauen?
- Wer haftet bei unrichtigen Zuwendungsbestätigungen?

I. Art und Umfang der Spendenbegünstigung

1. Zuwendungen zur Förderung steuerbegünstigter Zwecke i. S. der §§ 52 bis 54 AO

Steuerbegünstigte Zuwendungen sind freiwillige, unentgeltliche Ausgaben zur Förderung spendenbegünstigter Zwecke zugunsten einer steuerbegünstigten Körperschaft.

Welche Zwecke spendenbegünstigt sind, ergibt sich mit Inkrafttreten des Gesetzes zur weiteren Stärkung des bürgerschaftlichen Engagements aus der AO. Zwecke, die in den §§ 52 bis 54 AO als förderungswürdig definiert sind, gelten seit 1. 1. 2007 in jedem Fall auch als spendenbegünstigt. Die Abzugsregelungen in § 10b Abs. 1 Satz 1 EStG, § 9 Abs. 1 Nr. 2 KStG und § 9 Nr. 5 Satz 1 GewStG enthalten entsprechende Verweisungen auf die §§ 52 bis 54 AO.

Der Förderungshöchstsatz ist seit 2007 für alle steuerbegünstigten Zwecke einheitlich. Er beträgt 20 % des Gesamtbetrags der Einkünfte. Bei Spenden von Unternehmern kann die Begrenzung des Spendenabzugs wahlweise auch mit 4‰ der Summe der gesamten Umsätze und der im Kalenderjahr aufgewendeten Löhne und Gehälter berechnet werden.

Zuwendungen, die die vorgenannten neuen Höchstgrenzen überschreiten, oder Zuwendungen, deren Abzug im Veranlagungszeitraum der Zahlung zu einem negativen Einkommen führen würde, können (zeitlich uneingeschränkt) in die folgenden Veranlagungszeiträume (im Rahmen der Höchstbeträge) vorgetragen werden. Die vortragsfähigen Zuwendungen werden gesondert festgestellt.

Beim Zuwendungsempfänger muss es sich um eine inländische juristische Person des öffentlichen Rechts, um eine inländische öffentliche Dienststelle oder um eine nach § 5 Abs. 1 Nr. 9 KStG steuerbefreite inländische Körperschaft handeln. Ausländische Organisationen sind vom Abzug ausgeschlossen. Ob der Ausschluss gemeinnütziger Empfängerorganisationen aus der EU vom deutschen Spendenabzug mit den Grundfreiheiten vereinbar ist, steht momentan auf dem europarechtlichen Prüfstand (vgl. Vorlagebeschluss des BFH vom 9. 5. 2007 XI R 56/05 an den EuGH).

Für Zuwendungen an Stiftungen gelten Besonderheiten. Insoweit wird auf § 10 b Abs. 1 a EStG und § 9 Nr. 5 Satz 3 und 4 GewStG verwiesen

2. Mitgliedsbeiträge und Spenden an politische Parteien

Nach § 34 g Nr. 1 EStG sind Mitgliedsbeiträge und Spenden an politische Parteien bis zur Höhe von 825 € (bei Zusammenveranlagung von Ehegatten bis zur Höhe von 1.650 €) durch hälftigen Abzug von der Steuerschuld begünstigt. Der 825 €/1.650 € übersteigende Betrag der Zuwendungen ist gem. § 10 b Abs. 2 EStG als Sonderausgabe berücksichtigungsfähig. Die Höchstbeträge nach § 34 g EStG und § 10 b EStG können nebeneinander ausgeschöpft werden.

3. Zuwendungen an unabhängige Wählervereinigungen

Zuwendungen an unabhängige Wählervereinigungen sind durch Steuerermäßigung gem. § 34 g Nr. 2 EStG begünstigt. Die Ermäßigung beträgt 50 % der Ausgaben, höchstens jedoch 825 € bzw. 1.650 € (bei Zusammenveranlagung). Ein Sonderausgabenabzug für (darüber hinausgehende) Mitgliedsbeiträge und Spenden ist gesetzlich nicht vorgesehen.

II. Begriff der steuerbegünstigten Zuwendung

Unter Zuwendungen sind nach § 10b Abs. 1 Satz 1 EStG Spenden und Mitgliedsbeiträge zu verstehen. Letztere sind von der Abzugsfähigkeit ausgenommen, soweit folgende Satzungszwecken gefördert werden:

- Sport,
- kulturelle Betätigungen, die in erster Linie der Freizeitgestaltung dienen,
- Heimatpflege und Heimatkunde,
- Zwecke i. S. des § 52 Abs. 2 Nr. 23 der AO.

Umlagen und Aufnahmegebühren werden wie Mitgliedsbeiträge behandelt.

Der Begriff „Zuwendungen" umfasst sowohl Geldspenden als auch Sachspenden. Nicht begünstigt ist dagegen die Zuwendung von Nutzungen und Leistungen (§ 10b Abs. 3 Satz 1 EStG, § 9 Abs. 2 Satz 2 KStG, § 9 Nr. 5 GewStG). So ist z. B. die unentgeltliche Arbeitsleistung oder die unentgeltliche Überlassung von Räumen keine Spende. Etwas anderes gilt nur dann, wenn der Förderer auf einen ihm zustehenden Aufwendungsersatzanspruch verzichtet (sog. Aufwandsspende). Voraussetzung ist, dass ein satzungsgemäßer oder ein schriftlich vereinbarter vertraglicher Aufwendungsersatzanspruch besteht oder dass ein solcher Anspruch durch einen rechtsgültigen Vorstandsbeschluss eingeräumt worden ist, der den Mitgliedern in geeigneter Weise bekannt gemacht wurde. Der Anspruch muss vor der zum Aufwand führenden bzw. zu vergütenden Tätigkeit eingeräumt werden. Er muss ernsthaft und rechtswirksam (einklagbar) eingeräumt werden und darf nicht unter der Bedingung des Verzichts stehen. Dem Begünstigten muss es also freistehen, ob er den Aufwendungsersatz vereinnahmt, oder ob er ihn der Körperschaft als Spende zur Verfügung stellt. Wesentlicher Anhaltspunkt für die Ernsthaftigkeit von Aufwendungsersatzansprüchen ist die wirtschaftliche Leistungsfähigkeit der Körperschaft. Diese muss ungeachtet eines späteren Verzichts in der Lage sein, den geschuldeten Aufwendungsersatz zu leisten. Über Art und Umfang der geleisteten Tätigkeiten und die dabei entstandenen Ausgaben müssen geeignete Aufzeichnungen und Nachweise vorhanden sein. Die vorstehenden Ausführungen zu den Aufwandsspenden gelten entsprechend, wenn Aufwendungsersatz nach einer vorhergehenden Geldspende ausgezahlt wird. Vgl. hierzu auch Kap. L. Stichw. „Aufwandsspenden".

Als Sachspende kommen Wirtschaftsgüter aller Art in Betracht. Eine Sachspende ist grundsätzlich mit dem gemeinen Wert (Marktwert) des gespendeten Gegenstandes zu bewerten. Ist der Gegenstand vor der Spende aus einem Betrieb entnommen worden, kann höchstens der Wert angesetzt werden, der vorher auch bei der Entnahme zugrunde gelegt worden ist, zuzüglich der bei der Entnahme angefallenen Umsatzsteuer. Näheres hierzu unter Kap. L. Stichw. „Sachspenden".

Die Spenden müssen für die ideellen Aufgaben der Körperschaft oder für einen Zweckbetrieb bestimmt sein. Spenden für einen steuerpflichtigen wirtschaftlichen Geschäftsbetrieb (z. B. Festveranstaltung, Flohmarkt, Umlagen zum Ausgleich von Verlusten) sind nicht begünstigt.

Einnahmen im Zusammenhang mit einer Gegenleistung sind keine Spenden, weil die Ausgabe des Förderers nicht unentgeltlich erfolgt. Das gilt auch, wenn die Zuwendung den Wert der Gegenleistung übersteigt. Eine Aufteilung der Zuwendung in Gegenleistung und Spende ist nicht zulässig (Beispiele: Eintrittskarten für ein Benefizkonzert, Lose einer Wohlfahrtstombola).

III. Zuwendungsbestätigungen allgemein

Zuwendungen i. S. der §§ 10 b und 34 g EStG dürfen nur abgezogen werden, wenn sie durch eine Zuwendungsbestätigung nachgewiesen werden, die der Empfänger nach einem amtlich vorgeschriebenen Vordruck ausgestellt hat. Für Geldzuwendungen und Mitgliedsbeiträge einerseits und Sachzuwendungen andererseits sind dabei jeweils gesonderte Muster zu verwenden. Die für Zuwendungen ab dem 1. 1. 2007 geltenden Muster sind im BMF-Schreiben vom 13. 12. 2007 (IV C 4 – S 2223/07/0018, BStBl. 2008 I S. 4 ff.) veröffentlicht.

Muster für die Bestätigung von Zuwendungen an eine der in § 5 Abs. 1 Nr. 9 KStG bezeichneten (= als gemeinnützig anerkannte) Körperschaften siehe Textanhang 2 und 3 (S. 122 ff.). Zur Anpassung der amtlichen Muster auf die eigene Einrichtung enthält das BMF-Schreiben vom 2. 6. 2000 im Anhang (S. 125 ff.) ausführliche Erläuterungen.

Auch in der Buchführung muss die Vereinnahmung der Zuwendung und ihre zweckentsprechende Verwendung ordnungsgemäß aufgezeichnet werden. Ein Doppel der Zuwendungsbestätigung ist aufzubewahren. Bei Sachzuwendungen und beim Verzicht auf die Erstattung von Aufwand müssen aus den Aufzeichnungen auch die Grundlagen für den vom Empfänger bestätigten Wert der Zuwendung ersichtlich sein.

Auf die Einhaltung der vorstehend genannten Pflichten sollte unbedingt geachtet werden, da Verstöße den Verlust der Gemeinnützigkeit und die Haftung des Zuwendungsempfängers nach § 10b Abs. 4 EStG zur Folge haben können.

Der Spender kann seine Zuwendungen nur dann von der Steuer absetzen, wenn er dem Finanzamt eine Zuwendungsbestätigung nach amtlichem Muster vorlegt. Der Zahlungsnachweis genügt nicht. Der Grund für diese strenge Nachweispflicht ist folgender: Nach § 10b Abs. 1 Satz 1 EStG sind Zuwendungen an die im Gesetz genannten Empfänger nur dann als Sonderausgaben abzugsfähig, wenn die Spende zur **Förderung steuerbegünstigter Zwecke** verwendet wird. Ob diese Verwendung gegeben ist, lässt sich aus der Hingabe des Geldes allein nicht ersehen. Damit der Spendenabzug anerkannt werden kann, muss der Empfänger deshalb schriftlich bestätigen, dass er die Zuwendung den steuerlichen Bestimmungen gem. verwendet bzw. verwendet hat. Diese Zuwendungsbestätigung hat somit nicht lediglich eine Quittungsfunktion, sie ist vielmehr auch **materielle Voraussetzung** für den Spendenabzug.

Spender und Beitragszahler können ab 2009 den Zuwendungsempfänger unter Mitteilung ihrer Steuer-Identifikationsnummer bevollmächtigen, die für den Sonderausgabenabzug erforderlichen Daten an die Finanzbehörde zu übermitteln. Die Neuregelung hat den Zweck, das Steuerverfahren zu vereinfachen, indem bislang erforderliche Papierunterlagen weitgehend durch elektronische Daten ersetzt werden. Der Datensatz ist bis zum 28. 2. des Folgejahres zu übermitteln. Die Aushändigung einer Zuwendungsbestätigung in Papierform bleibt aber weiterhin möglich. Die Umsetzung in der Praxis durch Verwaltungsanweisungen bleibt abzuwarten.

In folgenden Fällen genügt gem. § 50 Abs. 2 Satz 1 EStDV als Nachweis der Bareinzahlungsbeleg oder die Buchungsbestätigung eines Kreditinstituts:

(1) zur Hilfe in Katastrophenfällen innerhalb eines Zeitraums, den die obersten Finanzbehörden der Länder im Benehmen mit dem BMF bestimmen, wenn die Zuwendung auf ein dafür eingerichtetes Sonderkonto einer inländischen JPdöR/öffentlichen Dienststelle oder eines amtl. anerkannten Verbandes der freien Wohlfahrtspflege einschl. seiner Mitgliedsorganisationen eingezahlt worden ist;
oder

(2) wenn die Zuwendung 200 € nicht übersteigt und
– der Empfänger eine inländische juristische Person des öffentl. Rechts/öffentl. Dienststelle ist, oder
– der Empfänger eine gemeinnützige Körperschaft ist, und die Angaben über die Freistellung des Empfängers von der Körperschaftsteuer (= „Anerkennung" als gemeinnützige Körperschaft) auf einem **vom Empfänger hergestellten Beleg** aufgedruckt sind und darauf angegeben ist, ob es sich bei der Zuwendung um eine Spende oder einen Mitgliedsbeitrag handelt, oder
– der Empfänger eine politische Partei ist und der Verwendungszweck auf dem vom Empfänger hergestellten Beleg aufgedruckt ist.

Aus der Buchungsbestätigung müssen Name und Kontonummer des Auftraggebers und des Empfängers, der Betrag sowie der Buchungstag ersichtlich sein.

Wird die Spende überwiesen, muss zusätzlich zur Buchungsbestätigung auch der vom Zuwendungsempfänger hergestellte Beleg vorgelegt werden, weil die Angaben über die Steuerbegünstigung des Empfängers nur aus diesem Beleg ersichtlich sind.

Im Interesse des Spenders sollte darauf geachtet werden, dass das in der Bestätigung angegebene Datum des Freistellungsbescheids oder Steuerbescheids nicht länger als 5 Jahre oder das Datum der vorläufigen Bescheinigung nicht länger als 3 Jahre seit dem Tag der Ausstellung der Zuwendungsbestätigung zurückliegt, da solche Bestätigungen nicht mehr als ausreichender Nachweis für den steuerlichen Spendenabzug anerkannt werden.

Die Zuwendungsbestätigung muss im Übrigen von einer durch Satzung oder Auftrag zur Entgegennahme von Zahlungen berechtigten Person unterschrieben sein. Unter ganz bestimmten Voraussetzungen, die mit dem Finanzamt abgeklärt werden sollten, kann auch eine maschinell erstellte Zuwendungsbestätigung ohne eigenhändige Unterschrift ausreichend sein.

Im Fall der Sachspende müssen der Wert und die genaue Bezeichnung jeder einzelnen Sache aus der Zuwendungsbestätigung ersichtlich sein. Aufwandsspenden sind auf dem Bestätigungsmuster für Geldzuwendungen zu bescheinigen.

IV. Vertrauensschutz und Haftung

Dem Spender ist in aller Regel nicht bekannt, ob die Körperschaft, an die er eine Spende leistet, vom Finanzamt als gemeinnützig anerkannt ist. Ebenso wenig hat er Einfluss auf die tatsächliche Verwendung seiner Zuwendung durch die Körperschaft. Der Spender ist daher auf die Richtigkeit der Angaben in der Zuwendungsbestätigung angewiesen. Dieses Vertrauen ist auch gesetzlich geschützt: Der Steuerpflichtige darf auf die Richtigkeit der Bestätigung über Spenden und Mitgliedsbeiträge vertrauen, es sei denn, dass er diese durch unlautere Mittel oder falsche Angaben erwirkt hat oder dass ihm die Unrichtigkeit infolge grober Fahrlässigkeit nicht bekannt war.

Dem Vertrauensschutz auf Seiten des Spenders steht auf Seiten der Körperschaft und ihrer Verantwortlichen die Haftung für die dadurch verursachten Steuerausfälle gegenüber: Wer vorsätzlich oder grob fahrlässig eine unrichtige Bestätigung ausstellt, oder wer veranlasst, dass Zuwendungen nicht zu den in der Bestätigung angegebenen steuerbegünstigten Zwecken verwendet werden, haftet für die entgangene Steuer. Diese ist mit 30 % des zugewendeten Betrages anzusetzen. Die Steuerminderung bei der Gewerbesteuer wird mit 15 % berücksichtigt.

Diese persönliche Haftung soll dem Missbrauch mit Zuwendungsbestätigungen entgegenwirken. Dies ist z. B. dann der Fall, wenn eine nicht gemeinnützige oder nicht spendenbegünstigte Körperschaft Zuwendungsbestätigungen ausstellt, der Wert einer Spende in der Bestätigung zu hoch angegeben wird, Bestätigungen über nicht gezahlte Spenden erteilt werden, Bestätigungen über Spenden für einen wirtschaftlichen Geschäftsbetrieb ausgestellt werden und anderes mehr.

Missbräuche im Zusammenhang mit der Ausstellung von Zuwendungsbestätigungen führen zum Verlust der Gemeinnützigkeit.

Zum Schutz des ehrenamtlichen Engagements wurde durch das Jahressteuergesetz 2009 vom 19. 12. 2008 (BGBl. I S. 2794) mit Wirkung ab 1. 1. 2009 in § 10 b Abs. 4 Satz 4 EStG eine Reihenfolge der Inanspruchnahme der Gesamtschuldner gesetzlich festgelegt. Vorrangig haftet der Zuwendungsempfänger (z. B. der Verein). Die handelnde Person wird nur in Anspruch genommen, wenn die Inanspruchnahme des Vereins erfolglos ist.

V. Textanhang

1. Einkommensteuergesetz und Einkommensteuer-DurchführungsVO – Auszug –

§ 10 b EStG Steuerbegünstigte Zwecke. (1) [1]Zuwendungen (Spenden und Mitgliedsbeiträge) zur Förderung steuerbegünstigter Zwecke im Sinne der §§ 52 bis 54 der Abgabenordnung an eine inländische juristische Person des öffentlichen Rechts oder an eine inländische öffentliche Dienststelle oder an eine nach § 5 Abs. 1 Nr. 9 des Körperschaftsteuergesetzes steuerbefreite Körperschaft, Personenvereinigung oder Vermögensmasse können insgesamt bis zu

1. 20 Prozent des Gesamtbetrags der Einkünfte oder
2. 4 Promille der Summe der gesamten Umsätze und der im Kalenderjahr aufgewendeten Löhne und Gehälter

als Sonderausgaben abgezogen werden. [2]Abziehbar sind auch Mitgliedsbeiträge an Körperschaften, die Kunst und Kultur gemäß § 52 Abs. 2 Nr. 5 der Abgabenordnung fördern, soweit es sich nicht um Mitgliedsbeiträge nach

Satz 3 Nr. 2 handelt, auch wenn den Mitgliedern Vergünstigungen gewährt werden. [3]Nicht abziehbar sind Mitgliedsbeiträge an Körperschaften, die

1. den Sport (§ 52 Abs. 2 Nr. 21 der Abgabenordnung),
2. kulturelle Betätigungen, die in erster Linie der Freizeitgestaltung dienen,
3. die Heimatpflege und Heimatkunde (§ 52 Abs. 2 Nr. 22 der Abgabenordnung) oder
4. Zwecke im Sinne des § 52 Abs. 2 Nr. 23 der Abgabenordnung

fördern. [4]Abziehbare Zuwendungen, die die Höchstbeträge nach Satz 1 überschreiten oder die den um die Beträge nach § 10 Abs. 3 und 4, § 10c und § 10d verminderten Gesamtbetrag der Einkünfte übersteigen, sind im Rahmen der Höchstbeträge in den folgenden Veranlagungszeiträumen als Sonderausgaben abzuziehen. [5]§ 10d Abs. 4 gilt entsprechend.

(1a) [1]Spenden in den Vermögensstock einer Stiftung des öffentlichen Rechts oder einer nach § 5 Abs. 1 Nr. 9 des Körperschaftsteuergesetzes steuerbefreiten Stiftung des privaten Rechts können auf Antrag des Steuerpflichtigen im Veranlagungszeitraum der Zuwendung und in den folgenden neun Veranlagungszeiträumen bis zu einem Gesamtbetrag von 1 Million Euro zusätzlich zu den Höchstbeträgen nach Absatz 1 Satz 1 abgezogen werden. [2]Der besondere Abzugsbetrag nach Satz 1 bezieht sich auf den gesamten Zehnjahreszeitraum und kann der Höhe nach innerhalb dieses Zeitraums nur einmal in Anspruch genommen werden. [3]§ 10d Abs. 4 gilt entsprechend.

(2) [1]Zuwendungen an politische Parteien im Sinne des § 2 des Parteiengesetzes sind bis zur Höhe von insgesamt 1650 Euro und im Falle der Zusammenveranlagung von Ehegatten bis zur Höhe von insgesamt 3300 Euro im Kalenderjahr abzugsfähig. [2]Sie können nur insoweit als Sonderausgaben abgezogen werden, als für sie nicht eine Steuerermäßigung nach § 34g gewährt worden ist.

(3) [1]Als Zuwendung im Sinne dieser Vorschrift gilt auch die Zuwendung von Wirtschaftsgütern mit Ausnahme von Nutzungen und Leistungen. [2]Ist das Wirtschaftsgut unmittelbar vor seiner Zuwendung einem Betriebsvermögen entnommen worden, so darf bei der Ermittlung der Zuwendungshöhe der bei der Entnahme angesetzte Wert nicht überschritten werden. [3]Ansonsten bestimmt sich die Höhe der Zuwendung nach dem gemeinen Wert des zugewendeten Wirtschaftsguts, wenn dessen Veräußerung im Zeitpunkt der Zuwendung keinen Besteuerungstatbestand erfüllen würde. [4]In allen übrigen Fällen dürfen bei der Ermittlung der Zuwendungshöhe die fortgeführten Anschaffungs- oder Herstellungskosten nur überschritten werden, soweit eine Gewinnrealisierung stattgefunden hat. [5]Aufwendungen zugunsten einer Körperschaft, die zum Empfang steuerlich abziehbarer Zuwendungen berechtigt ist, können nur abgezogen werden, wenn ein Anspruch auf die Erstattung der

Aufwendungen durch Vertrag oder Satzung eingeräumt und auf die Erstattung verzichtet worden ist. [6]Der Anspruch darf nicht unter der Bedingung des Verzichts eingeräumt worden sein.

(4) [1]Der Steuerpflichtige darf auf die Richtigkeit der Bestätigung über Spenden und Mitgliedsbeiträge vertrauen, es sei denn, dass er die Bestätigung durch unlautere Mittel oder falsche Angaben erwirkt hat oder dass ihm die Unrichtigkeit der Bestätigung bekannt oder infolge grober Fahrlässigkeit nicht bekannt war. [2]Wer vorsätzlich oder grob fahrlässig eine unrichtige Bestätigung ausstellt oder wer veranlasst, dass Zuwendungen nicht zu den in der Bestätigung angegebenen steuerbegünstigten Zwecken verwendet werden, haftet für die entgangene Steuer. [3]Diese ist mit 30 Prozent des zugewendeten Betrags anzusetzen. [4]In den Fällen des Satzes 2 zweite Alternative (Veranlasserhaftung) ist vorrangig der Zuwendungsempfänger (inländische juristische Person des öffentlichen Rechts oder inländische öffentliche Dienststelle oder nach § 5 Abs. 1 Nr. 9 des Körperschaftsteuergesetzes steuerbefreite Körperschaft, Personenvereinigung oder Vermögensmasse) in Anspruch zu nehmen; die in diesen Fällen für den Zuwendungsempfänger handelnden natürlichen Personen sind nur in Anspruch zu nehmen, wenn die entgangene Steuer nicht nach § 47 der Abgabenordnung erloschen ist und Vollstreckungsmaßnahmen gegen den Zuwendungsempfänger nicht erfolgreich sind. [5]Die Festsetzungsfrist für Haftungsansprüche nach Satz 2 läuft nicht ab, solange die Festsetzungsfrist für von dem Empfänger der Zuwendung geschuldete Körperschaftsteuer für den Veranlagungszeitraum nicht abgelaufen ist, in dem die unrichtige Bestätigung ausgestellt worden ist oder veranlasst wurde, dass die Zuwendung nicht zu den in der Bestätigung angegebenen steuerbegünstigten Zwecken verwendet worden ist; § 191 Abs. 5 der Abgabenordnung ist nicht anzuwenden.

§ 50 EStDV Zuwendungsnachweis. (1) Zuwendungen im Sinne der §§ 10 b und 34 g des Gesetzes dürfen nur abgezogen werden, wenn sie durch eine Zuwendungsbestätigung nachgewiesen werden, die der Empfänger nach amtlich vorgeschriebenem Vordruck ausgestellt hat.

(1a) [1]Der Zuwendende kann den Zuwendungsempfänger bevollmächtigen, die Zuwendungsbestätigung der Finanzbehörde nach amtlich vorgeschriebenem Datensatz durch Datenfernübertragung nach Maßgabe der Steuerdaten-Übermittlungsverordnung zu übermitteln. [2]Der Zuwendende hat dem Zuwendungsempfänger zu diesem Zweck seine Identifikationsnummer (§ 139 b der Abgabenordnung) mitzuteilen. [3]Die Vollmacht kann nur mit Wirkung für die Zukunft widerrufen werden. [4]Der Datensatz ist bis zum 28. Februar des Jahres, das auf das Jahr folgt, in dem die Zuwendung geleistet worden ist, an die

Finanzbehörde zu übermitteln. [5]Der Zuwendungsempfänger hat dem Zuwendenden die nach Satz 1 übermittelten Daten elektronisch oder auf dessen Wunsch als Ausdruck zur Verfügung zu stellen; in beiden Fällen ist darauf hinzuweisen, dass die Daten der Finanzbehörde übermittelt worden sind.

(2) [1]Als Nachweis genügt der Bareinzahlungsbeleg oder die Buchungsbestätigung eines Kreditinstituts, wenn

1. die Zuwendung zur Hilfe in Katastrophenfällen innerhalb eines Zeitraums, den die obersten Finanzbehörden der Länder im Benehmen mit dem Bundesministerium der Finanzen bestimmen, auf ein für den Katastrophenfall eingerichtetes Sonderkonto einer inländischen juristischen Person des öffentlichen Rechts, einer inländischen öffentlichen Dienststelle oder eines inländischen amtlich anerkannten Verbandes der freien Wohlfahrtspflege einschließlich seiner Mitgliedsorganisationen eingezahlt worden ist oder

2. die Zuwendung 200 Euro nicht übersteigt und
   a) der Empfänger eine inländische juristische Person des öffentlichen Rechts oder eine inländische öffentliche Dienststelle ist oder
   b) der Empfänger eine Körperschaft, Personenvereinigung oder Vermögensmasse im Sinne des § 5 Abs. 1 Nr. 9 des Körperschaftsteuergesetzes ist, wenn der steuerbegünstigte Zweck, für den die Zuwendung verwendet wird, und die Angaben über die Freistellung des Empfängers von der Körperschaftsteuer auf einem von ihm hergestellten Beleg aufgedruckt sind und darauf angegeben ist, ob es sich bei der Zuwendung um eine Spende oder einen Mitgliedsbeitrag handelt oder
   c) der Empfänger eine politische Partei im Sinne des § 2 des Parteiengesetzes ist und bei Spenden der Verwendungszweck auf dem vom Empfänger hergestellten Beleg aufgedruckt ist.

[2]Aus der Buchungsbestätigung müssen Name und Kontonummer des Auftraggebers und Empfängers, der Betrag sowie der Buchungstag ersichtlich sein. [3]In den Fällen der Nummer 2 Buchstabe b hat der Zuwendende zusätzlich den vom Zuwendungsempfänger hergestellten Beleg vorzulegen.

(3) Als Nachweis für die Zahlung von Mitgliedsbeiträgen an politische Parteien im Sinne des § 2 des Parteiengesetzes genügt die Vorlage von Bareinzahlungsbelegen, Buchungsbestätigungen oder Beitragsquittungen.

(4) [1]Eine in § 5 Abs. 1 Nr. 9 des Körperschaftsteuergesetzes bezeichnete Körperschaft, Personenvereinigung oder Vermögensmasse hat die Vereinnahmung der Zuwendung und ihre zweckentsprechende Verwendung ordnungsgemäß aufzuzeichnen und ein Doppel der Zuwendungsbestätigung aufzubewahren. [2]Bei Sachzuwendungen und beim Verzicht auf die Erstattung von Aufwand müssen sich aus den Aufzeichnungen auch die Grundlagen für den vom Empfänger bestätigten Wert der Zuwendung ergeben.

2. Muster Zuwendungsbestätigung – Geldzuwendung

Aussteller (Bezeichnung und Anschrift der steuerbegünstigten Einrichtung)

....

Bestätigung über Geldzuwendungen/Mitgliedsbeitrag
im Sinne des § 10 b des Einkommensteuergesetzes an eine der in § 5 Abs. 1 Nr. 9 des Körperschaftsteuergesetzes bezeichneten Körperschaften, Personenvereinigungen oder Vermögensmassen

Name und Anschrift des Zuwendenden:

....

Betrag der Zuwendung
– in Ziffern –   **– in Buchstaben –**   **Tag der Zuwendung:**

....

Es handelt sich um den Verzicht auf Erstattung von Aufwendungen

Ja ☐   Nein ☐

☐ Wir sind wegen Förderung (Angabe des begünstigten Zwecks/der begünstigten Zwecke) .... nach dem letzten uns zugegangenen Freistellungsbescheid bzw. nach der Anlage zum Körperschaftsteuerbescheid des Finanzamtes ...., StNr. ...., vom .... nach § 5 Abs. 1 Nr. 9 des Körperschaftsteuergesetzes von der Körperschaftsteuer und nach § 3 Nr. 6 des Gewerbesteuergesetzes von der Gewerbesteuer befreit.

☐ Wir sind wegen Förderung (Angabe des begünstigten Zwecks/der begünstigten Zwecke) .... durch vorläufige Bescheinigung des Finanzamtes ...., StNr. ...., vom .... ab .... als steuerbegünstigten Zwecken dienend anerkannt.

Es wird bestätigt, dass die Zuwendung nur zur Förderung (Angabe des begünstigten Zwecks/der begünstigten Zwecke)

....

verwendet wird.

Nur für steuerbegünstigte Einrichtungen, bei denen die Mitgliedsbeiträge steuerlich nicht abziehbar sind:

☐ Es wird bestätigt, dass es sich nicht um einen Mitgliedsbeitrag i. S. v. § 10 b Abs. 1 Satz 2 Einkommensteuergesetzes handelt).

(Ort, Datum und Unterschrift des Zuwendungsempfängers)

Hinweis:
Wer vorsätzlich oder grob fahrlässig eine unrichtige Zuwendungsbestätigung erstellt oder wer veranlasst, dass Zuwendungen nicht zu den in der Zuwendungsbestätigung angegebenen steuerbegünstigten Zwecken verwendet werden, haftet für die Steuer, die dem Fiskus durch einen etwaigen Abzug der Zuwendungen beim Zuwendenden entgeht (§ 10 b Abs. 4 EStG, § 9 Abs. 3 KStG, § 9 Nr. 5 GewStG).

Diese Bestätigung wird nicht als Nachweis für die steuerliche Berücksichtigung der Zuwendung anerkannt, wenn das Datum des Freistellungsbescheides länger als 5 Jahre bzw. das Datum der vorläufigen Bescheinigung länger als 3 Jahre seit Ausstellung der Bestätigung zurückliegt (BMF vom 15. 12. 1994 – BStBl. I S. 884).

3. Muster Zuwendungsbestätigung – Sachzuwendung

Aussteller (Bezeichnung und Anschrift der steuerbegünstigten Einrichtung)
....

Bestätigung über Sachzuwendungen
im Sinne des § 10 b des Einkommensteuergesetzes an eine der in § 5 Abs. 1 Nr. 9 des Körperschaftsteuergesetzes bezeichneten Körperschaften, Personenvereinigungen oder Vermögensmassen

Name und Anschrift des Zuwendenden:
....

Wert der Zuwendung
– in Ziffern –   – in Buchstaben –   Tag der Zuwendung:
....

F. Spendenabzug

Genaue Bezeichnung der Sachzuwendung mit Alter, Zustand, Kaufpreis usw.

....

☐ Die Sachzuwendung stammt nach den Angaben des Zuwendenden aus dem Betriebsvermögen und ist mit dem Entnahmewert (ggf. mit dem niedrigeren gemeinen Wert) bewertet.

☐ Die Sachzuwendung stammt nach den Angaben des Zuwendenden aus dem Privatvermögen.

☐ Der Zuwendende hat trotz Aufforderung keine Angaben zur Herkunft der Sachzuwendung gemacht.

☐ Geeignete Unterlagen, die zur Wertermittlung gedient haben, z. B. Rechnung, Gutachten, liegen vor.

☐ Wir sind wegen Förderung (Angabe des begünstigten Zwecks/der begünstigten Zwecke) .... nach dem letzten uns zugegangenen Freistellungsbescheid bzw. nach der Anlage zum Körperschaftsteuerbescheid des Finanzamtes .... StNr. .... vom .... nach § 5 Abs. 1 Nr. 9 des Körperschaftsteuergesetzes von der Körperschaftsteuer und nach § 3 Nr. 6 des Gewerbesteuergesetzes von der Gewerbesteuer befreit.

☐ Wir sind wegen Förderung (Angabe des begünstigten Zwecks/der begünstigten Zwecke) .... durch vorläufige Bescheinigung des Finanzamtes .... Steuernummer .... vom .... ab .... als steuerbegünstigten Zwecken dienend anerkannt.

Es wird bestätigt, dass die Zuwendung nur zur Förderung (Angabe des begünstigten Zwecks/der begünstigten Zwecke)

....

verwendet wird.

(Ort, Datum und Unterschrift des Zuwendungsempfängers)

Hinweis:

Wer vorsätzlich oder grob fahrlässig eine unrichtige Zuwendungsbestätigung erstellt oder wer veranlasst, dass Zuwendungen nicht zu den in der Zuwendungsbestätigung angegebenen steuerbegünstigten Zwecken verwendet werden, haftet für die Steuer, die dem Fiskus durch einen etwaigen Abzug der Zuwendungen beim Zuwendenden entgeht (§ 10b Abs. 4 EStG, § 9 Abs. 3 KStG, § 9 Nr. 5 GewStG).

Diese Bestätigung wird nicht als Nachweis für die steuerliche Berücksichtigung der Zuwendung anerkannt, wenn das Datum des Freistellungsbescheides länger als 5 Jahre bzw. das Datum der vorläufigen Bescheinigung länger als 3 Jahre seit Ausstellung der Bestätigung zurückliegt (BMF vom 15. 12. 1994 – BStBl. I S. 884).

4. BMF-Schreiben vom 2. 6. 2000 (IV C 4 – S 2223 – 568/00, BStBl. I S. 592)

unter Berücksichtigung der Änderungen durch BMF v. 10. 4. 2003 (BStBl. I S. 286)

Verwendung der verbindlichen Muster für Zuwendungsbestätigungen

Unter Bezugnahme auf das Ergebnis der Erörterungen mit den obersten Finanzbehörden der Länder gilt für die Verwendung der verbindlichen Muster für Zuwendungsbestätigungen im Sinne des § 50 Abs. 1 EStDV Folgendes:

1 Die im Bundessteuerblatt 1999 Teil I Seite 979 veröffentlichten Vordrucke sind **verbindliche Muster**. Ihre Verwendung ist gem. § 50 Abs. 1 EStDV Voraussetzung für den Spendenabzug. Die Zuwendungsbestätigungen sind vom jeweiligen Zuwendungsempfänger anhand dieser Muster selbst herzustellen. In der auf einen bestimmten Zuwendungsempfänger zugeschnittenen Zuwendungsbestätigung müssen nur die Angaben aus den veröffentlichten Mustern übernommen werden, die im Einzelfall einschlägig sind. Auf die Beispiele auf den Seiten 988 und 989 des Bundessteuerblatts 1999 Teil I wird hingewiesen.

2 Eine **optische Hervorhebung von Textpassagen** durch Einrahmungen und vorangestellte Ankreuzkästchen ist zulässig. Es bestehen auch keine Bedenken, den Namen des Zuwendenden und dessen Adresse untereinander anzuordnen. Die Wortwahl und die Reihenfolge der in den amtlichen Vordrucken vorgeschriebenen Textpassagen sind aber – vorbehaltlich der folgenden Ausführungen – beizubehalten.

3 Auf den Zuwendungsbestätigungen dürfen weder **Danksagungen** an den Zuwendenden noch **Werbung** für die Ziele der begünstigten Einrichtung angebracht werden. Entsprechende Texte sind jedoch auf der Rückseite zulässig.

4 Um eine vordruckmäßige Verwendung der Muster zu ermöglichen, bestehen keine Bedenken, wenn auf einem Mustervordruck mehrere steuerbegünstigte Zwecke genannt werden. Der Zuwendungsempfänger hat dann den jeweils einschlägigen Zweck kenntlich zu machen.

5 Soweit in einem Mustervordruck mehrere steuerbegünstigte Zwecke genannt werden, die für den Spendenabzug unterschiedlich hoch begünstigt sind (Spendenabzugsrahmen 5 bzw. 10 v. H.), und die Zuwendung keinem konkreten Zweck zugeordnet werden kann, weil der Spender bei der Hingabe der Zuwendung keine Widmung für einen bestimmten Zweck vorgenommen oder der Zuwendungsempfänger die unterschiedlich hoch begünstigten Spendenzwecke organisatorisch und buchhalterisch nicht voneinander getrennt hat, ist davon auszugehen, dass die Zuwendung nicht berechtigt, den erhöhten Spendenabzug in Anspruch zu nehmen. In diesen Fällen ist der folgende Zusatz zwischen der Verwendungsbestätigung und der Unterschrift des Zuwendungsempfängers in die Zuwendungsbestätigung aufzunehmen:

„Diese Zuwendungsbestätigung berechtigt nicht zum Spendenabzug im Rahmen des erhöhten Vomhundertsatzes nach § 10b Abs. 1 Satz 2 EStG/§ 9 Abs. 1 Nr. 2 Satz 2 KStG oder zum Spendenrücktrag bzw. -vortrag nach § 10b Abs. 1 Satz 3 EStG/§ 9 Abs. 1 Nr. 2 Satz 3 KStG. Entsprechendes gilt auch für den Spendenabzug bei der Gewerbesteuer (§ 9 Nr. 5 GewStG)."

Bei mehreren steuerbegünstigten Zwecken, die unterschiedlich hoch begünstigt sind, kann eine Zuwendung – bei entsprechender Widmung durch den Spender und organisatorischer und buchhalterischer Trennung durch den Zuwendungsempfänger – in Teilbeträgen auch verschiedenen Förderzwecken zugeordnet werden (z. B. Geldzuwendung in Höhe von 500 DM, davon 300 DM für mildtätige Zwecke, 200 DM für Entwicklungshilfe nach Abschnitt A Nr. 12 der Anlage 1 zu § 48 Abs. 2 EStDV). Es handelt sich in diesen Fällen steuerlich um zwei Zuwendungen, die entweder jeweils gesondert oder im Rahmen einer Sammelbestätigung (vgl. Rdnr. 6) zu bestätigen sind.

6 Gegen die Erstellung von **Sammelbestätigungen** für Geldzuwendungen (Mitgliedsbeiträge, Geldspenden), d. h. die Bestätigung mehrerer Zuwendungen in einer förmlichen Zuwendungsbestätigung, bestehen unter folgenden Voraussetzungen keine Bedenken:

– Anstelle des Wortes „Bestätigung" ist das Wort „Sammelbestätigung" zu verwenden.

– Bei „Art der Zuwendung" und „Tag der Zuwendung" ist auf die Rückseite oder die beigefügte Anlage (s. u.) zu verweisen.

– In der Zuwendungsbestätigung ist die Gesamtsumme zu nennen.

– Nach der Bestätigung, dass die Zuwendungen zur Förderung steuerbegünstigter Zwecke verwendet werden, ist folgende Bestätigung zu ergänzen: „Es wird bestätigt, dass über die in der Gesamtsumme enthaltenen Zuwendungen keine weiteren Bestätigungen, weder formelle Zuwendungsbestätigungen noch Beitragsquittungen o. ä., ausgestellt wurden und werden."

– Auf der Rückseite der Zuwendungsbestätigung oder in der Anlage ist jede einzelne Zuwendung mit Datum, Betrag und Art (Mitgliedsbeitrag, Geldspende) und nur im Falle unterschiedlich hoch begünstigter Zwecke auch der begünstigte Zweck aufzulisten. Diese Auflistung muss ebenfalls eine Gesamtsumme enthalten und als „Anlage zur Zuwendungsbestätigung vom ..." gekennzeichnet sein.

– Zu den in der Sammelbestätigung enthaltenen Geldspenden ist anzugeben, ob es sich hierbei um den Verzicht auf Erstattung von Aufwendungen handelt oder nicht (vgl. auch Rdnr. 10). Handelt es sich sowohl um direkte Geldspenden als auch um Geldspenden im Wege des Verzichts auf Erstattung von Aufwendungen, sind die entsprechenden Angaben dazu entweder auf der Rückseite der Zuwendungsbestätigung oder in der Anlage zu machen.

– In der Sammelbestätigung ist anzugeben, auf welchen Zeitraum sich die Sammelbestätigung erstreckt. Die Sammelbestätigung kann auch für nur einen Teil des Kalenderjahrs ausgestellt werden.

– Werden im Rahmen einer Sammelbestätigung Zuwendungen für steuerlich unterschiedlich hoch begünstigte Zwecke bestätigt, dann ist unter der in der Zuwendungsbestätigung genannten Gesamtsumme ein Klammerzusatz aufzunehmen:
„(von der Gesamtsumme entfallen ... DM[1] auf die Förderung von ... [Bezeichnung der höher begünstigten Zwecke])".

7[2]   Sind lediglich **Mitgliedsbeiträge** Gegenstand der Zuwendung an Körperschaften im Sinne des § 5 Abs. 1 Nr. 9 KStG, Parteien oder unabhängige Wählervereinigungen, so ist auf der jeweiligen Zuwendungsbestätigung zu vermerken, dass es sich um einen Mitgliedsbeitrag handelt (Art der Zuwendung: Mitgliedsbeitrag – der weitere Begriff Geldzuwendung ist zu streichen). Handelt es sich hingegen um eine Spende, ist bei Art der Zuwendung „Geld-

---

[1] Ab VZ 2002: „EUR"

[2] Tz. 7 neu gefasst durch BMF v. 10. 4. 2003, BStBl. I S. 286: Bis Ende 2003 sind aus der Anwendung von Tz. 7 a. F. aus Billigkeitsgründen keine steuerlich nachteiligen Folgen zu ziehen. Billigkeitsregelung verlängert bis zum 30. 6. 2004 durch BMF v. 24. 2. 2004 (BStBl. I S. 335).

zuwendung" anzugeben. Bei Parteien ist im Rahmen der Bestätigung am Ende des Musters zu vermerken, dass es sich hierbei „nicht um Mitgliedsbeiträge" handelt. Bei Körperschaften im Sinne des § 5 Abs. 1 Nr. 9 KStG und bei unabhängigen Wählervereinigungen ist im Rahmen der Bestätigung am Ende des Musters zu vermerken, dass es sich hierbei „nicht um Mitgliedsbeiträge, sonstige Mitgliedsumlagen oder Aufnahmegebühren" handelt. Dies ist auch in den Fällen erforderlich, in denen eine Körperschaft Zwecke verfolgt, für deren Förderung Mitgliedsbeiträge und Spenden begünstigt sind. Hat der Spender zusammen mit einem Mitgliedsbeitrag auch eine Geldspende geleistet (z. B. Überweisung von 200 €, davon 120 € Mitgliedsbeitrag und 80 € Spende) handelt es sich steuerlich um zwei Zuwendungen, die entweder jeweils gesondert oder im Rahmen einer Sammelbestätigung (vgl. Rdnr. 6) zu bestätigen sind.

8 Der zugewendete Betrag ist **sowohl in Ziffern als auch in Buchstaben** zu benennen. Für die Benennung in Buchstaben ist es nicht zwingend erforderlich, dass der zugewendete Betrag in einem Wort genannt wird; ausreichend ist die Buchstabenbenennung der jeweiligen Ziffern. So kann z. B. ein Betrag in Höhe von 1246 DM als „eintausendzweihundertsechsundvierzig" oder „eins-zwei-vier-sechs" bezeichnet werden. In diesen Fällen sind allerdings die Leerräume vor der Nennung der ersten Ziffer und hinter der letzten Ziffer in geeigneter Weise (z. B. durch „X" zu entwerten.

9 Handelt es sich um eine **Sachspende**, so sind in die Zuwendungsbestätigung genaue Angaben über den zugewendeten Gegenstand aufzunehmen (z. B. Alter, Zustand, historischer Kaufpreis usw.). Die im Folgenden für die Sachspende nicht zutreffenden Sätze in den entsprechenden Vordrucken sind zu streichen. Stammt die Sachzuwendung nach den Angaben des Zuwendenden aus dessen Betriebsvermögen, dann ist die Sachzuwendung mit dem Entnahmewert anzusetzen. In diesen Fällen braucht der Zuwendungsempfänger keine zusätzlichen Unterlagen in seine Buchführung aufzunehmen, ebenso sind Angaben über die Unterlagen, die zur Wertermittlung gedient haben, nicht erforderlich. Handelt es sich um eine Sachspende aus dem Privatvermögen des Zuwendenden, so hat der Zuwendungsempfänger anzugeben, welche Unterlagen er zur Ermittlung des angesetzten Wertes herangezogen hat. In Betracht kommt in diesem Zusammenhang z. B. ein Gutachten über den aktuellen Wert der zugewendeten Sache oder der sich aus der ursprünglichen Rechnung ergebende historische Kaufpreis unter Berücksichtigung einer Absetzung für Abnutzung. Diese Unterlagen hat der Zuwendungsempfänger zusammen mit der Zuwendungsbestätigung in seine Buchführung aufzunehmen. Der unvollständige Satz in den amtlichen Vordrucken für Sachbestätigungen (Bundessteuerblatt 1999 Teil I Seiten 981, 983, 985)

„Geeignete Unterlagen, die zur Wertermittlung gedient haben, z.B. Rechnungen, Gutachten." ist um die Worte „liegen vor" zu ergänzen.

10 Nach dem Betrag der Zuwendung ist bei Zuwendungen an Körperschaften im Sinne des § 5 Abs. 1 Nr. 9 KStG, Parteien oder unabhängige Wählervereinigungen immer anzugeben, ob es sich hierbei um den **Verzicht auf Erstattung von Aufwendungen** handelt oder nicht. Dies gilt auch in den Fällen, in denen ein Zuwendungsempfänger grundsätzlich keine Zuwendungsbestätigungen für die Erstattung von Aufwendungen ausstellt.

11 In den Zuwendungsbestätigungen ist auch anzugeben, ob die begünstigten Zwecke im **Ausland** verwirklicht werden. Wird nur ein Teil der Zuwendung im Ausland verwendet, so ist anzugeben, dass die Zuwendung auch im Ausland verwendet wird. Steht im Zeitpunkt der Zuwendung noch nicht fest, ob der Verwendungszweck im Inland oder Ausland liegen wird, ist zu bestätigen, dass die Zuwendung ggf. (auch) im Ausland verwendet wird.

12 Werden Zuwendungen an **juristische Personen des öffentlichen Rechts** von diesen an andere juristische Personen des öffentlichen Rechts weitergeleitet und werden von diesen die steuerbegünstigten Zwecke verwirklicht, so hat der „Erstempfänger" die in den amtlichen Vordrucken enthaltene Bestätigung wie folgt zu fassen:

„Die Zuwendung wird entsprechend den Angaben des Zuwendenden an die … [Name des Letztempfängers verbunden mit einem Hinweis auf deren öffentlich-rechtliche Organisationsform] weitergeleitet".

Die übrigen Angaben sind zu streichen.

13 R 111 Abs. 5 EStR 1999 (Anm.: jetzt R 10b.1 EStR) gilt für maschinell erstellte Zuwendungsbestätigungen entsprechend.

14 Die auf den verbindlichen Mustern vorgesehenen **Hinweise** zu den haftungsrechtlichen Folgen der Ausstellung einer unrichtigen Zuwendungsbestätigung und zu der steuerlichen Anerkennung der Zuwendungsbestätigung (Datum des Freistellungsbescheids bzw. der vorläufigen Bescheinigung) sind auf die einzeln erstellten Zuwendungsbestätigungen zu übernehmen.

15 Nach § 50 Abs. 4 EStDV ist ein **Doppel der Zuwendungsbestätigung** von der steuerbegünstigten Körperschaft aufzubewahren. Es ist in diesem Zusammenhang zulässig, das Doppel in elektronischer Form zu speichern. Die Grundsätze ordnungsgemäßer DV-gestützter Buchführungssysteme (BMF-Schr. vom 7. 11. 1995, BStBl. I S. 738) gelten entsprechend.

16 Für Zuwendungen nach dem 31. Dezember 1999 ist das **Durchlaufspendenverfahren** keine zwingende Voraussetzung mehr für die steuerliche Begünstigung von Spenden. Ab 1. Januar 2000 sind alle gemeinnützigen Körperschaften i. S. des § 5 Abs. 1 Nr. 9 KStG, die spendenbegünstigte Zwecke verfolgen, zum unmittelbaren Empfang und zur Bestätigung von Spenden berechtigt. Dennoch dürfen öffentlich-rechtliche Körperschaften oder öffentliche Dienststellen auch weiterhin als Durchlaufstelle auftreten und Zuwendungsbestätigungen ausstellen. Sie unterliegen dann aber auch – wie bisher – der Haftung nach § 10b Abs. 4 EStG. Dach- und Spitzenorganisationen können für die ihnen angeschlossenen Vereine dagegen nicht mehr als Durchlaufstelle fungieren.

5. BMF-Schreiben vom 18. 12. 2008
IV C 4 – S 2223/07/0020 (BStBl. I 2009 S. 16)

Steuerbegünstigte Zwecke (§ 10b EStG);
Gesetz zur weiteren Stärkung des bürgerschaftlichen Engagements vom 10. Oktober 2007;
Anwendungsschreiben zu § 10b EStG

Durch das Gesetz zur weiteren Stärkung des bürgerschaftlichen Engagements vom 10. Oktober 2007 (BGBl. I S. 2332, BStBl. I S. 815) haben sich u. a. Änderungen im Spendenrecht ergeben, die grundsätzlich rückwirkend zum 1. Januar 2007 gelten.

Die Neuregelungen sind auf Zuwendungen anzuwenden, die nach dem 31. Dezember 2006 geleistet werden. Für Zuwendungen, die im Veranlagungszeitraum 2007 geleistet werden, gilt auf Antrag des Steuerpflichtigen § 10b Abs. 1 EStG in der für den Veranlagungszeitraum 2006 geltenden Fassung (vgl. § 52 Abs. 24d Satz 2 und 3 EStG).

Unter Bezugnahme auf das Ergebnis der Erörterungen mit den obersten Finanzbehörden der Länder gilt für die Anwendung des § 10b EStG ab dem Veranlagungszeitraum 2007 Folgendes:

1. Großspenden

Nach der bisherigen Großspendenregelung waren Einzelzuwendungen von mindestens 25.565 Euro zur Förderung wissenschaftlicher, mildtätiger oder als besonders förderungswürdig anerkannter kultureller Zwecke, die die allgemeinen Höchstsätze überschreiten, im Rahmen der Höchstsätze im Jahr der Zuwendung, im vorangegangenen und in den fünf folgenden Veranlagungszeiträumen abzuziehen.

Für den verbleibenden Großspendenvortrag zum 31. Dezember 2006 gilt damit die alte Regelung fort, d. h. dieser Vortrag ist weiterhin verbunden mit der Anwendung der alten Höchstbeträge und der zeitlichen Begrenzung. Dies bedeutet, dass bei vorhandenen Großspenden ggf. noch für fünf Veranlagungszeiträume altes Recht neben neuem Recht anzuwenden ist.

Für im Veranlagungszeitraum 2007 geleistete Spenden kann auf Antrag

§ 10b Abs. 1 EStG a. F. in Anspruch genommen werden. Dann gilt für diese Spenden auch der zeitlich begrenzte Großspendenvortrag nach altem Recht.

Im Hinblick auf die Abzugsreihenfolge ist der zeitlich begrenzte Altvortrag von verbleibenden Großspenden mit entsprechender Anwendung der Höchstbeträge vorrangig.

2. Zuwendungen an Stiftungen

Durch das Gesetz zur weiteren Stärkung des bürgerschaftlichen Engagements vom 10. Oktober 2007 (a.a.O.) wurden die Regelungen zur steuerlichen Berücksichtigung von Zuwendungen vereinfacht. Differenziert werden muss nur noch, ob es sich bei einer Zuwendung zur Förderung steuerbegünstigter Zwecke im Sinne der §§ 52 bis 54 AO um eine Zuwendung in den Vermögensstock einer Stiftung handelt oder nicht. Der Höchstbetrag für Zuwendungen an Stiftungen in Höhe von 20.450 Euro ist entfallen, hier gelten wie für alle anderen Zuwendungen die Höchstbeträge von 20 Prozent des Gesamtbetrags der Einkünfte oder 4 Promille der Summe der gesamten Umsätze und der im Kalenderjahr aufgewendeten Löhne und Gehälter. Dafür wurden die Regelungen zur steuerlichen Berücksichtigung von Zuwendungen in den Vermögensstock einer Stiftung ausgeweitet (siehe Ausführungen zu 3.)

Für im Veranlagungszeitraum 2007 geleistete Spenden kann auf Antrag § 10b Abs. 1 EStG a. F. in Anspruch genommen werden.

3. Vermögensstockspenden

Der Sonderausgabenabzug nach § 10b Abs. 1a EStG ist nur auf Antrag des Steuerpflichtigen vorzunehmen; stellt der Steuerpflichtige keinen Antrag, gelten auch für Vermögensstockspenden die allgemeinen Regelungen nach § 10b Abs.1 EStG. Im Antragsfall kann die Vermögensstockspende nach § 10b Abs. 1a EStG innerhalb eines Zeitraums von 10 Jahren vom Spender beliebig auf die einzelnen Jahre verteilt werden. Der bisherige Höchstbetrag von 307.000 Euro wurde auf 1 Mio. Euro angehoben und die Voraussetzung, dass die Spende anlässlich der Neugründung der Stiftung geleistet werden muss, ist entfallen, so dass auch Spenden in den Vermögensstock bereits bestehender Stiftungen (sog. Zustiftungen) begünstigt sind.

Der Steuerpflichtige beantragt in seiner Einkommensteuererklärung erstens, in welcher Höhe die Zuwendung als Vermögensstockspende im Sinne von § 10b Abs. 1a EStG behandelt werden soll, und zweitens, in welcher Höhe er im entsprechenden Zeitraum eine Berücksichtigung wünscht. Leistet ein Steuerpflichtiger im VZ 2008 beispielsweise 100.000 Euro in den Vermögensstock, entscheidet er im Rahmen seiner Einkommensteuererklärung

2008 über den Betrag, der als Vermögensstockspende nach § 10b Abs. 1a EStG behandelt werden soll – z. B. 80.000 Euro, dann sind die übrigen 20.000 Euro Spenden im Rahmen der Höchstbeträge nach § 10b Abs. 1 EStG zu berücksichtigen. Leistet ein Steuerpflichtiger einen höheren Betrag als 1 Mio. Euro in den Vermögensstock einer Stiftung, kann er den 1 Mio. Euro übersteigenden Betrag ebenfalls nach § 10b Abs. 1 EStG geltend machen. Im zweiten Schritt entscheidet der Steuerpflichtige über den Anteil der Vermögensstockspende, die er im VZ 2008 abziehen möchte. Innerhalb des 10-Jahreszeitraums ist ein Wechsel zwischen § 10b Abs. 1a EStG und § 10b Abs. 1 EStG nicht zulässig.

Durch das Gesetz zur weiteren Stärkung des bürgerschaftlichen Engagements vom 10. Oktober 2007 (a.a.O.) wurde kein neuer 10-Jahreszeitraum im Sinne des § 10b Abs. 1a Satz 2 EStG geschaffen. Wurde also bereits vor 2007 eine Vermögensstockspende geleistet, beginnt der 10jährige-Abzugszeitraum im Sinne des § 10b Abs. 1a Satz 1 EStG entsprechend früher. Mit jeder Spende in den Vermögensstock beginnt ein neuer 10jähriger-Abzugszeitraum. Mehrere Vermögensstockspenden einer Person innerhalb eines Veranlagungszeitraums sind zusammenzufassen.

Beispiel:

Ein Stpfl. hat im Jahr 2005 eine Zuwendung i. H. v. 300.000 Euro in den Vermögensstock einer neu gegründeten Stiftung geleistet. Diese wurde antragsgemäß mit je 100.000 Euro im VZ 2005 und 2006 gem. § 10b Abs. 1a Satz 1 EStG a. F. abgezogen.

Im Jahr 2007 leistet der Stpfl. eine Vermögensstockspende i. H. v. 1.200.000 Euro und beantragt 900.000 Euro im Rahmen des § 10b Abs. 1a EStG zu berücksichtigen. Im VZ 2007 beantragt er einen Abzugsbetrag nach § 10b Abs. 1a EStG i. H. v. 800.000 Euro (100.000 Euro zuzüglich 700.000 Euro). Die verbleibenden 200.000 Euro (900.000 Euro abzüglich 700.000 Euro) sollen im Rahmen des § 10b Abs. 1a EStG in einem späteren VZ abgezogen werden.

Die übrigen 300.000 Euro (1.200.000 Euro abzüglich 900.000 Euro) fallen unter die allgemeinen Regelungen nach § 10b Abs. 1 EStG.

VZ 2005	§ 10b Abs. 1a EStG a. F.	100.000 Euro
VZ 2006	§ 10b Abs. 1a EStG a. F.	100.000 Euro
VZ 2007	§ 10b Abs. 1a EStG n. F.	800.000 Euro (= 100.000 aus VZ 2005 + 700.000 aus VZ 2007)

> Beginn des ersten 10jährigen-Abzugszeitraums ist der VZ 2005 und dessen Ende der VZ 2014; somit ist für die Jahre 2008 bis 2014 der Höchstbetrag von 1.000.000 Euro durch die Inanspruchnahme der 800.000 Euro im VZ 2007 ausgeschöpft.

> Beginn des zweiten 10jährigen-Abzugszeitraums ist der VZ 2007 und dessen Ende der VZ 2016. In den VZ 2015 und 2016 verbleiben daher maximal noch 200.000 Euro als Abzugsvolumen nach § 10b Abs. 1a EStG (1.000.000 Euro abzüglich 800.000 Euro, siehe VZ 2007). Die verbleibenden Vermögensstockspenden i. H. v. 200.000 Euro aus der Zuwendung im VZ 2007 können somit entsprechend dem Antrag des Stpfl. in den VZ 2015 und/oder 2016 abgezogen werden.

> Stellt der Stpfl. (z. B. aufgrund eines negativen GdE) in den VZ 2015 und 2016 keinen Antrag zum Abzug der verbleibenden Vermögensstockspenden, gehen diese zum 31. 12. 2016 in den allgemeinen unbefristeten Spendenvortrag nach § 10b Abs. 1 EStG über.

4. Zuwendungsvortrag

a) Vortrag von Vermögensstockspenden

Vermögensstockspenden, die nicht innerhalb des 10jährigen-Abzugszeitraums nach § 10b Abs. 1a Satz 1 EStG verbraucht wurden, gehen in den allgemeinen unbefristeten Spendenvortrag nach § 10b Abs. 1 EStG über.

Die Vorträge von Vermögensstockspenden sind für jeden Ehegatten getrennt festzustellen.

b) Großspendenvortrag

Für den Übergangszeitraum von maximal sechs Jahren ist neben der Feststellung des Vortrages von Vermögensstockspenden und der Feststellung des allgemeinen unbefristeten Spendenvortrags ggf. auch eine Feststellung des befristeten Großspendenvortrags nach altem Recht vorzunehmen. Verbleibt nach Ablauf der fünf Vortragsjahre ein Restbetrag, geht dieser nicht in den allgemeinen unbefristeten Spendenvortrag über, sondern ist verloren.

c) Allgemeiner unbefristeter Spendenvortrag

In den allgemeinen unbefristeten Spendenvortrag werden die abziehbaren Zuwendungen aufgenommen, die die Höchstbeträge im Veranlagungszeitraum der Zuwendung überschreiten oder die den um die Beträge nach § 10 Abs. 3 und 4, § 10c und § 10d verminderten Gesamtbetrag der Einkünfte übersteigen und nicht dem Vortrag von Vermögensstockspenden bzw. dem Großspendenvortrag zuzuordnen sind. Die Beträge nach § 10 Abs. 4a EStG stehen den Beträgen nach Absatz 3 und 4 gleich.

Der am Schluss eines Veranlagungszeitraums verbleibende Spendenvortrag ist entsprechend § 10d Abs. 4 EStG für die verschiedenen Vorträge – Vortrag von Vermögensstockspenden, Großspendenvortrag und allgemeiner unbefristeter Spendenvortrag – gesondert festzustellen.

Ein Wechsel zwischen den verschiedenen Zuwendungsvorträgen, mit Ausnahme des unter a) genannten Übergangs vom Vortrag für Vermögensstockspenden zum allgemeinen unbefristeten Zuwendungsvortrag, ist nicht möglich.

5. Übergang von altem in neues Recht

Die Änderungen des § 10b Abs. 1 und 1a EStG gelten rückwirkend ab dem 1. Januar 2007.

§ 52 Abs. 24d Satz 3 EStG eröffnet dem Spender die Möglichkeit, hinsichtlich der Regelungen des § 10b Abs. 1 EStG für den Veranlagungszeitraum 2007 die Anwendung des bisherigen Rechts zu wählen. Wenn er sich hierzu entschließt, gilt dies einheitlich für den gesamten Spendenabzug im Jahr 2007.

6. Haftungsregelung

Maßgeblicher Zeitpunkt für die Haftungsreduzierung im Sinne des § 10b Abs. 4 EStG durch das Gesetz zur weiteren Stärkung des bürgerschaftlichen Engagements vom 10. Oktober 2007 (BGBl. I S. 2332, BStBl. I S. 815) von 40 % auf 30 % des zugewendeten Betrags ist der Zeitpunkt der Haftungsinanspruchnahme, somit der Zeitpunkt der Bekanntgabe des Haftungsbescheides. Dies ist unabhängig davon, für welchen Veranlagungszeitraum die Haftungsinanspruchnahme erfolgt.

7. Anwendungsregelung

Dieses Schreiben ist ab dem Veranlagungszeitraum 2007 anzuwenden.

G. Mitglieder

- Unter welchen Voraussetzungen sind Mitgliedsbeiträge an gemeinnützige Vereine als Spenden abzugsfähig?
- Ist der Ersatz von Vereinsmitgliedsbeiträgen durch den Arbeitgeber als Arbeitslohn zu versteuern?
- Sind Spenden, die im Zusammenhang mit der Aufnahme in einen Verein geleistet werden, steuerlich abzugsfähig?
- Mit welchem Wert sind zinslose Aufnahmedarlehen bei der Ermittlung der zulässigen Höchstgrenzen für Mitgliedsbeiträge und Aufnahmegebühren anzusetzen?
- Sind Beiträge zu Berufsverbänden auch dann abzugsfähig, wenn keine berufsspezifischen Belange vertreten werden?
- Sind Mitgliedsbeiträge zu geselligen/gesellschaftlichen Vereinen abzugsfähig, wenn die Mitgliedschaft betrieblichen Zwecken dienlich ist?
- Hat die unentgeltliche Verteilung einer Vereinszeitschrift an die Mitglieder Umsatzsteuerpflicht zur Folge?
- Unter welchen Voraussetzungen sind Zuwendungen an Mitglieder mit der Gemeinnützigkeit vereinbar?

I. Begriff der Mitgliedsbeiträge

Unter „Mitgliedsbeiträgen" sind alle Pflichten zur Förderung des Vereinszwecks zu verstehen, die ein Mitglied zu erfüllen hat. Sie bestehen hauptsächlich in Geldzahlungen, können aber auch in Sachleistungen oder in der Leistung von Diensten (z. B. in der Pflicht zur Übernahme eines Vereinsamts) bestehen. Spricht die Satzung nur allgemein davon, dass die Mitglieder „Beiträge" leisten müssen, so sind darunter in der Regel Geldbeiträge zu verstehen. An finanziellen Leistungen kommen die Zahlung einer Aufnahmegebühr (Eintrittsgeld), in regelmäßigen Abständen zahlbare Geldbeiträge, von Fall zu Fall erhebende Umlagen sowie Disziplinarstrafen in Betracht. Es ist grundsätzlich nicht erforderlich, dass die Höhe der Beiträge in der Satzung festgesetzt wird. Falls eine Aufnahmegebühr und regelmäßige Mitgliedsbeiträge verlangt werden, ist es auch nicht zweckmäßig, die entsprechenden Beiträge in der Satzung fest-zulegen, weil dann jede Änderung eine besondere Satzungsände-rung erforderlich macht. Zweckmäßig sollte es einem bestimmten Vereinsorgan (Vorstand, Mitgliederversammlung usw.) überlassen werden, die Höhe dieser Zahlungen festzusetzen.

Die Beiträge brauchen nicht für alle Mitglieder gleich hoch zu sein. Eine Abstufung nach der Höhe des Vermögens, Einkommens oder nach dem Lebensalter der Mitglieder ist zulässig, solange alle Mitglieder ohne Rücksicht auf die Höhe ihrer Beiträge die gleichen Rechte und Vorteile haben. Unbedenklich ist unter diesen Voraus-setzungen auch eine unterschiedliche Höhe der Mitgliedsbeiträge je nach Zugehörigkeit zu einer bestimmten Abteilung, z. B. bei einem Sportverein: Fußball, Leichtathletik, Tennis.

Die Mitgliedsbeiträge gehören nach § 8 Abs. 5 KStG nicht zum steuerpflichtigen Einkommen eines Vereins. In der Praxis ist diese Befreiungsvorschrift nur für solche Vereine von Bedeutung, die nicht von der Körperschaftsteuer befreit sind. Gemeinnützige Ver-eine beispielsweise sind ohnehin nur mit dem Einkommen aus einem wirtschaftlichen Geschäftsbetrieb steuerpflichtig.

Ob in der Leistung eines Mitglieds an den Verein ein (steuerfrei-er) Mitgliedsbeitrag zu sehen ist, hängt auch von der Zweckbestim-mung der Leistung ab. Bei einem Verein, der gemeinnützige Zwecke verfolgt, besteht eine Vermutung dafür, dass es sich um Mitglieds-beiträge handelt. Wenn ein Verein jedoch auch der wirtschaftlichen Förderung der Einzelmitglieder dient, was in der Regel bei Haus- und Grundstückseigentümervereinen, Mietervereinen, Werbeverei-nen, Fremdenverkehrsvereinen u. Ä. der Fall ist, liegen insoweit kei-ne begünstigten Mitgliederbeiträge, sondern pauschalierte Entgelte für eine Gegenleistung des Vereins vor.

Wenn ein Verein sowohl der allgemeinen Förderung sämtlicher Mitglieder als auch der besonderen Förderung einzelner Mitglieder dient, müssen die Mitgliedsbeiträge in einen steuerfreien und in einen steuerpflichtigen Teil zerlegt werden (vgl. R 42 Abs. 3 KStR 2004). Bei einem Haus- und Grundeigentümerverein sowie bei einem Mieterverein sind nach R 43 KStR 2004 20 % der Beitrags-einnahmen, bei einem Fremdenverkehrsverein nach R 44 KStR 2004 jeweils 25 % der Beitragseinnahmen als steuerpflichtige Einnahmen anzusehen. Die von Lohnsteuerhilfevereinen erhobenen Beiträge sind in vollem Umfang steuerpflichtige Entgelte (R 44 KStR 2004).

Soweit die Voraussetzungen für die Steuerfreiheit der Mitgliedsbeiträge erfüllt sind, sind die im Zusammenhang damit stehenden Ausgaben des Vereins bei der Ermittlung seines steuerpflichtigen Einkommens nicht abzugsfähig (§ 3 c EStG). Aufwendungen des Vereins stehen mit den Mitgliedsbeiträgen dann in Zusammenhang, wenn sie zu Erfüllung von Vereinszwecken gemacht worden sind, die durch die Satzung vorgeschrieben sind.

II. Allgemeine Grundsätze zum Abzug von Mitgliedsbeiträgen

Maßgebliche Vorschriften für die Beurteilung des Steuerabzugs von Mitgliedsbeiträgen zu Vereinen sind § 4 Abs. 4 EStG (Betriebsausgaben), § 9 EStG (Werbungskosten), § 10b EStG (steuerbegünstigte Zwecke), § 12 EStG (nicht abzugsfähige Ausgaben), § 34 g EStG (Steuerermäßigung bei Mitgliedsbeiträgen und Spenden an politische Parteien und unabhängige Wählervereinigungen).

Nach § 4 Abs. 4 EStG sind Betriebsausgaben alle Aufwendungen eines Unternehmers, die durch den Betrieb veranlasst sind. Die Aufwendungen sind durch den Betrieb veranlasst, wenn sie objektiv mit dem Betrieb zusammenhängen und subjektiv dem Betrieb zu dienen bestimmt sind. Aufwendungen zur Förderung staatspolitischer Zwecke (§ 10b Abs. 2 EStG) sind keine Betriebsausgaben (§ 4 Abs. 6 EStG).

Nach § 9 EStG sind Werbungskosten alle Aufwendungen von Nichtunternehmern zur Erwerbung, Sicherung und Erhaltung von Einnahmen (§ 9 Abs. 1 EStG). Werbungskosten sind nach § 9 Abs. 1 Satz 3 Nr. 3 EStG auch Beiträge zu Berufsständen und sonstigen Berufsverbänden, deren Zweck nicht auf einen wirtschaftlichen Geschäftsbetrieb gerichtet ist.

Nach § 12 Nr. 1 Satz 2 EStG dürfen weder bei den Einkünften noch vom Gesamtbetrag der Einkünfte abgezogen werden: Aufwendungen für die Lebensführung, die die wirtschaftliche oder gesellschaftliche Stellung des Steuerpflichtigen mit sich bringen, auch wenn sie zur Förderung des Berufs oder der Tätigkeit des Steuerpflichtigen erfolgen (§ 12 Nr. 1 Satz 2 EStG). Eine steuerliche Berücksichtigung solcher Privataufwendungen ist nur möglich, wenn das Gesetz es ausdrücklich zulässt (z. B. §§ 10b, 34g EStG).

III. Mitgliedschaft aufgrund ausschließlich betrieblicher/ beruflicher Veranlassung

1. Betriebsausgaben (§ 4 Abs. 4 EStG)

Den Betriebsausgabenbegriff erfüllen Beiträge an Berufsverbände, selbst wenn diese auch allgemeinpolitische Rahmenziele verfolgen (BFH vom 18. 9. 1984 VIII R 324/82, BStBl. II 1985 S. 92). Zur Abgrenzung der berufsbezogenen von den berufsfremden Verbänden vgl. BFH vom 2. 10. 1992 VI R 11/90 BStBl. II 1993 S. 53.

Mitgliedsbeiträge einer Kapitalgesellschaft an einen eingetragenen Verein, der die allgemeinen ideellen und wirtschaftlichen Interessen der Industriefirmen des Vereinsgebiets wahrnimmt, sind in der Regel in vollem Umfang als Betriebsausgaben abzugsfähig. Gelegentliche Vereinsveranstaltungen, die möglicherweise dem gesellschaftlich-repräsentativen Bereich zuzuordnen sind, stehen dem nicht entgegen (BFH vom 16. 12. 1981 I R 140/81, BStBl. II 1982 S. 465).

2. Werbungskosten (§ 9 EStG)

Zu den abzugsfähigen Werbungskosten gehören z. B. Mitgliedsbeiträge, Aufnahmegebühren und Umlagen an Gewerkschaften, Beamtenbund, Anwaltskammern, Haus- und Grundbesitzervereine, Mietervereine usw. Da § 9 Abs. 1 Nr. 1 Satz 3 EStG sich auf alle Einkunftsarten des § 2 Abs. 1 Satz 1 Nr. 4–7 EStG bezieht, sind Berufsverbände alle Interessenvertretungen, die mit der Erzielung solcher Einkünfte in Zusammenhang stehen.

Nicht abzugsfähig ist der Beitragsanteil, der (mittelbar) privaten Zwecken dient (Sterbegeldumlage einer Rechtsanwaltskammer, FG Rheinland-Pfalz vom 27. 5. 1981 1 K 151/80, EFG 1982 S. 70).

Keine Werbungskosten sind Beiträge an einen Interessenverband, der im Wesentlichen allgemeinpolitische Ziele verfolgt (BFH vom 13. 8. 1993 VI R 51/92, BStBl. II 1994 S. 33) oder (zumindest) keine unmittelbar berufsspezifischen Belange des Arbeitnehmers (BFH vom 2. 10. 1992 VI R 11/90, BStBl. II 1993 S. 53 und vom 1. 7. 1994 VI R 50/93, BFH/NV 1995 S. 22) vertritt.

IV. Mitgliedschaft aufgrund privater (Mit)Veranlassung

Vereinsbeiträge, die nicht ausschließlich durch den Betrieb/Beruf veranlasst sind, gehören nach § 12 Nr. 1 Satz 2 EStG zu den Kosten der Lebensführung, die weder bei den Einkünften, noch vom Gesamtbetrag der Einkünfte abgezogen werden dürfen.

Mitgliedsbeiträge zu geselligen oder gesellschaftlichen Vereinigungen sind nach BFH vom 27. 3. 1959, BStBl. III 1959 S. 230 selbst dann keine abziehbaren Werbungskosten oder Betriebsausgaben, wenn berufliche Gründe für die Mitgliedschaft bei den Vereinigungen eine Rolle gespielt haben. Ebenso BFH vom 26. 6. 1962 I 202/60, StRK EStG § 4 R 482 betr. Beiträge zu Bürgervereinen.

Beiträge zu geselligen Vereinen von Gewerbetreibenden können nach einem Urteil des Niedersächsischen FG vom 11. 8. 1961 IV 194-196/61, EFG 1962 S. 149 mangels objektiver Nachprüfbarkeit und Abgrenzbarkeit des betrieblichen Zusammenhangs grundsätzlich nicht als Betriebsausgaben behandelt werden, selbst wenn die Mitgliedschaft ihren betrieblichen Zwecken dienlich ist.

Der Aufnahmebeitrag für die Mitgliedschaft in einem Tennisclub gehört nach einem Urteil des FG Münster vom 20. 6. 1978 VII 3307/77, EFG 1979 S. 16 nicht zu den als Werbungskosten zu berücksichtigenden Umzugskosten, auch wenn der Umzug beruflich veranlasst war und am früheren Wohnort eine Mitgliedschaft in einem Tennisverein bestanden hatte. Die Ausübung eines Sports, die nicht Voraussetzung für die Ausübung eines Berufs selbst ist, ist immer eine private Sache des Steuerpflichtigen.

Die im jugendlichen Alter begründete Mitgliedschaft des Gesellschafters einer KG bei einem Sportverein wird nach einem Urteil des FG Bremen vom 25. 7. 1980 I 67/79, EFG 1981 S. 169 nicht dadurch zu einer betrieblich veranlassten, dass der Gesellschafter die vom Verein betriebenen Sportarten im Hinblick auf sein Alter nicht mehr ausüben kann und die Mitgliedschaft aufrecht erhält, weil der Sportverein mit der KG in geringem Umfang in geschäftlichen Beziehungen steht.

Dem Bereich der Lebensführung zuzuordnen ist auch die Mitgliedschaft in politischen Parteien. Der Aufgabenkreis einer politischen Partei ist anders als der eines Berufsverbandes nicht abgegrenzt, sondern umfassend, i. S. der sich aus Art. 21 GG ergebenden Aufgabenstellung definiert, dauernd bei der politischen Willensbildung des Volkes in Parlamenten mitzuwirken. Darum können Zuwendungen an politische Parteien nicht den Mitgliederbeiträgen zu Berufsverbänden gleichgestellt werden. Sie sind Ausdruck einer politischen Gesinnung und damit zumindest privat mitveranlasst.

Mitgliedsbeiträge, die zu den Kosten der Lebensführung gehören, können nur im Rahmen der §§ 10 b, 34 g EStG abgezogen werden.

V. Ersatz der Mitgliedsbeiträge durch den Arbeitgeber

Zu der Frage der steuerlichen Behandlung des Ersatzes von Mitgliedsbeiträgen zu Idealvereinen durch den Arbeitgeber enthält das Urteil des BFH vom 15. 5. 1992 VI R 106/88, BStBl. II 1993 S. 840 einige grundsätzliche Ausführungen.

Ersetzt eine Sparkasse ihren Vorstandsmitgliedern und anderen herausgehobenen Bediensteten Beiträge für die Mitgliedschaft in privaten Vereinen wie Rotary- oder Tennis-Club, Rudergesellschaft und dergl., so handelt es sich nach Auffassung des BFH grundsätzlich um die Zuwendung von steuerpflichtigem Arbeitslohn, selbst wenn die Mitgliedschaft auf Beschluss des Vorstandes oder auf Veranlassung eines Vorstandsmitglieds erworben wurde. Die Mitgliedschaft in den vorgenannten Vereinen betrifft die private Sphäre der Sparkassenangestellten. Dies gilt auch dann, wenn eine solche Mitgliedschaft ihrem Beruf förderlich ist, weil sich auf diesem Weg Kontakte mit Kunden der Sparkasse anknüpfen oder vorhandene Geschäftsbeziehungen intensivieren lassen. Ein solcher Bezug lässt sich vom privaten Bereich nicht trennen, da er oftmals eine Folgewirkung von privaten Kontakten (gemeinsame Unterhaltung, gemeinsamer Verzehr, sportliche Betätigungen im Verein) ist oder weil sich aus vorhandenen geschäftlichen Beziehungen der Sparkasse private Freundschaften mit ihren Kunden durch eine gemeinsame Mitgliedschaft in Vereinen entwickeln können.

VI. Zulässige Gesamtbeitragsbelastung der Mitglieder

Bei Vereinen, deren Leistungen im Wesentlichen den Mitgliedern zugute kommen, wie dies z. B. bei Sportvereinen der Fall ist, kann es zu Problemen mit der Anerkennung der Gemeinnützigkeit führen, wenn der Zugang zum Verein für einen großen Teil der Bevölkerung durch finanzielle Hürden praktisch ausgeschlossen ist. Nach den Verwaltungsanweisungen ist eine Förderung der Allgemeinheit noch anzunehmen, wenn der durchschnittliche Mitgliedsbeitrag nicht höher als 1023 € je Mitglied und die durchschnittliche Aufnahmegebühr nicht höher als 1534 € ist. Zur Problematik der zulässigen Beitragsbelastung und der Abzugsfähigkeit von Spendenzahlungen im Zusammenhang mit der Aufnahme in einen exklusiven Verein vgl. die umfassende Darstellung in AEAO Nr. 1 zu § 52 AO (S. 244 ff.).

VII. Mitgliederverwaltung und -pflege

Anwerbung neuer Mitglieder: Gemeinnützige Körperschaften müssen ihre Mittel grundsätzlich für ihre gemeinnützigen Zwecke verwenden (§ 55 AO). Unschädlich für die Gemeinnützigkeit ist jedoch die Verwendung von Mitteln für die allgemeine Verwaltung, wenn sich die gesamten Verwaltungsausgaben in einem angemessenen Rahmen halten. Zu den in diesem Rahmen unschädlichen Verwaltungsausgaben gehören auch Ausgaben für die Werbung neuer Mitglieder/Fördermitglieder. In der Regel ist es nicht zu beanstanden, wenn die Körperschaft im Jahr nicht mehr als 10 % der Mitgliedsbeiträge für die Werbung neuer Mitglieder verwendet (BMF-Schreiben vom 15. 5. 2000, BStBl. I S. 814), vgl. hierzu auch Kap. L Praxis-ABC Stichw. „Verwaltungskosten".

Gesellige Zusammenkünfte: Gesellige Zusammenkünfte sind in gewissem Umfang mit der Gemeinnützigkeit vereinbar. Gesellige Zusammenkünfte, die im Vergleich zur steuerbegünstigten Tätigkeit nicht mehr von untergeordneter Bedeutung sind, schließen die Steuervergünstigung aus (vgl. § 58 Nr. 8 AO, AEAO Nr. 19 zu § 58 AO).

Vereinszeitschriften:

FG München vom 29. 11. 2001 14 K 817/98, EFG 2002, 641: Die **Herausgabe und unentgeltliche Verteilung einer Vereinszeitschrift an die Mitglieder** stellt keine gewerbliche und damit steuerbareTätigkeit i.S. von § 2 Abs. 1 UStG dar, wenn sie nicht zugleich im freien Handel gegen Entgelt veräußert wird.

FG Köln vom 22. 7. 1998 12 K 1143/92, UR 1999, 250: Stellt ein Berufsverband in der Rechtsform eines eingetragenen Vereins seinen Mitgliedern **eine auch an Dritte vertriebene Verbandszeitschrift** ohne gesondert berechnetes Entgelt zur Verfügung, so liegt eine um der Gegenleistung willen erbrachte Leistung und damit ein Leistungsaustausch jedenfalls dann nicht vor, wenn eine ausdrückliche oder stillschweigende Vereinbarung über einen Anteil des Mitgliedsbeitrags als Entgelt nicht feststellbar ist.

BFH vom 23. 11. 1988 I R 11/88, BStBl. II 1989, 391: 1. – 2. ...
3. Die Herausgabe einer **Druckschrift, die für einen breiten Interessentenkreis bestimmt ist,** kann wirtschaftlicher Geschäftsbetrieb (Zweckbetrieb) i. S. des § 65 AO 1977 sein.

FG Düsseldorf vom 12. 2. 1969 VII 477-482/66 U, EFG 1969, 432:
1. Die **Herausgabe von Fachzeitschriften** obliegt grundsätzlich der gewerblichen Wirtschaft, so dass ein Berufsverband sein Aufgabegebiet verlässt, wenn er seinen Mitgliedern kostenlos derartige Zeitschriften zur Verfügung stellt.
2. Im Wege der Schätzung ist daher ein Teil der Mitgliederbeiträge als umsatzsteuerbares Entgelt anzusetzen.

VIII. Zuwendungen an Mitglieder

Nach § 55 Abs. 1 Nr. 1 Satz 2 AO dürfen die Mitglieder des Vereins keine Gewinnanteile und in ihrer Eigenschaft als Mitglieder auch keine sonstigen Zuwendungen aus Mitteln des Vereins erhalten.

Schädlich sind nach dieser Definition nicht jegliche Zuwendungen an Mitglieder, sondern nur solche, für die keine sachliche Rechtfertigung durch eine besondere Leistung gegenüber dem Verein gegeben ist.

Unschädlich sind Zuwendungen,

- mit denen tatsächlich entstandener Aufwand abgegolten wird, für den dem Mitglied aufgrund einer entsprechenden Vereinsordnung ein Ersatzanspruch gegen den Verein zusteht und der Ersatz der Höhe nach angemessen ist;
- wenn der Leistung des Vereins eine Gegenleistung des Empfängers gegenüber steht (z. B. bei Kauf-, Dienst- und Werkverträgen) und die Werte von Leistung und Gegenleistung nach wirtschaftlichen Grundsätzen gegeneinander abgewogen sind (AEAO Nr. 11 zu § 55);
- bei denen es sich um Annehmlichkeiten handelt, wie sie im Rahmen der Betreuung von Mitgliedern allgemein üblich und nach allgemeiner Verkehrsauffassung als angemessen anzusehen sind (AEAO Nr. 10 zu § 55 AO); die Angemessenheit ist dabei von verschiedenen Faktoren abhängig, wie dem Anlass der Zuwendung oder dem Umfang des ehrenamtlichen Engagements für den Verein.

Zur Zulässigkeit/Unschädlichkeit von Zahlungen an Organe von gemeinnützigen Einrichtungen im Einzelnen vgl. auch die Ausführungen unter Kap. H „Ehrenamtliche Tätigkeit".

Charakteristisch für eine schädliche Zuwendung i. S. des § 55 Abs. 1 Nr. 1 Satz 2 AO ist im Übrigen, dass mit ihr bewusst der Zweck verfolgt wird, dem Mitglied einen wirtschaftlichen Vorteil zu verschaffen (vgl. BFH vom 23. 10. 1991 I R 19/91, BStBl. II 1992, S. 62). Daran fehlt es aber, wenn die Zuwendung der **Verwirklichung satzungsmäßiger Zwecke** dient. Deshalb kann in der verbilligten oder kostenlosen Überlassung von Druckschriften (Tagungsbände, Jahrbücher etc.) durch eine wissenschaftliche Vereinigung an ihre Mitglieder regelmäßig keine schädliche Zuwendung gesehen werden. Die Inhalte der Druckschriften sollen gerade deswegen über die Mitglieder verbreitet werden, weil diese einen wichtigen Teil der interessierten Fachöffentlichkeit darstellen, die die Publikationen bei ihrer wissenschaftlichen Arbeit einsetzen (vgl. dazu bereits BFH vom 13. 4. 1956 III 242/55 U, BStBl. III 1956, S. 171). Entsprechendes gilt für Mitgliederrabatte bei Tagungs- und Kursgebühren, wenn eine Veranstaltung als Zweckbetrieb anzusehen ist.

Beispiele aus der Rechtsprechung:

FG München vom 4. 5. 2004 7 V 5137/03, EFG 2004, 1490:

1. ...
2. Die Anerkennung der Gemeinnützigkeit eines Vereins scheidet wegen schädlicher Mittelverwendung aus, wenn dem Vereinspräsidenten aufgrund vertraglicher Vereinbarung ein Entgelt für die Leitung der Pressearbeit gezahlt wird, ohne dass dargetan wird, weshalb der Abschluss des Vertrages erforderlich und wirtschaftlich sinnvoll war, welche konkrete Leistung entlohnt wird und dass die Mittel unmittelbar und effektiv den begünstigten Satzungszwecken zugute kommen.

BFH vom 8. 8. 2001, I B 40/01, DStRE 2001, 1301:

Ein gemeinnützige Zwecke verfolgender Verein verstößt gegen § 55 Abs. 1 Nr. 1 Satz 2 AO 1977, wenn er seinem Mitglied und Vorsitzenden seines Vorstandes für die Vorstandstätigkeit eine Vergütung zahlt, obwohl der Vorstand nach der Vereinssatzung ehrenamtlich i. S. von unentgeltlich tätig ist.

BFH vom 3. 12. 1996 I R 67/95, BStBl. II 1997, 474:

1. Ein Sportverein verstößt nicht gegen das Mittelverwendungsgebot des § 55 Abs. 1 Nr. 1 AO 1977 soweit er in Erfüllung eines Anspruchs nachgewiesenen, angemessenen Aufwand eines Mitglieds für den Verein (Anm.: Fahrtkosten eines Vorstandsmitglieds) ersetzt. Dies gilt auch dann, wenn das Mitglied unmittelbar vor der Erfüllung des Anspruchs eine Durchlaufspende in derselben Höhe geleistet hat.
2. ...

BFH vom 23. 10. 1991 I R 19/91, BStBl. II 1992, 62:

1. – 2. ...
3. Eine Zuwendung i. S. des § 55 Abs. 1 Nr. 1 Satz 2 AO 1977 ist ein wirtschaftlicher Vorteil, den die Körperschaft bewusst unentgeltlich oder gegen ein zu geringes Entgelt einem Dritten zukommen lässt. Die Zuwendung erhält der Dritte aus Mitteln der Körperschaft, wenn deren Vermögenswerte eingesetzt werden, um den wirtschaftlichen Vorteil dem Dritten zukommen zu lassen.

H. Ehrenamtliche Tätigkeit

- Was versteht man unter ehrenamtlicher Tätigkeit?
- Ist Auslagenersatz zulässig?
- Ist pauschaler Auslagenersatz möglich?
- Wann stellt die Zahlung von Aufwandsentschädigungen Arbeitslohn dar?
- Ab wann besteht Sozialversicherungspflicht?
- Können Übungsleiterpauschale und Ehrenamtspauschale nebeneinander gewährt werden?
- Sind Aufwendungen für ein undotiertes Ehrenamt steuerlich abzugsfähig?
- Ist ein Werbungskostenabzug möglich, wenn das Ehrenamt im Zusammenhang mit dem Hauptberuf steht?
- Ist der Verzicht auf Erstattung von Aufwendungen als Spende abzugsfähig?
- Ist die Tilgung von Schulden eines Vereins, für die ein Vorsitzender einstehen muss, als außergewöhnliche Belastung abzugsfähig?

I. Ehrenamt als Auftragsvertrag im Sinne des BGB

Nach § 27 Abs. 3 BGB finden auf die Geschäftsführung des Vorstandes eines Vereins die für den Auftrag geltenden Vorschriften der §§ 664 bis 670 BGB entsprechende Anwendung. Der Auftrag, wie das BGB verkürzend den Auftragsvertrag nennt, ist ein Schuldvertrag, in dem sich der eine Teil (Beauftragter) verpflichtet, ein Geschäft des anderen Teils (Auftraggeber) unentgeltlich für diesen zu besorgen. Unentgeltlichkeit besagt aber nur, dass ein ehrenamtlich Tätiger dem Verein gegenüber keinen Anspruch auf Vergütung hat. In der letzten der vorgenannten Vorschriften, nämlich in § 670 BGB, ist klarstellend auch bestimmt, dass der Auftraggeber zum Ersatz verpflichtet ist, soweit der Beauftragte zum Zwecke der Ausführung des Auftrages Aufwendungen macht, die er den Umständen nach für erforderlich halten darf.

Erstattungsfähige Aufwendungen i.S. des § 670 BGB sind alle

Vermögensopfer mit Ausnahme der eigenen Arbeitszeit und Arbeitskraft, die der Beauftragte zum Zwecke der Ausführung des Auftrags freiwillig auf Weisung des Auftraggebers oder als notwendige Folge der Auftragsausführung erbringt. Dazu zählen alle Auslagen des Beauftragten, insbesondere für Reisekosten, Post- und Telefonspesen, zusätzliche Verpflegungs- und Übernachtungskosten etc. Sie sind erstattungsfähig, soweit sie tatsächlich angefallen, für die Ausführung der übernommenen Tätigkeit erforderlich sind und sich in einem angemessenen Rahmen halten.

Nicht erstattungsfähig im Rahmen eines Auftragsvertrages sind Leistungen, die darüber hinaus bezogen werden. Der BGH spricht in seinem Urt. v. 14. 12. 1987 II Z R 53/87, NJW-RR 1988 S. 745 insoweit von Vergütungen (offenes oder verschleiertes Entgelt für die geleistete Tätigkeit als solche). Verdeckte Vergütung sind insbesondere auch

- Pauschalen, die den nicht tatsächlich entstandenen und belegbaren Aufwand abdecken, oder
- Aufwandsentschädigungen, mit denen Verdienstausfall oder entgangene Verdienstmöglichkeiten abgegolten werden soll.

Vergütungen bedürfen einer besonderen Regelung. Wenn Vergütungen bezahlt werden, d. h. die Rechte und Pflichten abweichend vom Auftragsrecht geregelt werden sollen, ist der Abschluss eines Geschäftsbesorgungsvertrages erforderlich.

Zahlungen, auf die ein Rechtsanspruch gem. Auftragsvertrag oder Geschäftsbesorgungsvertrag besteht, sind mit der Gemeinnützigkeit vereinbar. In den Grenzen des Üblichen und Angemessenen kann dann auch eine gemeinnützige Körperschaft Unkosten und Vergütungen zahlen.

§§ 27 Abs. 3, 670 BGB sind auf andere satzungsmäßige Organe eines Vereins (z. B. Beirat, Ausschuss) entsprechend anwendbar.

II. Zulässige Aufwandsentschädigungen

1. Ersatz nachgewiesener Aufwendungen

Ersetzt der Verein den ehrenamtlich Tätigen nur nachgewiesene Aufwendungen, ist steuerlich weiter nichts veranlasst. Gleiches gilt, wenn Auslagenersatz in Höhe der lohnsteuerlich zulässigen Pauschalen (vgl. hierzu Kap. L. Praxis-ABC Stichw. „Reisekostenpauschalen") gezahlt wird.

Werden Aufwendungen pauschal vergütet, ohne dass ein Einzelnachweis erfolgt, oder werden höhere Beträge als die lohnsteuerlichen Pauschalen vergütet, hat dies die Einkommensteuerpflicht der gesamten Zahlung beim Empfänger zur Folge.

2. Übungsleiterpauschale

Rechtsgrundlagen: § 3 Nr. 26 EStG, R 3.26 LStR 2008, H 3.26 LStH 2008, § 14 SGB IV.

Allgemeine Grundsätze: Nach § 3 Nr. 26 EStG (sog. Übungsleiterpauschale) sind bis zur Höhe von insgesamt 2.100 € im Jahr steuerfrei „Einnahmen" (also nicht nur „Aufwandsentschädigungen")

- aus nebenberuflichen Tätigkeiten (zeitlicher Umfang nicht mehr als ein Drittel einer vollen Erwerbstätigkeit),
- als Übungsleiter, Ausbilder, Erzieher, Betreuer oder vergleichbaren nebenberuflichen Tätigkeiten, aus nebenberuflichen künstlerischen Tätigkeiten oder der nebenberuflichen Pflege alter, kranker oder behinderter Menschen,
- im Dienst oder im Auftrag einer juristischen Person des öffentlichen Rechts in der EU oder im EWR (z. B. Bund, Länder, Kommunen, bestimmte Religionsgemeinschaften) oder einer gemeinnützigen Körperschaft,
- zur Förderung gemeinnütziger, mildtätiger oder kirchlicher Zwecke.

Für die Annahme einer begünstigten Tätigkeit als Übungsleiter, Ausbilder, Erzieher, Betreuer oder einer vergleichbaren nebenberuflichen Tätigkeit wird eine pädagogische Ausrichtung der Tätigkeit gefordert; der Steuerpflichtige muss auf andere Menschen durch persönlichen Kontakt Einfluss nehmen, um auf diese Weise deren geistige und körperliche Fähigkeiten zu entwickeln und zu fördern (R 3.26 Abs. 1 LStR 2008).

Die begünstigte Pflege alter, kranker oder behinderter Menschen EStG setzt ebenfalls einen unmittelbaren persönlichen Kontakt zu der zu pflegenden Person voraus.

Anwendungsbereich: Zu den begünstigten Tätigkeiten gehören danach z. B.

- die Tätigkeit eines Sporttrainers oder Mannschaftsbetreuers,
- der Aufgabenbereich eines Chorleiters oder Organisten,
- die Lehr- und Vortragstätigkeit im Rahmen der allgemeinen Bildung und Ausbildung,
- die Hilfsleistungen durch ambulante Pflegedienste,
- die Sofortmaßnahmen gegenüber Schwerkranken und Verunglückten, z. B. durch Rettungssanitäter und Ersthelfer,
- die Behindertentransporte.

Nicht nach § 3 Nr. 26 EStG begünstigt sind dagegen

- Tätigkeiten als Vorstandsmitglied, als Vereinskassierer oder als Gerätewart bei einem Sportverein,
- Tätigkeiten, die in erster Linie die „Rechtsfürsorge" betreffen, wie z. B. die ehrenamtlichen Tätigkeiten der rechtlichen Betreuer nach § 1835a BGB,
- hauswirtschaftliche Tätigkeiten in Krankenhäusern, Altenheimen usw.,
- Bereitschaftsdienste von Sanitätshelfern bei Großveranstaltungen usw.,
- die Tätigkeit als Helfer von Mahlzeitendiensten (z. B. „Essen auf Rädern").

Wegen der Einzelheiten der sog. Übungsleiterpauschale wird auf den nachstehend abgedruckten § 3 Nr. 26 EStG und R 3.26 LStR 2008 verwiesen:

§ 3 EStG [Steuerfreie Einnahmen]

Steuerfrei sind

...

26. Einnahmen aus nebenberuflichen Tätigkeiten als Übungsleiter, Ausbilder, Erzieher, Betreuer oder vergleichbaren nebenberuflichen Tätigkeiten, aus nebenberuflichen künstlerischen Tätigkeiten oder der nebenberuflichen Pflege alter, kranker oder behinderter Menschen im Dienst oder im Auftrag einer juristischen Person des öffentlichen Rechts, die in einem Mitgliedstaat der Europäischen Union oder in einem Staat belegen ist, auf den das Abkommen über den Europäischen Wirtschaftsraum Anwendung findet, oder einer unter § 5 Abs. 1 Nr. 9 des Körperschaftsteuergesetzes fallenden Einrichtung zur Förderung gemeinnütziger, mildtätiger und kirchlicher Zwecke (§§ 52 bis 54 der Abgabenordnung) bis zur Höhe von insgesamt **2.100 Euro** im Jahr. Überschreiten die Einnahmen für die in Satz 1 bezeichneten Tätigkeiten den steuerfreien Betrag, dürfen die mit den nebenberuflichen Tätigkeiten in unmittelbarem wirtschaftlichen Zusammenhang stehenden Ausgaben abweichend von § 3c nur insoweit als Betriebsausgaben oder Werbungskosten abgezogen werden, als sie den Betrag der steuerfreien Einnahmen übersteigen;

R 3.26 LStR 2008 Steuerbefreiung für nebenberufliche Tätigkeiten (§ 3 Nr. 26 EStG)

Begünstigte Tätigkeiten

(1) Die Tätigkeiten als Übungsleiter, Ausbilder, Erzieher oder Betreuer haben miteinander gemeinsam, dass sie auf andere Menschen durch persönlichen Kontakt Einfluss nehmen, um auf diese Weise deren geistige und körperliche Fähigkeiten zu entwickeln und zu fördern. Gemeinsames Merkmal der Tätigkeiten ist eine pädagogische Ausrichtung. Zu den begünstigten Tätigkeiten gehören z.B. die Tätigkeit eines Sporttrainers, eines Chorleiters oder Orchesterdirigenten, die Lehr- und Vortragstätigkeit im Rahmen der allgemeinen Bildung und Ausbildung, z.B. Kurse und Vorträge an Schulen und Volkshochschulen, Mütterberatung, Erste-Hilfe-Kurse, Schwimm-Unterricht, oder im Rahmen der beruflichen Ausbildung und Fortbildung, nicht dagegen die Ausbildung von Tieren, z.B. von Rennpferden oder Diensthunden. Die Pflege alter, kranker oder behinderter Menschen umfasst außer der Dauerpflege auch Hilfsdienste bei der häuslichen Betreuung durch ambulante Pflegedienste, z.B. Unterstützung bei der Grund- und Behandlungspflege, bei häuslichen Verrichtungen und Einkäufen, beim Schriftverkehr, bei der Altenhilfe entsprechend § 71 SGB XII, z.B. Hilfe bei der Wohnungs- und Heimplatzbeschaffung, in Fragen der Inanspruchnahme altersgerechter Dienste, und bei Sofortmaßnahmen gegenüber Schwerkranken und Verunglückten, z.B. durch Rettungssanitäter und Ersthelfer. Eine Tätigkeit, die ihrer Art nach keine übungsleitende, ausbildende, erzieherische, betreuende oder künstlerische Tätigkeit und keine Pflege alter, kranker oder behinderter Menschen ist, ist keine begünstigte Tätigkeit, auch wenn sie die übrigen Voraussetzungen des § 3 Nr. 26 EStG erfüllt, z.B. eine Tätigkeit als Vorstandsmitglied, als Vereinskassierer oder als Gerätewart bei einem Sportverein.

Nebenberuflichkeit

(2) Eine Tätigkeit wird nebenberuflich ausgeübt, wenn sie – bezogen auf das Kalenderjahr – nicht mehr als ein Drittel der Arbeitszeit eines vergleichbaren Vollzeiterwerbs in Anspruch nimmt. Es können deshalb auch solche Personen nebenberuflich tätig sein, die im steuerrechtlichen Sinne keinen

Hauptberuf ausüben, z. B. Hausfrauen, Vermieter, Studenten, Rentner oder Arbeitslose. Übt ein Steuerpflichtiger mehrere verschiedenartige Tätigkeiten im Sinne des § 3 Nr. 26 EStG aus, ist die Nebenberuflichkeit für jede Tätigkeit getrennt zu beurteilen. Mehrere gleichartige Tätigkeiten sind zusammenzufassen, wenn sie sich nach der Verkehrsanschauung als Ausübung eines einheitlichen Hauptberufs darstellen, z. B. Unterricht von jeweils weniger als dem dritten Teil des Pensums einer Vollzeitkraft in mehreren Schulen. Eine Tätigkeit wird nicht nebenberuflich ausgeübt, wenn sie als Teil der Haupttätigkeit anzusehen ist.

Arbeitgeber/Auftraggeber

(3) Der Freibetrag wird nur gewährt, wenn die Tätigkeit im Dienst oder im Auftrag einer der in § 3 Nr. 26 EStG genannten Personen erfolgt. Als juristische Personen des öffentlichen Rechts kommen beispielsweise in Betracht Bund, Länder, Gemeinden, Gemeindeverbände, Industrie- und Handelskammern, Handwerkskammern, Rechtsanwaltskammern, Steuerberaterkammern, Wirtschaftsprüferkammern, Ärztekammern, Universitäten oder die Träger der Sozialversicherung. Zu den Einrichtungen im Sinne des § 5 Abs. 1 Nr. 9 KStG gehören Körperschaften, Personenvereinigungen, Stiftungen und Vermögensmassen, die nach der Satzung oder dem Stiftungsgeschäft und nach der tatsächlichen Geschäftsführung ausschließlich und unmittelbar gemeinnützige, mildtätige oder kirchliche Zwecke verfolgen. Nicht zu den begünstigten Einrichtungen gehören beispielsweise Berufsverbände (Arbeitgeberverband, Gewerkschaft) oder Parteien. Fehlt es an einem begünstigten Auftraggeber/Arbeitgeber, kann der Steuerfreibetrag nicht in Anspruch genommen werden.

Förderung gemeinnütziger, mildtätiger und kirchlicher Zwecke

(4) Die Begriffe der gemeinnützigen, mildtätigen und kirchlichen Zwecke ergeben sich aus den §§ 52 bis 54 der Abgabenordnung (AO). Eine Tätigkeit dient auch dann der selbstlosen Förderung begünstigter Zwecke, wenn sie diesen Zwecken nur mittelbar zugute kommt.

(5) Wird die Tätigkeit im Rahmen der Erfüllung der Satzungszwecke einer juristischen Person ausgeübt, die wegen Förderung gemeinnütziger, mildtätiger oder kirchlicher Zwecke steuerbegünstigt ist, so ist im Allgemeinen davon auszugehen, dass die Tätigkeit ebenfalls der Förderung dieser steuerbegünstigten Zwecke dient. Dies gilt auch dann, wenn die nebenberufliche Tätigkeit in einem so genannten Zweckbetrieb im Sinne der §§ 65 bis 68 AO ausgeübt wird, z. B. als nebenberuflicher Übungsleiter bei sportlichen Veranstaltungen nach § 67a Abs. 1 AO, als nebenberuflicher Erzieher in einer Einrichtung der Fürsorgeerziehung oder der freiwilligen Erziehungshilfe nach § 68 Nr. 5 AO. Eine Tätigkeit in einem steuerpflichtigen wirtschaftlichen Ge-

schäftsbetrieb einer im Übrigen steuerbegünstigten juristischen Person (§§ 64, 14 AO) erfüllt dagegen das Merkmal der Förderung gemeinnütziger, mildtätiger oder kirchlicher Zwecke nicht.

(6) Der Förderung begünstigter Zwecke kann auch eine Tätigkeit für eine juristische Person des öffentlichen Rechts dienen, z. B. nebenberufliche Lehrtätigkeit an einer Universität, nebenberufliche Ausbildungstätigkeit bei der Feuerwehr, nebenberufliche Fortbildungstätigkeit für eine Anwalts- oder Ärztekammer. Dem steht nicht entgegen, dass die Tätigkeit in den Hoheitsbereich der juristischen Person des öffentlichen Rechts fallen kann.

Gemischte Tätigkeiten

(7) Erzielt der Stpfl. Einnahmen, die teils für eine Tätigkeit, die unter § 3 Nr. 26 EStG fällt, und teils für eine andere Tätigkeit gezahlt werden, ist lediglich für den entsprechenden Anteil nach § 3 Nr. 26 EStG der Freibetrag zu gewähren. Die Steuerfreiheit von Bezügen nach anderen Vorschriften, z. B. nach § 3 Nr. 12, 13, 16 EStG, bleibt unberührt; wenn auf bestimmte Bezüge sowohl § 3 Nr. 26 EStG als auch andere Steuerbefreiungsvorschriften anwendbar sind, sind die Vorschriften in der Reihenfolge anzuwenden, die für den Steuerpflichtigen am günstigsten ist.

Höchstbetrag

(8) Der Freibetrag nach § 3 Nr. 26 EStG ist ein Jahresbetrag. Dieser wird auch dann nur einmal gewährt, wenn mehrere begünstigte Tätigkeiten ausgeübt werden. Er ist nicht zeitanteilig aufzuteilen, wenn die begünstigte Tätigkeit lediglich wenige Monate ausgeübt wird.

Werbungskosten- bzw. Betriebsausgabenabzug

(9) Ein Abzug von Werbungskosten bzw. Betriebsausgaben, die mit den steuerfreien Einnahmen nach § 3 Nr. 26 EStG in einem unmittelbaren wirtschaftlichen Zusammenhang stehen, ist nur dann möglich, wenn die Einnahmen aus der Tätigkeit und gleichzeitig auch die jeweiligen Ausgaben den Freibetrag übersteigen. In Arbeitnehmerfällen ist in jedem Fall der Arbeitnehmer-Pauschbetrag anzusetzen, soweit er nicht bei anderen Dienstverhältnissen verbraucht ist.

Lohnsteuerverfahren

(10) Beim Lohnsteuerabzug ist eine zeitanteilige Aufteilung des steuerfreien Höchstbetrags nicht erforderlich; das gilt auch dann, wenn feststeht, dass das Dienstverhältnis nicht bis zum Ende des Kalenderjahres besteht. Der Arbeitnehmer hat dem Arbeitgeber jedoch schriftlich zu bestätigen, dass die Steuerbefreiung nicht bereits in einem anderen Dienst- oder Auftragsverhältnis berücksichtigt worden ist oder berücksichtigt wird. Diese Erklärung ist zum Lohnkonto zu nehmen.

Kumulierung mit anderen Befreiungen: Die Steuerbefreiung des § 3 Nr. 26 EStG wird neben der Steuerbefreiung des § 3 Nr. 12 Satz 2 EStG gewährt; von Bedeutung ist dies z. B. für die Funktionsträger in den Freiwilligen Feuerwehren, die zumindest teilweise eine Ausbildungstätigkeit i. S. des § 3 Nr. 26 EStG ausüben und daher insoweit auch diese Steuerbefreiung in Anspruch nehmen können.

Der Freibetrag von 2.100 € gilt im Übrigen bei mehreren nebenberuflichen Tätigkeiten insgesamt nur einmal. Der Verein hat sich deshalb vom nichtselbstständigen Übungsleiter schriftlich bestätigen zu lassen, ob und inwieweit er die Steuerbefreiung bereits bei Zahlungen anderer Vereine in Anspruch genommen hat.

Sozialversicherungspflicht: Soweit Übungsleiter Aufwandsentschädigungen erhalten, die nicht höher sind als 2.100 €, sind diese Zahlungen nicht nur steuerfrei, sondern auch sozialversicherungsfrei. Dies ergibt sich aus § 14 Abs. 1 Satz 2 SGB IV, wonach die in § 3 Nr. 26 EStG genannten steuerfreien Einnahmen nicht als Arbeitsentgelt gelten. Bei Zahlungen, die in diesem Rahmen liegen, ist weiter nichts veranlasst.

3. Ehrenamtspauschale

Rechtsgrundlagen: § 3 Nr. 26 a EStG, § 14 SGB IV

Allgemeine Grundsätze: Seit Jahren wird beklagt, dass die Steuerbefreiung des § 3 Nr. 26 EStG in erster Linie nur für pädagogisch ausgerichtete Tätigkeiten gewährt wird. Für einen gemeinnützigen Verein ist aber die Tätigkeit im organisatorischen Bereich (Vereinsvorsitzende, Platzwarte, Kassierer usw.) ebenso wichtig wie die der Übungsleiter.

Der Gesetzgeber hat diese Kritik aufgegriffen und mit Wirkung ab 1. 1. 2007 in einem neuen § 3 Nr. 26 a EStG einen allgemeinen Freibetrag für Einnahmen aus nebenberuflichen Tätigkeiten im gemeinnützigen, mildtätigen oder kirchlichen Bereich bis zur Höhe von 500 € im Jahr eingeführt. Mit dem Freibetrag soll der Aufwand, der den nebenberuflich tätigen Personen durch ihre Beschäftigung entsteht, pauschal abgegolten werden. Wenn die als Betriebsausgaben oder Werbungskosten abziehbaren Aufwendungen höher sind als der Freibetrag, können die gesamten Aufwendungen nachgewiesen oder glaubhaft gemacht werden.

§ 3 EStG [Steuerfreie Einnahmen]

Steuerfrei sind

...

26 a. Einnahmen aus nebenberuflichen Tätigkeiten im Dienst oder Auftrag einer juristischen Person des öffentlichen Rechts, die in einem Mitgliedstaat der Europäischen Union oder in einem Staat belegen ist, auf den das Abkommen über den Europäischen Wirtschaftsraum Anwendung findet, oder einer unter § 5 Abs. 1 Nr. 9 des Körperschaftsteuergesetzes fallenden Einrichtung zur Förderung gemeinnütziger, mildtätiger und kirchlicher Zwecke (§§ 52 bis 54 der Abgabenordnung) bis zur Höhe von insgesamt **500 Euro** im Jahr. Die Steuerbefreiung ist ausgeschlossen, wenn für die Einnahmen aus der Tätigkeit – ganz oder teilweise – eine Steuerbefreiung nach § 3 Nr. 12 oder 26 gewährt wird. Überschreiten die Einnahmen für die in Satz 1 bezeichneten Tätigkeiten den steuerfreien Betrag, dürfen die mit den nebenberuflichen Tätigkeiten in unmittelbarem wirtschaftlichen Zusammenhang stehenden Ausgaben abweichend von § 3 c nur insoweit als Betriebsausgaben oder Werbungskosten abgezogen werden, als sie den Betrag der steuerfreien Einnahmen übersteigen;

Für die Anwendung der neuen Steuerbefreiung gelten im Wesentlichen dieselben Grundsätze wie für die Steuerbefreiung nach § 3 Nr. 26 EStG (siehe oben unter 2.).

Kumulierungsverbot: Ein wesentlicher Unterschied zur Übungsleiterpauschale besteht jedoch darin, dass die neue Steuerbefreiung des § 3 Nr. 26a EStG ausgeschlossen ist, wenn für die Einnahmen aus der zu beurteilenden Tätigkeit – ganz oder teilweise – eine Steuerbefreiung nach § 3 Nr. 12 EStG (Aufwandsentschädigungen aus öffentlichen Kassen) oder § 3 Nr. 26 EStG („Übungsleiterpauschale") gewährt wird.

Der Freibetrag kann nur einmal in Anspruch genommen werden, gleich ob mehrere nach § 3 Nr. 26a EStG begünstigte Tätigkeiten ausgeübt werden, oder ob die Tätigkeiten für mehrere Vereine erbracht wird.

Für die Gewährung des Steuerfreibetrags nach § 3 Nr. 26a EStG ist es unschädlich, wenn ein Steuerpflichtiger bei einem anderen oder sogar beim selben Verein eine nach § 3 Nr. 26 EStG begünstigte Tätigkeit ausübt.

Nicht zulässig ist die Anwendung der Steuerbefreiung des § 3 Nr. 26 a EStG, wenn die Steuerbefreiung des § 3 Nr. 26 EStG nicht (voll) zur Anwendung kommt, weil der Steuerpflichtige mehrere hiernach begünstigte Tätigkeiten ausübt und die Höchstgrenze von 2.100 € überschritten wird.

Anwendungsbereich: Unter die neue Steuerbefreiung fällt z. B. die nebenberufliche Tätigkeit
- von Vereinsvorsitzenden, Kassenwarten, Platzwarten, Zeugwarten usw. in gemeinnützigen Vereinen,
- die ehrenamtliche Tätigkeit von sog. rechtlichen Betreuern nach § 1835 a BGB.

Nicht unter die neue Steuerbefreiung fällt dagegen z. B. die nebenberufliche Tätigkeit der Sportler eines Vereins. Diese fördern den gemeinnützigen Zweck des Vereins weder unmittelbar noch mittelbar.

Sozialversicherungspflicht: Nach § 14 Abs. 1 Satz 3 SGB IV gelten die in § 3 Nr. 26 a EStG genannten steuerfreien Einnahmen nicht als Arbeitsentgelt.

Hinweis: Zur Anwendung des § 3 Nr. 26 a EStG i. d. F. des Gesetzes zur weiteren Stärkung des bürgerschaftlichen Engagements vom 10. 10. 2007 (BGBl. I S. 2332) ist am 25. 11. 2008 ein ausführliches Schreiben des Bundesfinanzministeriums ergangen, das im Folgenden abgedruckt ist.

BMF-Schreiben vom 25. 11. 2008 IV C 4 – S 2121/07/0010 (BStBl. I S. 985)

Steuerfreie Einnahmen aus ehrenamtlicher Tätigkeit;
Gesetz zur weiteren Stärkung des bürgerschaftlichen Engagements vom 10. Oktober 2007

...

1. Begünstigte Tätigkeiten

§ 3 Nr. 26 a EStG sieht im Gegensatz zu § 3 Nr. 26 EStG keine Begrenzung auf bestimmte Tätigkeiten im gemeinnützigen Bereich vor. Begünstigt sind z. B. die Tätigkeiten der Mitglieder des Vorstands, des Kassierers, der Bürokräfte, des Reinigungspersonals, des Platzwartes, des Aufsichtspersonals, der Betreuer und Assistenzbetreuer im Sinne des Betreuungsrechts. Die Tätigkeit der Amateursportler ist nicht begünstigt. Eine Tätigkeit im Dienst oder Auftrag einer steuerbegünstigten Körperschaft muss für deren ideellen Bereich einschließlich ihrer Zweckbetriebe ausgeübt werden. Tätigkeiten in einem steuerpflichtigen wirtschaftlichen Geschäftsbetrieb und bei der Verwaltung des Vermögens sind nicht begünstigt.

2. Nebenberuflichkeit

Eine Tätigkeit wird nebenberuflich ausgeübt, wenn sie – bezogen auf das Kalenderjahr – nicht mehr als ein Drittel der Arbeitszeit eines vergleichbaren Vollzeiterwerbs in Anspruch nimmt. Es können deshalb auch solche Personen nebenberuflich tätig sein, die im steuerrechtlichen Sinne keinen Hauptberuf ausüben, z. B. Hausfrauen, Vermieter, Studenten, Rentner oder Arbeitslose. Übt ein Steuerpflichtiger mehrere verschiedenartige Tätigkeiten i. S. d. § 3 Nr. 26 oder 26a EStG aus, ist die Nebenberuflichkeit für jede Tätigkeit getrennt zu beurteilen. Mehrere gleichartige Tätigkeiten sind zusammenzufassen, wenn sie sich nach der Verkehrsanschauung als Ausübung eines einheitlichen Hauptberufs darstellen, z. B. Erledigung der Buchführung oder Aufzeichnungen von jeweils weniger als dem dritten Teil des Pensums einer Bürokraft für mehrere gemeinnützige Körperschaften. Eine Tätigkeit wird nicht nebenberuflich ausgeübt, wenn sie als Teil der Haupttätigkeit anzusehen ist. Dies ist auch bei formaler Trennung von haupt- und nebenberuflicher selbständiger oder nichtselbständiger Tätigkeit für denselben Arbeitgeber anzunehmen, wenn beide Tätigkeiten gleichartig sind und die Nebentätigkeit unter ähnlichen organisatorischen Bedingungen wie die Haupttätigkeit ausgeübt wird oder der Steuerpflichtige mit der Nebentätigkeit eine ihm aus seinem Dienstverhältnis faktisch oder rechtlich obliegende Nebenpflicht erfüllt.

3. Auftraggeber/Arbeitgeber

Der Freibetrag wird nur gewährt, wenn die Tätigkeit im Dienst oder im Auftrag einer der in § 3 Nr. 26a EStG genannten Personen erfolgt. Als juristische Personen des öffentlichen Rechts kommen beispielsweise in Betracht Bund, Länder, Gemeinden, Gemeindeverbände, Industrie- und Handelskammern, Handwerkskammern, Rechtsanwaltskammern, Steuerberaterkammern, Wirtschaftsprüferkammern, Ärztekammern, Universitäten oder die Träger der Sozialversicherung. Zu den Einrichtungen i. S. d. § 5 Abs. 1 Nr. 9 des Körperschaftsteuergesetzes (KStG) gehören Körperschaften, Personenvereinigungen, Stiftungen und Vermögensmassen, die nach der Satzung oder dem Stiftungsgeschäft und nach der tatsächlichen Geschäftsführung ausschließlich und unmittelbar gemeinnützige, mildtätige oder kirchliche Zwecke verfolgen. Nicht zu den begünstigten Einrichtungen gehören beispielsweise Berufsverbände (Arbeitgeberverband, Gewerkschaft) oder Parteien. Fehlt es an einem begünstigten Auftraggeber/Arbeitgeber, kann der Freibetrag nicht in Anspruch genommen werden.

Rechtliche Betreuer handeln wegen der rechtlichen und tatsächlichen Ausgestaltung des Vormundschafts- und Betreuungswesens im Dienst oder Auftrag einer juristischen Person des öffentlichen Rechts.

4. Förderung gemeinnütziger, mildtätiger und kirchlicher Zwecke

Die Begriffe der gemeinnützigen, mildtätigen und kirchlichen Zwecke ergeben sich aus den §§ 52 bis 54 der Abgabenordnung (AO). Eine Tätigkeit dient auch dann der selbstlosen Förderung begünstigter Zwecke, wenn sie diesen Zwecken nur mittelbar zugute kommt.

Wird die Tätigkeit im Rahmen der Erfüllung der Satzungszwecke einer juristischen Person ausgeübt, die wegen Förderung gemeinnütziger, mildtätiger oder kirchlicher Zwecke steuerbegünstigt ist, ist im Allgemeinen davon auszugehen, dass die Tätigkeit ebenfalls der Förderung dieser steuerbegünstigten Zwecke dient. Dies gilt auch dann, wenn die nebenberufliche Tätigkeit in einem so genannten Zweckbetrieb i. S. d. §§ 65 bis 68 AO ausgeübt wird, z. B. als nebenberuflicher Kartenverkäufer in einem Museum, Theater oder Opernhaus nach § 68 Nr. 7 AO.

Der Förderung begünstigter Zwecke kann auch eine Tätigkeit für eine juristische Person des öffentlichen Rechts dienen, z. B. nebenberufliche Aufsichtstätigkeit in einem Schwimmbad, nebenberuflicher Kirchenvorstand. Dem steht nicht entgegen, dass die Tätigkeit in den Hoheitsbereich der juristischen Person des öffentlichen Rechts fallen kann.

5. Nach § 3 Nr. 12 oder 26 EStG begünstigte Tätigkeiten

Der Freibetrag nach § 3 Nr. 26a EStG kann nicht in Anspruch genommen werden, wenn für die Einnahmen aus derselben Tätigkeit ganz oder teilweise eine Steuerbefreiung nach § 3 Nr. 12 EStG (Aufwandsentschädigungen aus öffentlichen Kassen) gewährt wird oder eine Steuerbefreiung nach § 3 Nr. 26 EStG (sog. Übungsleiterfreibetrag) gewährt wird oder gewährt werden könnte. Die Tätigkeit der Versichertenältesten fällt unter die schlichte Hoheitsverwaltung, so dass die Steuerbefreiungsvorschrift des § 3 Nr. 12 Satz 2 EStG anwendbar ist. Für eine andere Tätigkeit, die neben einer nach § 3 Nr. 12 oder 26 EStG begünstigten Tätigkeit bei einer anderen oder derselben Körperschaft ausgeübt wird, kann die Steuerbefreiung nach § 3 Nr. 26a EStG nur dann in Anspruch genommen werden, wenn die Tätigkeit nebenberuflich ausgeübt wird (s. dazu 2.) und die Tätigkeiten voneinander trennbar sind, gesondert vergütet werden und die dazu getroffenen Vereinbarungen eindeutig sind und durchgeführt werden. Einsatz- und Bereitschaftsdienstzeiten der Rettungssanitäter und Ersthelfer sind als einheitliche Tätigkeit zu behandeln, die insgesamt nach § 3 Nr. 26 EStG begünstigt sein kann und für die deshalb auch nicht teilweise die Steuerbefreiung nach § 3 Nr. 26a EStG gewährt wird.

6. Verschiedenartige Tätigkeiten

Erzielt der Steuerpflichtige Einnahmen, die teils für eine Tätigkeit, die unter § 3 Nr. 26a EStG fällt, und teils für eine andere Tätigkeit, die nicht unter § 3 Nr. 12, 26 oder 26a EStG fällt, gezahlt werden, ist lediglich für den entsprechenden Anteil nach § 3 Nr. 26a EStG der Freibetrag zu gewähren. Die Steuerfreiheit von Bezügen nach anderen Vorschriften, z. B. nach § 3 Nr. 13, 16 EStG, bleibt unberührt; wenn auf bestimmte Bezüge sowohl § 3 Nr. 26a EStG als auch andere Steuerbefreiungsvorschriften anwendbar sind, sind die Vorschriften in der Reihenfolge anzuwenden, die für den Steuerpflichtigen am günstigsten ist.

7. Höchstbetrag

Der Freibetrag nach § 3 Nr. 26a EStG ist ein Jahresbetrag. Dieser wird auch dann nur einmal gewährt, wenn mehrere begünstigte Tätigkeiten ausgeübt werden. Er ist nicht zeitanteilig aufzuteilen, wenn die begünstigte Tätigkeit lediglich wenige Monate ausgeübt wird.

Die Steuerbefreiung ist auch bei Ehegatten personenbezogen vorzunehmen. Auch bei der Zusammenveranlagung von Ehegatten kann der Freibetrag demnach von jedem Ehegatten bis zur Höhe der Einnahmen, höchstens 500 Euro, die er für eine eigene begünstigte Tätigkeit erhält, in Anspruch genommen werden. Eine Übertragung des nicht ausgeschöpften Teils des Freibetrags eines Ehegatten auf höhere Einnahmen des anderen Ehegatten aus der begünstigten nebenberuflichen Tätigkeit ist nicht zulässig.

8. Ehrenamtlicher Vorstand[1]

Nach dem gesetzlichen Regelstatut des BGB hat ein Vorstandsmitglied Anspruch auf Auslagenersatz (§§ 27, 670 BGB). Die Zahlung von pauschalen Vergütungen für Arbeits- oder Zeitaufwand (Tätigkeitsvergütungen) an den Vorstand ist nur dann zulässig, wenn dies durch bzw. aufgrund einer Satzungsregelung ausdrücklich zugelassen ist. Ein Verein, der nicht ausdrücklich die Bezahlung des Vorstands regelt und der dennoch Tätigkeitsvergütungen an Mitglieder des Vorstands zahlt, verstößt gegen das Gebot der Selbstlosigkeit. Die regelmäßig in den Satzungen enthaltene Aussage: „Es darf keine

---

[1] Tz. 8 neu gefasst durch BMF-Schreiben v. 14. 10. 2009 IV C 4 – S 121/07/0010.

Person ... durch unverhältnismäßig hohe Vergütungen begünstigt werden" (vgl. Anlage 1 zu § 60 AO; dort § 4 der Mustersatzung) ist keine satzungsmäßige Zulassung von Tätigkeitsvergütungen an Vorstandsmitglieder.

Eine Vergütung ist auch dann anzunehmen, wenn sie nach der Auszahlung an den Verein zurückgespendet oder durch Verzicht auf die Auszahlung eines entstandenen Vergütungsanspruchs an den Verein gespendet wird.

Der Ersatz tatsächlich entstandener Auslagen (z. B. Büromaterial, Telefon- und Fahrtkosten) ist auch ohne entsprechende Regelung in der Satzung zulässig. Der Einzelnachweis der Auslagen ist nicht erforderlich, wenn pauschale Zahlungen den tatsächlichen Aufwand offensichtlich nicht übersteigen; dies gilt nicht, wenn durch die pauschalen Zahlungen auch Arbeits- oder Zeitaufwand abgedeckt werden soll. Die Zahlungen dürfen nicht unangemessen hoch sein (§ 55 Absatz 1 Nummer 3 AO).

Falls ein gemeinnütziger Verein bis zu dem Datum dieses Schreibens[1] ohne ausdrückliche Erlaubnis dafür in seiner Satzung bereits Tätigkeitsvergütungen gezahlt hat, sind daraus unter den folgenden Voraussetzungen keine für die Gemeinnützigkeit des Vereins schädlichen Folgerungen zu ziehen:

1. Die Zahlungen dürfen nicht unangemessen hoch gewesen sein (§ 55 Abs. 1 Nr. 3 AO).

2. Die Mitgliederversammlung beschließt bis zum 31. Dezember 2010 eine Satzungsänderung, die Tätigkeitsvergütungen zulässt. An die Stelle einer Satzungsänderung kann ein Beschluss des Vorstands treten, künftig auf Tätigkeitsvergütungen zu verzichten.

9. Werbungskosten- bzw. Betriebsausgabenabzug

Ein Abzug von Werbungskosten bzw. Betriebsausgaben, die mit den steuerfreien Einnahmen nach § 3 Nr. 26a EStG in einem unmittelbaren wirtschaftlichen Zusammenhang stehen, ist nur dann möglich, wenn die Einnahmen aus der Tätigkeit und gleichzeitig auch die jeweiligen Ausgaben den Freibetrag übersteigen. In Arbeitnehmerfällen ist in jedem Falle der Arbeitnehmer-Pauschbetrag anzusetzen, soweit er nicht bei anderen Dienstverhältnissen verbraucht ist.

Beispiel: Ein Student, der keine anderen Einnahmen aus nichtselbstständiger Arbeit erzielt, arbeitet nebenberuflich im Dienst der Stadt als Tierpfleger bei deren als gemeinnützig anerkanntem Tierheim. Dafür erhält er insgesamt 1.200 Euro im Jahr. Von den Einnahmen sind der Arbeitnehmer-Pauschbetrag von 920 Euro (§ 9a Satz 1 Nr. 1 Buchstabe b EStG) und der Freibetrag nach § 3 Nr. 26a EStG bis zur Höhe der ver-

---

[1] Datum des Änderungsschreibens in Fußnote 1 auf S. 157.

bliebenen Einnahmen (280 Euro) abzuziehen. Die Einkünfte aus der nebenberuflichen Tätigkeit betragen 0 Euro.

10. Freigrenze des § 22 Nr. 3 EStG

Gehören die Einnahmen des Steuerpflichtigen aus seiner nebenberuflichen Tätigkeit zu den sonstigen Einkünften (§ 22 Nr. 3 EStG), ist der Freibetrag nach § 3 Nr. 26a EStG bei der Prüfung der Frage, ob die bei dieser Einkunftsart zu beachtende gesetzliche Freigrenze in Höhe von 256 Euro im Jahr überschritten ist, zu berücksichtigen.

Beispiel: Ein nebenberuflicher rechtlicher Betreuer erhält für die Betreuung von zwei Personen zweimal die Entschädigungspauschale nach § 1835a BGB, also insgesamt 646 Euro. Nach Abzug des Freibetrags nach § 3 Nr. 26a EStG betragen die Einkünfte 146 Euro, liegen also unterhalb der Freigrenze des § 22 Nr. 3 EStG von 256 Euro.

11. Lohnsteuerverfahren

Beim Lohnsteuerabzug ist eine zeitanteilige Aufteilung des Freibetrags nicht erforderlich. Dies gilt auch dann, wenn feststeht, dass das Dienstverhältnis nicht bis zum Ende des Kalenderjahres besteht. Der Arbeitnehmer hat dem Arbeitgeber jedoch schriftlich zu bestätigen, dass die Steuerbefreiung nach § 3 Nr. 26a EStG nicht bereits in einem anderen Dienst- oder Auftragsverhältnis berücksichtigt worden ist oder berücksichtigt wird. Diese Erklärung ist zum Lohnkonto zu nehmen.

12. Rückspende

Die Rückspende einer steuerfrei ausgezahlten Aufwandsentschädigung oder Vergütung an die steuerbegünstigte Körperschaft ist grundsätzlich zulässig. Für den Spendenabzug sind die Grundsätze des BMF-Schreibens vom 7. 6. 1999 (BStBl. I S. 591) zur Anerkennung sog. Aufwandsspenden an gemeinnützige Vereine zu beachten.

III. Steuerliche Behandlung der Aufwendungen für ein Ehrenamt

Ein Ehrenamt wird im Allgemeinen aus persönlichen oder auch aus politischen Gründen übernommen. Damit liegt regelmäßig eine Teilnahme am öffentlichen Leben außerhalb der geschäftlichen oder beruflichen Tätigkeit vor. Infolgedessen erwachsen die Aufwendungen aus dem Ehrenamt im privaten Bereich und sind deshalb grundsätzlich nichtabzugsfähige Kosten der Lebensführung (§ 12 Nr. 1 EStG). Siehe z. B. FG Hamburg vom 31. 8. 1987 II 292/84, EFG 1988 S. 66 betr. Tätigkeit des Filialleiters einer Bank als Vorstandsmitglied eines Segel-Vereins.

Eine steuerliche Berücksichtigung ist folglich nur möglich unter den Voraussetzungen der §§ 4, 9 EStG (Betriebsausgaben/Werbungskosten), 10b EStG (Spenden), 33 EStG (außergewöhnliche Belastungen).

1. Betriebsausgaben-/Werbungskostenabzug bei Zusammenhang mit Einkünften

Als Betriebsausgaben/Werbungskosten sind die (nicht ersetzten) Aufwendungen dann abzugsfähig, wenn das Ehrenamt in engem Zusammenhang mit einer Tätigkeit i. S. der Einkunftsarten des § 2 Abs. 1 Nr. 1 bis 7 EStG steht und Ausfluss der Haupttätigkeit des Steuerpflichtigen ist.

Beispiel: Aufwendungen eines Arbeitnehmers im Zusammenhang mit seiner ehrenamtlichen Gewerkschaftstätigkeit (Urteil des BFH vom 28. 11. 1980 VI R 193/77, BStBl. II 1981 S. 368).

Zum Werbungskostenabzug führen jedoch nicht sämtliche Maßnahmen, die ein Steuerpflichtiger im Rahmen seiner ehrenamtlichen Gewerkschaftstätigkeit für sinnvoll und erforderlich hält:

Ein Abzug ist nach § 12 EStG ausgeschlossen, wenn eine private Mitveranlassung nicht unerheblich ist. Nicht abzugsfähig sind z. B. nach einem Urteil des FG Köln vom 26. 10. 1988 1 K 259/86, EFG 1989 S. 171 Aufwendungen für die Teilnahme an einer gesellschaftlichen Veranstaltung, die von einer Gewerkschaft veranstaltet wird. Gesellschaftliche Veranstaltungen fallen in den Bereich der Lebensführung. Ein Bezug zum Beruf des Steuerpflichtigen ergibt sich allenfalls daraus, dass die Gewerkschaft Veranstalterin war.

Gleiches gilt für die UdSSR-Reise eines Lehrers, wenn der Schwerpunkt der Reise allgemein-touristischen Zielen diente, auch wenn er hierüber im Anschluss für seine Gewerkschaft eine Broschüre der beruflichen Allgemeinbildung fertigte (BFH vom 25. 3. 1993 VII R 14/90, BStBl. II S. 559).

Ein Abzug ist ferner nicht zulässig, wenn die den Aufwendungen zugrunde liegenden Aktivitäten nicht geeignet sind, die beruflichen oder sozialen Rahmenbedingungen der dieser Organisation angeschlossenen Mitglieder zu sichern oder zu verbessern (Auslandsinformationsreise einer ehrenamtlichen Jugendleiterin, deren dort gewonnene Erkenntnisse ausschließlich bei der gewerkschaftlichen Arbeit mit ausländischen Jugendlichen verwertet werden, FG Nürnberg vom 15. 3. 1989 V 137/88, EFG 1989 S. 565; Teilnahme eines ehrenamtlichen Funktionärs der Deutschen Bundespost an einem Solidaritätsarbeitseinsatz in Nicaragua, Hessisches FG vom 26. 1. 1994 11 K 180/91, EFG 1994 S. 919).

2. Spendenabzug bei Verzicht auf einen durch Satzung und Vertrag eingeräumten Erstattungsanspruch

Bei ehrenamtlicher Tätigkeit besteht aufgrund der Vorschrift des § 670 BGB bezüglich entstandener Auslagen ein Geldanspruch, der bei Verzicht auf Auszahlung in Höhe dieses Anspruchswerts zu einer anzuerkennenden Spende führt. Ein Spendenabzug für geleisteten Arbeitsaufwand ist nicht möglich.

Bei Anspruch auf Vergütung geleisteten Arbeitsaufwands ist zu beachten, dass ein Verzicht auf Auszahlung eine evtl. Steuerpflicht der Aufwandsentschädigung nicht beseitigt.

Nach dem Regelungsinhalt der §§ 10b Abs. 3 Satz 6 EStG, 9 Abs. 2 Satz 5 KStG, 9 Nr. 5 Satz 6 GewStG ist ein Spendenabzug im Übrigen nur dann möglich, wenn der Anspruch nicht unter der Bedingung des Verzichts eingeräumt worden ist

Beispiel: Aufwendungen, die einem Übungsleiter und Bootsobmann der DLRG durch die Fahrten von der Wohnung zu den von der DLRG bewachten Freibädern und Hallenbädern entstehen, können als Spenden abziehbar sein, soweit gegen die DLRG ein Anspruch auf Erstattung der Aufwendungen besteht und auf die Erstattung verzichtet wird (BFH vom 28. 4. 1978 VI R 147/75, BStBl. II 1979 S. 297).

Im Folgenden sind die Grundsätze festgeschrieben, die erfüllt sein müssen, damit Aufwendungsersatzansprüche gem. § 670 BGB als Aufwandsspenden i. S. des § 10b EStG anerkannt werden können:
- Aufwendungsersatzansprüche nach § 670 BGB können zwar Gegenstand so genannter Aufwandsspenden gem. § 10b Abs. 3

Satz 5 und 6 EStG sein. Das gilt auch im Verhältnis eines Zuwendungsempfängers zu seinen ehrenamtlich tätigen Mitgliedern. Nach den Erfahrungen spricht aber eine tatsächliche Vermutung dafür, dass Leistungen ehrenamtlich tätiger Mitglieder und Förderer des Zuwendungsempfängers unentgeltlich und ohne Aufwendungsersatz erbracht werden. Diese Vermutung ist allerdings widerlegbar. Der Gegenbeweis wird bei vertraglichen Ansprüchen grundsätzlich durch eine schriftliche Vereinbarung geführt, die vor der zum Aufwand führenden Tätigkeit getroffen sein muss.

- Hat der Zuwendende einen Aufwendungsersatzanspruch gegenüber dem Zuwendungsempfänger und verzichtet er darauf, ist ein Spendenabzug nach § 10b Abs. 3 Satz 5 EStG nur zulässig, wenn der entsprechende Aufwendungsersatzanspruch durch Vertrag, Satzung oder einen rechtsgültigen Vorstandsbeschluss eingeräumt worden ist, und zwar bevor die zum Aufwand führende Tätigkeit begonnen worden ist. Für die Anerkennung eines Aufwendungsersatzanspruchs aufgrund eines Vorstandsbeschlusses ist zusätzlich erforderlich, dass der entsprechende Beschluss den Mitgliedern in geeigneter Weise bekannt gemacht worden ist. Eine nachträgliche rückwirkende Begründung von Ersatzpflichten durch den Zuwendungsempfänger, z. B. durch eine rückwirkende Satzungsänderung, reicht nicht aus. Aufwendungsersatzansprüche nach § 27 Abs. 3 i.V.m. § 670 BGB von Vorstandsmitgliedern sind keine durch Satzung eingeräumten Ansprüche i.S. des § 10b Abs. 3 Satz 5 EStG. Aufwendungsersatzansprüche aus einer auf einer entsprechenden Satzungsermächtigung beruhenden Vereinsordnung (z.B. Reisekostenordnung) sind Ansprüche aus Satzungen i.S. des § 10b Abs. 3 Satz 5 EStG.
- Aufwendungsersatzansprüche müssen ernsthaft eingeräumt sein und dürfen gem. § 10b Abs. 3 Satz 6 EStG nicht unter der Bedingung des Verzichts stehen. Wesentliches Indiz für die Ernsthaftigkeit von Aufwendungsersatzansprüchen ist die wirtschaftliche Leistungsfähigkeit des Zuwendungsempfängers. Dieser muss ungeachtet des späteren Verzichts in der Lage sein, den geschuldeten Aufwendungsersatz zu leisten. Die vorstehenden Grundsätze gelten entsprechend, wenn der Aufwendungsersatz nach einer vorhergehenden Geldspende ausgezahlt wird. Der Abzug einer Spen-

de gem. § 10b EStG setzt voraus, dass die Ausgabe beim Spender zu einer endgültigen wirtschaftlichen Belastung führt. Eine endgültige wirtschaftliche Belastung liegt nicht vor, soweit der Wertabgabe aus dem Vermögen des Steuerpflichtigen ein entsprechender Zufluss – im Falle der Zusammenveranlagung auch beim anderen Ehegatten – gegenübersteht (BFH vom 20. 2. 1991 X R 191/87, BStBl. II S. 690). Die Auszahlung von Aufwendungsersatz an den Spender führt nur insoweit nicht zu einem schädlichen Rückfluss, als der Aufwendungsersatz aufgrund eines ernsthaft eingeräumten Ersatzanspruchs geleistet wird, der nicht unter der Bedingung der vorhergehenden Spende steht. Die Grundsätze des BFH-Urteils vom 3. 12. 1996 I R 67/95, BStBl. II 1997 S. 474 sind für die Beurteilung des Spendenabzugs nicht anzuwenden, soweit sie mit den vorstehenden Grundsätzen nicht im Einklang stehen.

- Bei dem Verzicht auf den Ersatz der Aufwendungen handelt es sich nicht um eine Spende des Aufwands, sondern um eine Geldspende, bei der entbehrlich ist, dass Geld zwischen dem Zuwendungsempfänger und dem Zuwendenden tatsächlich hin und her fließt. In der Zuwendungsbestätigung ist deshalb eine Geldzuwendung zu bescheinigen.

- Für die Höhe der Zuwendung ist der vereinbarte Ersatzanspruch maßgeblich; allerdings kann ein unangemessen hoher Ersatzanspruch zum Verlust der Gemeinnützigkeit des Zuwendungsempfängers führen (§ 55 Abs. 1 Nr. 3 AO). Eine Zuwendungsbestätigung darf nur erteilt werden, wenn sich der Ersatzanspruch auf Aufwendungen bezieht, die zur Erfüllung der satzungsmäßigen Zwecke des Zuwendungsempfängers erforderlich waren. Der Zuwendungsempfänger muss die zutreffende Höhe des Ersatzanspruchs, über den er eine Zuwendungsbestätigung erteilt hat, durch geeignete Unterlagen im Einzelnen belegen können.

3. Außergewöhnliche Belastung i. S. des § 33 EStG bei Zwangsläufigkeit

Ein Abzug als außergewöhnliche Belastung kommt in Betracht, wenn Aufwendungen zwangsläufig i. S. des § 33 EStG entstanden sind. Mit der Frage, inwieweit dies bei einer ehrenamtlichen Tätigkeit der Fall sein kann, war das FG Köln mit Urteil vom 10. 11. 1982 XI 286/81, EFG 1983 S. 412 befasst. Im Streitfall hatte der Verein eine Benefizveranstaltung zugunsten der „Aktion Sorgenkind" durchgeführt, wobei ein Defizit von 13.000 DM entstanden war, für das der Vereinsvorsitzende persönlich einstehen musste. Nach Auffassung des Gerichts kann die Tilgung der Schuld des Vereins nicht als außergewöhnliche Belastung anerkannt werden, weil die Schuld beim Verein nicht zwangsläufig verursacht war. Die Schuld ist nicht in der Weise entstanden, dass der Verein sich ihr aus rechtlichen, tatsächlichen oder sittlichen Gründen nicht hätte entziehen können. Die Entstehung der Schuld hatte vielmehr ihre primäre Ursache in der auch durch den Kläger getroffenen Entscheidung des Vereins, eine Großveranstaltung durchzuführen. Die Veranstaltung war weder rechtlich noch tatsächlich geboten, sondern sie beruhte auf der freiwilligen Entschließung der Vereinsmitglieder und ihres 1. Vorsitzenden, ein geselliges Ereignis zu schaffen, um dadurch auf den Verein aufmerksam zu machen, und um durch den erwarteten Mehrerlös aus der Veranstaltung die „Aktion Sorgenkind" zu unterstützen. Die Veranstaltung war auch nicht etwa deshalb sittlich geboten, weil mit der „Aktion Sorgenkind" eine förderungswürdige Einrichtung unterstützt werden sollte, denn die allgemeine sittliche Pflicht, in Not geratene Mitmenschen zu unterstützen, kann die Zwangsläufigkeit i. S. von § 33 Abs. 2 EStG allein nicht begründen. Diese für den Verein und seine Mitglieder nicht zwangsläufig entstandene Schuld wird auch nicht dadurch zu einer außergewöhnlichen Belastung, dass der Vereinsvorsitzende gem. § 54 BGB im Haftungswege für sie einstehen muss, denn der Charakter der Schuld hat sich nicht umgewandelt. Hätte der Steuerpflichtige nicht als Vereinsmitglied und maßgeblicher 1. Vorsitzender, sondern als Alleinveranstalter die Kosten des Veranstaltungsrisikos tragen müssen, so wären die Aufwendungen ebenfalls nicht zwangsläufig entstanden und daher nicht nach § 33 EStG berücksichtigungsfähig. Für die Beurteilung nach § 33 EStG kann es keinen Unterschied machen, ob die Aufwendungen zur Tilgung einer originären Schuld oder einer Haftungsschuld (Schadenersatz, Bürgschaft) geleistet werden.

J. Gemeinnützigkeit

- Welche Vorteile bringt die Anerkennung der Gemeinnützigkeit?
- Welche Zwecke sind gemeinnützig?
- Was versteht man unter Vermögensverwaltung, Zweckbetrieb, wirtschaftlichem Geschäftsbetrieb?
- Welche Bedeutung hat die Gewichtigkeitsgrenze von 35.000 €?
- Wie werden die Besteuerungsgrundlagen ermittelt?
- Welche Einschränkungen bestehen bzgl. der Erhebung von Einnahmen und Bestreitung von Ausgaben?
- Welche Zuwendungen an Mitglieder sind zulässig, welche nicht?
- Sind satzungsfremde Tätigkeiten, die der Mittelbeschaffung dienen, erlaubt?
- Was ist mit dem Vermögen bei Auflösung der Körperschaft?
- Wie muss die Satzung aussehen?
- Ab wann kann eine Körperschaft die Steuervorteile der Gemeinnützigkeit beanspruchen?
- Wie ist das Übereinstimmen von Satzung und tatsächlicher Geschäftsführung nachzuweisen?
- Welche Folgen haben Verstöße gegen die tatsächliche Geschäftsführung?
- Inwieweit ist bei gemeinnützigen Einrichtungen die Rücklagenbildung eingeschränkt?

I. Bedeutung der Gemeinnützigkeit

Die Anerkennung der Gemeinnützigkeit durch das Finanzamt bedeutet zum einen weitgehende Steuerfreistellung für den Verein/die Körperschaft, zum anderen beinhaltet sie steuerliche Vergünstigungen für dritte Personen, die den Verein/die Körperschaft unterstützen. Darüber hinaus eröffnet sie den Zugang zu einer Vielzahl außersteuerlicher Vergünstigungen.

Steuervorteile der gemeinnützigen Körperschaft:

- weitgehende KSt-, GewSt-Befreiung (§ 5 Abs. 1 Nr. 9 KStG, § 3 Nr. 6 GewStG),

- ermäßigter Steuersatz bei der Umsatzsteuer (§ 12 Abs. 2 Nr. 8 UStG) für den Bereich der Vermögensverwaltung und Zweckbetriebe
- Steuervergünstigungen bei der Erbschaftsteuer, Grundsteuer
- Buchführungserleichterungen

Steuerliche Vergünstigungen für ehrenamtlich Tätige:

- Übungsleiterfreibetrag (§ 3 Nr. 26 EStG)
- Ehrenamtsfreibetrag (§ 3 Nr. 26a EStG)

Steuerliche Vergünstigungen für Förderer der gemeinnützigen Körperschaft:

- Spendenabzug (§ 10b EStG, § 9 Abs. 1 Nr. 2 KStG, § 9 Nr. 5 GewStG)

Außersteuerliche Vergünstigungen:

- AB-Maßnahmen
- Befreiung von staatlichen Gebühren und Kosten
- Zuweisung von Bußgeldern
- Unterstützung durch Dach- und Spitzenverbände

II. Personenkreis und förderungswürdige Zielsetzung

Die Steuerbegünstigung ist nach den verschiedenen Steuergesetzen nur **Körperschaften** vorbehalten, die nach der **Satzung und tatsächlichen Geschäftsführung ausschließlich und unmittelbar** gemeinnützigen, mildtätigen oder kirchlichen Zwecken (**steuerbegünstigten Zwecken**) dienen. Die gesetzlichen Rahmenbedingungen sind in den §§ 51–68 AO verankert.

1. Gemeinnützige Zwecke

Eine Körperschaft verfolgt gemeinnützige Zwecke, wenn ihre Tätigkeit darauf gerichtet ist, die Allgemeinheit auf materiellem, geistigem oder sittlichen Gebiet selbstlos zu fördern.

Eine Förderung der Allgemeinheit ist nicht gegeben, wenn der Kreis der Personen, dem die Förderung zugute kommt, fest abgeschlossen ist (z. B. durch Zugehörigkeit zu einer Familie oder zur Belegschaft eines Unternehmens) oder infolge seiner Abgrenzung, insbesondere nach räumlichen oder beruflichen Merkmalen, dauernd nur klein sein kann (§ 52 Abs. 1 AO).

Bei Körperschaften, deren Tätigkeit nur oder hauptsächlich den **Mitgliedern** zugute kommt, wie dies z. B. bei Sportvereinen der Fall ist, kommt es darauf an, dass der Zugang zum Verein/zur Körperschaft jedermann offen steht. Kann nur ein kleiner Personenkreis gefördert werden, weil natürliche Grenzen einer Mitgliederaufnahme entgegenstehen (z. B. bei einem Tennisclub, dessen Aufnahmekapazität durch die geringe Anzahl von Spielfeldern begrenzt ist), ist dies für sich allein nicht schädlich. Der grundsätzlich freie Zugang darf aber nicht dadurch eingeschränkt werden, dass durch hohe Eintrittsgelder, Mitgliedsbeiträge und „Spenden" weite Bevölkerungskreise vom Beitritt zum Verein/zur Körperschaft praktisch ausgeschlossen werden (Exklusivität). Die Beitragsgestaltung muss so sein, dass jeder, der will, beitreten kann (Obergrenze für Mitgliederbeiträge und Umlagen: 1.023 € im Jahresdurchschnitt, für Aufnahmegebühren: 1.534 €).

Bei Körperschaften, die sich eine Förderung **außen Stehender** zum Ziel gesetzt haben, kommt es für die Gemeinnützigkeit nicht auf die Mitgliederzahl, sondern darauf an, dass grundsätzlich jeder (außen Stehende) die Leistungen der Körperschaft in Anspruch nehmen kann. Unschädlich ist es dabei, wenn eine Organisation ihr Engagement auf Kreise beschränkt, die ihr in irgendeiner Weise verbunden sind.

Als **gemeinnützige** Betätigungen sind gem. § 52 Abs. 2 AO anzuerkennen:

(1) die Förderung von Wissenschaft und Forschung;

(2) die Förderung der Religion;

(3) die Förderung des öffentlichen Gesundheitswesens und der öffentlichen Gesundheitspflege, insbesondere die Verhütung und Bekämpfung von übertragbaren Krankheiten, auch durch Krankenhäuser i. S. des § 67 AO, und von Tierseuchen;

(4) die Förderung der Jugend- und Altenhilfe;

(5) die Förderung von Kunst und Kultur;

(6) die Förderung des Denkmalschutzes und der Denkmalpflege;

(7) die Förderung der Erziehung, Volks- und Berufsbildung einschließlich der Studentenhilfe;

(8) die Förderung des Naturschutzes und der Landschaftspflege i. S. des Bundesnaturschutzgesetzes und der Naturschutzgesetze der Länder, des Umweltschutzes, des Küstenschutzes und des Hochwasserschutzes;

(9) die Förderung des Wohlfahrtswesens, insbesondere der Zwecke der amtlich anerkannten Verbände der freien Wohlfahrtspflege (§ 23 Umsatzsteuer-Durchführungsverordnung), ihrer Unterverbände und ihrer angeschlossenen Einrichtungen und Anstalten;

(10) die Förderung der Hilfe für politisch, rassisch oder religiös Verfolgte, für Flüchtlinge, Vertriebene, Aussiedler, Spätaussiedler, Kriegsopfer, Kriegshinterbliebene, Kriegsbeschädigte und Kriegsgefangene, Zivilbeschädigte und Behinderte sowie Hilfe für Opfer von Straftaten; Förderung des Andenkens an Verfolgte, Kriegs- und Katastrophenopfer; Förderung des Suchdienstes für Vermisste;

(11) die Förderung der Rettung aus Lebensgefahr;

(12) die Förderung des Feuer-, Arbeits-, Katastrophen- und Zivilschutzes sowie der Unfallverhütung;

(13) die Förderung internationaler Gesinnung, der Toleranz auf allen Gebieten der Kultur und des Völkerverständigungsgedankens;

(14) die Förderung des Tierschutzes;

(15) die Förderung der Entwicklungszusammenarbeit;

(16) die Förderung von Verbraucherberatung und Verbraucherschutz;

(17) die Förderung der Fürsorge für Strafgefangene und ehemalige Strafgefangene;

(18) die Förderung der Gleichberechtigung von Frauen und Männern;

(19) die Förderung des Schutzes von Ehe und Familie;

(20) die Förderung der Kriminalprävention;

(21) die Förderung des Sports (Schach gilt als Sport);

(22) die Förderung der Heimatpflege und Heimatkunde;

(23) die Förderung der Tierzucht, der Pflanzenzucht, der Kleingärt-

nerei, des traditionellen Brauchtums einschließlich des Karnevals, der Fastnacht und des Faschings, der Soldaten- und Reservistenbetreuung, des Amateurfunkens, des Modellflugs und des Hundesports;

(24) die allgemeine Förderung des demokratischen Staatswesens im Geltungsbereich dieses Gesetzes; hierzu gehören nicht Bestrebungen, die nur bestimmte Einzelinteressen staatsbürgerlicher Art verfolgen oder die auf den kommunalpolitischen Bereich beschränkt sind;

(25) die Förderung des bürgerschaftlichen Engagements zugunsten gemeinnütziger, mildtätiger und kirchliche Zwecke.

Der vorgenannte Katalog ist abschließend. Einer Empfehlung des Bundestags-Finanzausschusses folgend wurde aber in § 52 Abs. 2 Satz 2 AO eine Öffnungsklausel aufgenommen, um „ungewöhnliche" Zwecke und künftige Entwicklungen berücksichtigen zu können. Die Entscheidung hierüber obliegt den obersten Finanzbehören der Länder.

Nicht gemeinnützig sind:

- Freizeitvereine, deren Betätigung keine wesentlichen Merkmale bisher schon gemeinnütziger Zwecke enthält, durch die also nicht in größerem Umfang z. B. die Jugendpflege, Erziehung, Volks- und Berufsbildung, Heimatpflege, Kultur, der Tierschutz oder das Brauchtum gefördert wird. Reine Geselligkeitsvereine oder Fanclubs sind deshalb nach wie vor nicht gemeinnützig.

- Vereine mit politischer Zielsetzung (Beeinflussung der politischen Willensbildung, Förderung politischer Parteien). Als unschädlich für die Gemeinnützigkeit ist eine Beeinflussung der politischen Meinungsbildung jedoch dann anzusehen, wenn eine gemeinnützige Tätigkeit (z. B. Förderung des Umweltschutzes) nach den Verhältnissen im Einzelfall zwangsläufig mit einer politischen Zielsetzung verbunden ist und die unmittelbare Einwirkung auf die politischen Parteien und die staatliche Willensbildung gegenüber der Förderung des gemeinnützigen Zwecks in den Hintergrund tritt.

- Vereine, deren Betätigung nicht im Rahmen der verfassungsmäßigen Ordnung liegt. Die verfassungsmäßige Ordnung wird schon durch die Ankündigung von gewaltfreiem Widerstand gegen geplante Maßnahmen und die Nichtbefolgung von polizeilichen Anordnungen durchbrochen.

Durch eine Ergänzung des § 51 Abs. 1 Satz 4 AO wurde nunmehr auch gesetzlich verankert, dass extremistisches Gedankengut mit der Anerkennung der Gemeinnützigkeit nicht vereinbar ist. Eine Körperschaft kann nur dann als steuerbegünstigt anerkannt werden, wenn sie nach ihrer Satzung und bei ihrer tatsächlichen Geschäftsführung keine Bestrebungen nach § 4 des Bundesverfassungsschutzgesetzes verfolgt. Damit sollen insbesondere diejenigen Vereine von der Anerkennung als gemeinnützig ausgeschlossen werden, deren Zweck oder Tätigkeit gegen die freiheitlich demokratische Grundordnung, den Bestand oder die Sicherheit des Bundes oder eines Landes gerichtet oder deren Einrichtungen in ihrer Funktionsfähigkeit erheblich zu beeinträchtigen geeignet ist. Mit der zusätzlichen Aufnahme des Tatbestands des Zuwiderlaufens gegen den Gedanken der Völkerverständigung sollen z. B. ausländerextremistische Spendensammelvereine von der Zuerkennung der Steuerbegünstigung ausgeschlossen werden.

2. Mildtätige Zwecke

Ein Verein/eine Körperschaft verfolgt mildtätige Zwecke, wenn seine/ihre Tätigkeit darauf gerichtet ist, Personen selbstlos zu unterstützen,

- die infolge ihres körperlichen, geistigen oder seelischen Zustands auf die Hilfe anderer angewiesen sind (§ 53 Nr. 1 AO), oder
- deren Einkünfte eine bestimmte Höhe nicht übersteigen (§ 53 Nr. 2 AO).

Mit der Anerkennung als **steuerbegünstigt** sind folgende steuerliche Vergünstigungen verbunden:

- wirtschaftliche Geschäftsbetriebe im Bereich der Wohlfahrtspflege zählen zu den steuerbegünstigten Zweckbetrieben (vgl. §§ 66, 68 Nr. 1–5 AO);
- Leistungen der amtlich anerkannten Verbände der freien Wohlfahrtspflege und ihrer Mitgliedsorganisationen sind von der Um-

satzsteuer befreit (§ 4 Nr. 18 UStG, § 23 UStDV, Abschn. 103 UStR 2008);

- Umsatzsteuer beim Erwerb von Gegenständen, die zu humanitären, karitativen oder erzieherischen Zwecken im Ausland verwendet werden, wird auf Antrag vergütet (§ 4a UStG i.V.m. § 24 UStDV und Abschn. 123–127 UStR 2008);
- Aufwandsentschädigungen für die nebenberufliche Pflege alter, kranker oder behinderter Menschen sind bei dem einzelnen Empfänger bis zum Betrag von 2.100 € steuerfrei (§ 3 Nr. 26 EStG).

3. Kirchliche Zwecke

Eine Körperschaft verfolgt kirchliche Zwecke, wenn ihre Tätigkeit darauf gerichtet ist, eine Religionsgemeinschaft, die eine Körperschaft des öffentlichen Rechts ist, selbstlos zu fördern (§ 54 Abs. 1 AO).

Religionsgemeinschaften des öffentlichen Rechts sind die evangelische und die katholische Kirche als Landeskirche, Bistum oder Pfarrgemeinde, die jüdischen Kultusvereinigungen und andere kirchliche Gemeinschaften, die in einem Land der BRD als Körperschaft des öffentlichen Rechts anerkannt sind.

Die Förderung von Religionsgemeinschaften, die nicht zu den juristischen Personen des öffentlichen Rechts gehören (Sekten, Weltanschauungsgesellschaften), zählt nicht zu den kirchlichen Zwecken i.S. des § 54 AO, sondern allenfalls zu den gemeinnützigen Zwecken i.S. des § 52 AO (Förderung der Religion, § 52 Abs. 2 Nr. 2 AO).

III. Selbstlosigkeit, Ausschließlichkeit, Unmittelbarkeit

Die Verfolgung eines förderungswürdigen Zwecks für sich allein ist noch nicht ausreichend, um als „gemeinnützig" anerkannt zu werden. Dieser Zweck muss darüber hinaus ausschließlich (§ 56 AO), unmittelbar (§ 57 AO) und selbstlos (§ 55 AO) verfolgt werden.

1. Selbstlosigkeit

Selbstlosigkeit setzt uneigennütziges Handeln voraus und bedeutet,

- Verzicht auf wirtschaftliche Vorteile der Mitglieder,
- Verzicht auf unbegründete Mehrung des Vereinsvermögens,
- Einschränkungen bei der Verwendung von Mitteln des Vereins.

Nach dem Grundsatz der Selbstlosigkeit (§ 55 AO) ist eine gemeinnützige Körperschaft bei der Verwendung ihrer Mittel bestimmten Einschränkungen unterworfen.

Unzulässig ist

- die Ausschüttung von Gewinnanteilen an Mitglieder (§ 55 Abs. 1 Nr. 1 AO),
- die Verwendung von Mitteln für Zuwendungen an Mitglieder, die über Annehmlichkeiten hinausgehen (AEAO Nr. 10 zu § 55 AO),
- die Zahlung unverhältnismäßig hoher Vergütungen als Leistungsentgelte (§ 55 Abs. 1 Nr. 1 S. 3 AO),
- die Unterstützung oder Förderung politischer Parteien (§ 55 Abs. 1 Nr. 1 Satz 2 AO),
- der Ausgleich von Verlusten wirtschaftlicher Geschäftsbetriebe (AEAO Nr. 8 zu § 55 AO),
- das Ansammeln von Mitteln über den nach § 58 Nr. 6 und 7 AO zulässigen Rahmen hinaus (AEAO Nr. 26–28 zu § 55 AO, § 63 Abs. 4 AO),
- die Verwendung zu nicht begünstigten Zwecken im Fall der Auflösung des Vereins.

Mit der Gemeinnützigkeit vereinbar ist

- die Zahlung eines angemessenen Leistungsentgeltes (AEAO Nr. 11 zu § 55 AO),
- die Unterstützung anderer steuerbegünstigter Körperschaften durch Zuwendung von Mitteln oder Vergabe von Darlehen (AEAO Nr. 2 zu § 58 AO und AEAO Nr. 15 zu § 55 AO),
- die Vergabe von Darlehen im Rahmen der Erfüllung satzungsmäßiger Zwecke (AEAO Nr. 15 zu § 58 AO),
- die Vergabe von Darlehen aus Mitteln, die nicht dem Gebot der zeitnahen Mittelverwendung unterliegen (AEAO Nr. 16 zu § 55 AO, üblicher Zinssatz, keine Verzögerung von Maßnahmen),

- die Erfüllung von Ansprüchen aus zugewendetem Vermögen (AEAO Nr. 12 zu § 55 AO).

2. Ausschließlichkeit

Ausschließlichkeit setzt voraus, dass eine Körperschaft nur ihre steuerbegünstigten satzungsmäßigen Zwecke verfolgt (vgl. § 56 AO).

Die Verfolgung von Zwecken, die nicht steuerbegünstigt sind und auch nicht in der Satzung verankert sind, sind mit der Gemeinnützigkeit vereinbar, wenn sie

- in dem Katalog der steuerlich unschädlichen Betätigungen des § 58 AO genannt sind,
- der Mittelbeschaffung dienen (wirtschaftliche Geschäftsbetriebe), von untergeordneter Bedeutung sind und dem Verein nicht das Gepräge geben. Für wirtschaftliche Geschäftsbetriebe sind allerdings die Steuervergünstigungen ausgeschlossen. Der Verein ist insoweit partiell steuerpflichtig, wird also genauso besteuert, wie jeder andere Unternehmer auch.

Tätigkeiten, die den Hauptzweck darstellen, müssen steuerbegünstigt und in der Satzung verankert sein; Tätigkeiten, die Nebenzweck sind, dürfen weder in der Satzung aufgeführt sein, noch der Körperschaft das Gepräge geben.

3. Unmittelbarkeit

Die Anerkennung der Gemeinnützigkeit setzt voraus, dass eine Körperschaft ihre satzungsmäßigen Zwecke selbst verwirklicht (vgl. § 57 AO).

Ausnahmen hiervon gelten nur für die Unterstützung anderer begünstigter Organisationen durch Gewährung von Geld- und Sachleistungen. Vgl. hierzu § 58 Abs. 1 AO i.V.m. AEAO Nr. 1 zu § 58 AO (sog. Mittelbeschaffungskörperschaften).

IV. Anforderungen an die Satzung

§§ 59–61 AO stellen an die Satzung folgende Anforderungen:
- Aus der Satzung muss sich ergeben, welchen Zweck die Körperschaft verfolgt, dass dieser Zweck den Anforderungen der §§ 52

bis 55 AO entspricht und dass er ausschließlich und unmittelbar verfolgt wird (§ 59 AO).

- Der Satzungszweck und die Art seiner Verwirklichung müssen so genau bestimmt sein, dass aufgrund der Satzung geprüft werden kann, ob die satzungsmäßigen Voraussetzungen für die Steuervergünstigungen gegeben sind (§ 60 Abs. 1 AO).
- Die Satzung muss eine verbindliche Aussage darüber enthalten, dass das Vermögen im Falle der Auflösung etc. für einen steuerbegünstigten Zweck verwendet wird (§ 61 i.V.m. § 55 Abs. 1 Nr. 4 AO).

Die **formelle Satzungsmäßigkeit** ist ein unverzichtbarer Bestandteil für die Gewährung der Steuervergünstigung. Besondere Bedeutung kommt dabei der satzungsmäßigen Klarheit bei der Darlegung des Satzungszwecks zu. Zwei Punkte sind es vor allem, die beachtet werden müssen:

- Der in der Satzung vorangestellte Zweck muss einen Begriff enthalten, der allgemein definierbar ist. Werden hierbei Begriffe verwendet, die der Gesetzgeber in § 52 Abs. 2 AO als gemeinnützig anerkannt hat, genügt dies in der Regel dem Bestimmtheitserfordernis.
- Es sollte möglichst konkret dargelegt werden, wie dieser definierbare Satzungszweck verwirklicht wird. Eine beispielhafte Aufzählung ist ausreichend.

Mit der Betonung der formellen Satzungsmäßigkeit soll die Gefahr einer nur „optischen" Gemeinnützigkeit eines Vereins, der steuerbegünstigte Zwecke vorgibt, aber in Wirklichkeit andere Zwecke fördert, begrenzt werden.

Die Finanzverwaltung hat eine Mustersatzung als Formulierungshilfe entwickelt (vgl. hierzu AEAO Nr. 2 zu § 60 AO, Anl. 1). Die dort aufgeführten Bestimmungen, müssen in jedem Fall in der Satzung enthalten sein. Die Reihenfolge oder die Paragraphenbezeichnung spielen dagegen keine Rolle.

Für die Inanspruchnahme der Steuervergünstigungen ist von Bedeutung, dass die Satzung gem. § 60 Abs. 2 AO den vorgeschriebenen Erfordernissen bei der Körperschaftsteuer und Gewerbesteuer während des ganzen Veranlagungszeitraumes, bei den übrigen Steuern im Zeitpunkt der Entstehung der Steuerschuld, entsprechen muss.

V. Anforderungen an die tatsächliche Geschäftsführung

Die Anerkennung der Gemeinnützigkeit hängt nicht zuletzt davon ab, dass die tatsächliche Geschäftsführung mit der Satzung übereinstimmt. Den Nachweis hierüber hat der Verein durch ordnungsgemäße Aufzeichnungen über die Einnahmen und Ausgaben zu erbringen (§ 63 Abs. 3 AO i.V.m. AEAO Nr. 1 zu § 63 AO). Die Nachweispflicht erstreckt sich auch auf die Tätigkeitsbereiche, die durch die allgemeine Buchführungspflicht des § 141 AO nicht erfasst sind.

Die tatsächliche Geschäftsführung umfasst auch das Ausstellen von Spendenbescheinigungen. Missbräuche auf diesem Gebiet, z. B. durch Ausstellen von Gefälligkeitsbescheinigungen, stellen einen Verstoß gegen die Gemeinnützigkeit dar. Verstöße bei der tatsächlichen Geschäftsführung führen zum Verlust der Steuerbegünstigung für das betreffende Jahr; Verstöße, die so schwerwiegend sind, dass sie einer Verwendung des gesamten Vermögens für satzungsfremde Zwecke gleichkommen, haben den Verlust der Steuerbegünstigung für die letzten 10 Jahre zur Folge.

Sind mehrere Personen als Geschäftsführer eines eingetragenen Vereins bestellt, so bestimmt sich die tatsächliche Geschäftsführung in der Regel nach den Handlungen, die von sämtlichen Geschäftsführern gemeinschaftlich oder von einem mit Zustimmung der anderen vorgenommen werden (BFH vom 31. 7. 1963, HFR S. 407). Dies folgt aus dem Wesen der Gesamtvertretung. Verfolgen einzelne Geschäftsführer unter Umgehung der anderen eigenmächtig nicht steuerbegünstigte Zwecke (z. B. überhöhte Zahlungen an Vereinsmitglieder), so kann dieser Sachverhalt im Allgemeinen noch nicht als Ausübung der tatsächlichen Geschäftsführung beurteilt werden. Dies ist in der Regel nur dann der Fall, wenn der Sachverhalt den anderen Geschäftsführern infolge grober Vernachlässigung der ihnen obliegenden Überwachungspflichten verborgen geblieben ist, so dass er ihnen als eigenes Handeln zugerechnet werden muss.

VI. Besonderheiten bei anderen Rechtsformen

Abweichend von den vorgenannten Grundsätzen gelten je nach Rechtsform der Körperschaft folgende Besonderheiten:

für gemeinnützige GmbHs:

- § 55 Abs. 1 Nr. 2 und 4 AO (Sacheinlagen)
- AEAO Nr. 14 zu § 55 AO (Sacheinlagen, Kapitalanteile)
- AEAO Nr. 2 zu § 58 AO (Ausschüttungen)

für Betriebe gewerblicher Art:

- AEAO Nr. 1 zu § 51 AO (BgA als Körperschaft i. S. des § 51 AO)
- § 55 Abs. 3 AO i. V. m. AEAO Nr. 30 zu § 55 (Selbstlosigkeit, sinngemäße Anwendung der Vorschriften, die die Mitglieder betreffen, nämlich § 55 Abs. 1 Nr. 1, 2 und 4 AO)
- AEAO Nr. 2 zu § 59 AO (Erfordernis einer Satzung für jeden BgA)
- Anlage 1 zu § 60 AO (Mustersatzung)
- § 62 AO i. V. m. AEAO Nr. 3 zu § 61 AO und AEAO Nr. 1 zu § 62 AO (keine Vermögensbindung)

für Orden:

- AEAO Nr. 4 zu § 60 AO, Anlage 2 zu § 60 AO (Anforderungen an die Satzung)
- § 62 AO (Ausnahmen von der satzungsmäßigen Vermögensbindung)

für Stiftungen:

Selbstlosigkeit
- § 58 Nr. 5, 10, 12 AO (steuerlich unschädliche Betätigungen, AEAO Nr. 5–7, 20 u. 22 zu § 58 AO)

Stiftungssatzung
- § 59 AO
- AEAO Anl. 3, Anlage 1 zu § 60 AO
- § 62 AO

Vermögensbindung bei Stiftungen
- § 55 Abs. 3 AO, AEAO Nr. 29 u. 30 zu § 55 AO
- AEAO Nr. 3 zu § 61 AO
- § 62 AO

VII. Partielle Steuerpflicht wirtschaftlicher Geschäftsbetriebe

Gemeinnützige Körperschaften sind **partiell steuerpflichtig,** soweit sie einen oder mehrere wirtschaftliche Geschäftsbetriebe unterhalten. Gewinne in diesem Bereich unterliegen der Körperschaftsteuer und Gewerbesteuer, bei der Umsatzsteuer kommt der volle Steuersatz zur Anwendung.

Begriff des wirtschaftlichen Geschäftsbetriebs: Nach § 14 AO versteht man unter einem wirtschaftlichen Geschäftsbetrieb „eine selbstständige, nachhaltige Tätigkeit, durch die Einnahmen oder andere wirtschaftliche Vorteile erzielt werden und die über den Rahmen einer (steuerfreien) Vermögensverwaltung hinausgeht. Die Absicht, Gewinn zu erzielen, ist nicht erforderlich".

Für wirtschaftliche Geschäftsbetriebe kommen Steuervergünstigungen nicht in Betracht, weil eine Körperschaft durch derartige Betätigungen zu anderen Gewerbebetreibenden, land- und forstwirtschaftlichen Betrieben oder sonstigen Wirtschaftsbetrieben in Konkurrenz tritt. Steuerliche Vergünstigungen hierfür würden Wettbewerbsvorteile und damit Wettbewerbsverzerrungen bedeuten, die mit der gleichmäßigen und gerechten Besteuerung nicht vereinbar wären.

Besteuerungsgrenze: Die Besteuerung der wirtschaftlichen Aktivitäten gemeinnütziger Körperschaften ist durch die Einführung einer Besteuerungsgrenze von 35.000 € wesentlich vereinfacht worden. Danach ist keine Körperschaftsteuer/Gewerbesteuer zu zahlen, wenn die jährlichen Einnahmen einschließlich Umsatzsteuer aus wirtschaftlichen Geschäftsbetrieben, die keine Zweckbetriebe sind, unter dieser Besteuerungsgrenze liegen. Liegen die Einnahmen auch nur geringfügig darüber, unterliegt ein evtl. Überschuss insgesamt der Körperschaftsteuer und Gewerbesteuer.

Gewinnermittlung: Zweckmäßigerweise ist für jeden wirtschaftlichen Geschäftsbetrieb eine eigene Gewinnermittlung durchzuführen. Für die Gewinnermittlung genügt allgemein eine Überschussermittlung, bei der die Betriebseinnahmen und Betriebsausgaben gegenüber gestellt werden. Die Ergebnisse aller steuerpflichtigen wirtschaftlichen Geschäftsbetriebe sind für die Berechnung der Körperschaftsteuer zusammenzufassen.

Sonderregelungen hat der Gesetzgeber für die Ermittlung des Gewinns aus folgenden Tätigkeitsbereichen geschaffen:

- Altmaterialverwertung,
- Blutspendedienste des DRK,
- Totalisatorbetriebe,
- Werbung im Zusammenhang mit steuerbegünstigter Tätigkeit (vgl. Kap. L Stichw. „Werbung").

Wirtschaftliche Geschäftsbetriebe gemeinnütziger Körperschaften können unter bestimmten Voraussetzungen dem **steuerbegünstigten Bereich** zugeordnet werden. Vgl. hierzu im Einzelnen die Ausführungen in Kap. K unter V. Zweckbetriebe.

K. Wirtschaftliche Geschäftsbetriebe

- Was versteht man unter einem wirtschaftlichen Geschäftsbetrieb?
- Stellt auch die Beteiligung an einem Unternehmen bereits einen wirtschaftlichen Geschäftsbetrieb dar?
- Ist die Nachhaltigkeit auch bei einem Jubiläumsfest gegeben?
- Kann ich durch Verpachtung eines wirtschaftlichen Geschäftsbetriebs die Steuerpflicht beenden? Muss ein evtl. Aufgabegewinn versteuert werden?
- Worin unterscheidet sich die Vermögensverwaltung von einem wirtschaftlichen Geschäftsbetrieb?
- Wann werden wirtschaftliche Geschäftsbetriebe gemeinnütziger Vereine dem steuerbegünstigten Bereich zugeordnet?

I. Begriff des wirtschaftlichen Geschäftsbetriebs

Auch Vereine, die nach § 5 Abs. 1 KStG zu den steuerbefreiten Körperschaften gehören (Berufsverbände, gemeinnützige Vereine, Parteien), unterliegen insoweit der **Steuerpflicht,** als sie einen oder mehrere wirtschaftliche Geschäftsbetriebe unterhalten (partielle Steuerpflicht).

Wirtschaftliche Geschäftsbetriebe gemeinnütziger Vereine können unter bestimmten Voraussetzungen Zweckbetriebe sein und so der Steuerbelastung entgehen (vgl. hierzu V., S. 185).

Begriff des wirtschaftlichen Geschäftsbetriebs: Nach § 14 AO versteht man unter einem wirtschaftlichen Geschäftsbetrieb „eine selbstständige, nachhaltige Tätigkeit, durch die Einnahmen oder andere wirtschaftliche Vorteile erzielt werden und die über den Rahmen einer (steuerfreien) Vermögensverwaltung hinausgeht. Die Absicht, Gewinn zu erzielen, ist nicht erforderlich ...".

Unter **Selbstständigkeit** im Sinne dieser Vorschrift versteht man die sachliche Selbstständigkeit der Betätigung. D. h. Tatbestandsmerkmal ist die Abgrenzbarkeit der betreffenden Tätigkeit vom steuerbegünstigten ideellen Bereich des Vereins .

Nachhaltig ist eine Tätigkeit, wenn sie auf Wiederholung angelegt ist. Dafür genügt es bereits, wenn der allgemeine Wille besteht, gleichartige oder ähnliche Handlungen bei sich bietender Gelegenheit zu wiederholen. Sind mehrere aufeinander folgende gleichartige Handlungen vorgenommen worden, genügt dies bereits, um von einer nachhaltigen Tätigkeit auszugehen. Eine einmalige Tätigkeit ist dagegen nur dann nachhaltig, wenn nachgewiesen werden kann, dass gleichartige Handlungen bei sich bietender Gelegenheit wiederholt werden sollen. Vgl. hierzu die Urteile des BFH vom 21. 8. 1985 I R 60/80, BStBl. II 1986 S. 88 (Flugtag und Hallenfest eines Flugsportvereins) sowie vom 21. 8. 1985 I R 5/81, BFH/NV 1986 S. 239 (Verkauf von Getränken und Tabakwaren im Clubhaus).

Die Tätigkeit muss ursächlich sein für die **Erzielung von Einnahmen** oder anderen Vermögensvorteilen. Beispiele hierfür sind die Unterhaltung einer Vereinsgaststätte, die Durchführung von Altkleidersammlungen und Basaren, der Betrieb von Festzeltbetrieben und geselligen Veranstaltungen, aber auch Werbung und Sponsoring. Ein Zusammenhang zwischen Tätigkeit und Einnahmen ist hingegen in der Regel nicht gegeben bei Mitgliedsbeiträgen und Zuschüssen.

Weiteres Merkmal für die Annahme eines wirtschaftlichen Geschäftsbetriebs ist, dass die Tätigkeit über den Rahmen einer **Vermögensverwaltung** hinausgeht. Die Abgrenzung wird nach Kriterien vorgenommen, die im Einkommensteuerrecht für die Abgrenzung zwischen Einkünften aus Vermietung und Verpachtung und Einkünften aus Gewerbebetrieb angewandt werden. Danach wird die Vermietung und Verpachtung von unbeweglichem Vermögen zu einem wirtschaftlichen Geschäftsbetrieb, wenn besondere Umstände hinzutreten. Indizien hierfür sind ein ständiger und schneller Mieterwechsel, eine dadurch bedingte, in kaufmännischer Weise eingerichtete Büroorganisation, nicht unbedeutende Leistungen des Vermieters, die eine bloße Vermietungstätigkeit überschreiten, und eine nach außen in Erscheinung tretende Teilnahme am allgemeinen wirtschaftlichen Verkehr.

II. Beteiligungen

Beteiligung an einer Personengesellschaft: Die Beteiligung eines steuerbegünstigten Vereins (Berufsverband, gemeinnütziger Verein, politische Partei) an einer Personengesellschaft (GbR, KG, OHG) stellt grundsätzlich einen wirtschaftlichen Geschäftsbetrieb (§ 14 AO) dar. Dies ist darin begründet, dass der Verein durch die Beteiligung sowohl Mitunternehmerinitiative entfaltet als auch Mitunternehmerrisiko trägt.

Ob eine an einer Personengesellschaft oder Gemeinschaft beteiligte steuerbegünstigte Körperschaft gewerbliche Einkünfte bezieht und damit einen wirtschaftlichen Geschäftsbetrieb (§ 14 Sätze 1 und 2 AO) unterhält, wird im einheitlichen und gesonderten Gewinnfeststellungsbescheid der Personengesellschaft bindend festgestellt (AEAO Nr. 3 Satz 1 zu § 64 AO). Ob der wirtschaftliche Geschäftsbetrieb steuerpflichtig ist oder ein Zweckbetrieb (§§ 65 bis 68 AO) vorliegt, ist dagegen bei der Körperschaftsteuerveranlagung der steuerbegünstigten Körperschaft zu entscheiden (AEAO Nr. 3 Satz 2 zu § 64 AO). Ein Zweckbetrieb ist beispielsweise gegeben bei gemeinsamen kulturellen oder sportlichen Veranstaltungen gemeinnütziger Vereine, ein wirtschaftlicher Geschäftsbetrieb beim gemeinsamen Betrieb einer Vereinsgaststätte.

Beteiligung an einer Kapitalgesellschaft: Die Beteiligung eines steuerbegünstigten Vereins an einer Kapitalgesellschaft (z. B. GmbH) ist grundsätzlich Vermögensverwaltung. Sie stellt jedoch einen wirtschaftlichen Geschäftsbetrieb dar, wenn mit ihr tatsächlich ein entscheidender Einfluss auf die laufende Geschäftsführung der Kapitalgesellschaft ausgeübt wird oder ein Fall der Betriebsaufspaltung vorliegt (AEAO Nr. 3 Sätze 3 und 4 zu § 64 AO). In diesem Fall nimmt die (steuerbegünstigte) Körperschaft über die Kapitalgesellschaft am allgemeinen Wirtschaftsleben teil und tritt damit in Wettbewerb zu anderen Gewerbetreibenden. Diese Voraussetzung ist beispielsweise gegeben, wenn ein gemeinnütziger Verein den Geschäftsführer stellt und auch sonst das wirtschaftliche Geschehen der Kapitalgesellschaft bestimmt.

Wird mit der Beteiligung kein entscheidender Einfluss auf die laufende Geschäftsführung des Unternehmens ausgeübt, stellt auch die Veräußerung von Anteilen keinen wirtschaftlichen Geschäftsbetrieb dar, selbst wenn es sich um eine wesentliche Beteiligung i. S. des § 17 EStG handelt. Der Gewinn aus der Veräußerung von Anteilen bei wesentlicher Beteiligung i. S. des § 17 EStG wird zwar nach dieser Vorschrift zu den Einkünften aus Gewerbebetrieb gerechnet. § 17 EStG qualifiziert aber nicht das Halten einer wesentlichen Beteiligung in eine über die private Vermögensverwaltung hinausgehende, gewerbliche Tätigkeit um; denn die aus der wesentlichen Beteiligung erzielten laufenden Einkünfte bleiben Einkünfte aus Kapitalvermögen. Durch § 17 EStG wird lediglich der im Rahmen der privaten Vermögensverwaltung erzielte Veräußerungsgewinn steuerlich ebenso erfasst wie ein Veräußerungsgewinn im Rahmen eines Gewerbebetriebs. Ein wirtschaftlicher Geschäftsbetrieb setzt aber eine über den Rahmen der Vermögensverwaltung hinausgehende Tätigkeit voraus. Die Veräußerung von Anteilen an Kapitalgesellschaften bei wesentlicher Beteiligung wird deshalb durch die Fiktion des § 17 EStG nicht zu einem wirtschaftlichen Geschäftsbetrieb.

Ein wirtschaftlicher Geschäftsbetrieb ist – trotz entscheidungserheblicher Einflussnahme auf die Geschäftsführung – ferner nicht gegeben, wenn ein Verein Alleingesellschafter einer gemeinnützigen GmbH ist. Die Beteiligung eines Vereins an einer gemeinnützigen Kapitalgesellschaft kann der Beteiligung eines steuerbefreiten gemeinnützigen Unternehmens an einer gewerbetreibenden steuerpflichtigen GmbH nicht gleichgesetzt werden. Diese Betätigung hat keine größere wirtschaftliche und rechtliche Bedeutung als das wirtschaftliche Handeln der GmbH selbst. Würde man einen steuerpflichtigen wirtschaftlichen Geschäftsbetrieb des Vereins bejahen, dann hätte das im Ergebnis die Beseitigung der Steuerfreiheit der GmbH zur Folge, weil an deren Stelle der Verein zur Besteuerung herangezogen würde. Diese Rechtsfolge kann der Gesetzgeber nicht gewollt haben.

Umsatzsteuer: Erträge aus Beteiligungen sind gem. § 4 Nr. 8 Buchst. f UStG von der Umsatzsteuer befreit.

III. Betriebsverpachtung

Die Vermietung von Grundbesitz und anderem Anlagevermögen ist in der Regel bloße Vermögensverwaltung (BFH vom 8. 11. 1971 GrS 2/71, BStBl. II 1972 S. 63). Gleiches gilt grundsätzlich auch für die Verpachtung von Gewerbebetrieben und von wirtschaftlichen Geschäftsbetrieben, da für gemeinnützige Körperschaften eine § 4 Abs. 4 KStG entsprechende Regelung fehlt (*Sauer* in *Beermann/Gosch*, AO, § 64 Rz. 14; BFH vom 23. 4. 1969 I R 54/67, BStBl. II S. 441).

Die Verpachtung eines wirtschaftlichen Geschäftsbetriebs durch eine gemeinnützige Körperschaft hat deshalb im Allgemeinen den steuerlichen Vorteil, dass die Einkünfte hieraus künftig dem Bereich der (steuerbegünstigten) Vermögensverwaltung zugerechnet werden können.

Zu beachten ist dabei allerdings, dass beim Übergang zur Verpachtung evtl. vorhandene stille Reserven (Wertsteigerung des Betriebsvermögens) versteuert werden müssen.

Will der Verein eine Besteuerung des Aufgabegewinns vermeiden, kann er dem Finanzamt gegenüber erklären, dass vorerst nicht beabsichtigt ist, den Betrieb mit der Verpachtung aufzugeben. In diesem Fall ist die Verpachtung weiterhin als wirtschaftlicher Geschäftsbetrieb zu behandeln. Nach AEAO Nr. 2 zu § 64 AO i.V.m. BFH vom 4. 4. 2007 I R 55/06, BStBl. II S. 725 unterliegen dann die Einnahmen aus der Verpachtung eines vorher selbst betriebenen wirtschaftlichen Geschäftsbetriebs solange der Körperschaft- und Gewerbesteuer, bis die Körperschaft die Betriebsaufgabe erklärt.

Anderer Auffassung ist hier *Hüttemann*, Gemeinnützigkeits- und Spendenrecht, 2. Aufl. 2008, Rz. 138, 139 zu § 6. Nach seiner Ansicht ist ein Verpächterwahlrecht überflüssig, weil das Buchwertprivileg des § 13 Abs. 4 Satz 1 KStG eingreift und eine steuerneutrale Überführung der Wirtschaftsgüter in den steuerfreien Bereich möglich ist.

IV. Vermögensverwaltung

Begriff und Umfang der Steuervergünstigung: Eine Vermögensverwaltung liegt nach § 14 Abs. 3 AO in der Regel vor, wenn Vermögen genutzt, z. B. Kapitalvermögen verzinslich angelegt oder unbewegliches Vermögen vermietet oder verpachtet wird. Einkünfte aus Vermögensverwaltung sind bei gemeinnützigen Vereinen, Berufsverbänden und politischen Parteien von der Körperschaftsteuer und der Gewerbesteuer befreit, bei der Umsatzsteuer gemeinnütziger Vereine kommt der ermäßigte Steuersatz zur Anwendung (§ 12 Abs. 2 Nr. 8 UStG, Abschn. 170 Abs. 3 Satz 6 UStR 2008).

Abgrenzung zum wirtschaftlichen Geschäftsbetrieb: Aus einer Vermögensverwaltung kann ein wirtschaftlicher Geschäftsbetrieb werden, wenn besondere Umstände hinzutreten, die über das bloße zur Verfügung stellen von Vereinsvermögen hinausgeht. So sprechen in der Regel die spekulative Absicht, der häufige, die vermieteten Räume zur Ware machende Wechsel der Mieter, der dadurch bedingte, in kaufmännischer Weise eingerichtete Bürobetrieb, die nicht unbedeutenden Nebenleistungen des Vermieters und die nach außen in Erscheinung tretende Teilnahme am allgemeinen wirtschaftlichen Verkehr für das Vorliegen eines wirtschaftlichen Geschäftsbetriebs (BFH vom 17. 12. 1957 I 182/55 U, BStBl. III 1958, 96).

Beispiele:
- Eine parallel zu einem Ärztekongress durchgeführte Vermietung von Ausstellungsflächen an Industrieaussteller begründet einen steuerpflichtigen wirtschaftlichen Geschäftsbetrieb, weil die Vermietung über eine Vermögensverwaltung hinausgeht, denn entscheidend ist der unmittelbare Zusammenhang mit der Durchführung des Kongresses (FG Hamburg vom 15. 6. 2006 2 K 10/05, EFG 2007 S. 218).
- Betreibt ein gemeinnütziger Verein eine Gaststätte, so handelt es sich um einen steuerschädlichen wirtschaftlichen Geschäftsbetrieb, auch wenn sich das Angebot nur an Mitglieder richtet. Wird das Vereinslokal dagegen verpachtet, so gehört der vereinnahmte Pachtzins zu den steuerbegünstigten Einnahmen aus Vermögensverwaltung; Letzteres allerdings nur, soweit der Verein die Führung des Vereinslokals nicht durch zusätzliche Nebenleistungen unterstützt.
- Vermietet ein Verein Sportplatzflächen zu Werbezwecken an einzelne

Firmen, so unterhält er insoweit einen steuerschädlichen wirtschaftlichen Geschäftsbetrieb, überlässt er diese Tätigkeit jedoch gegen Entgelt insgesamt einem Werbeunternehmen, so handelt es sich lediglich um steuerfreie Vermögensverwaltung.

- Die langfristige Vermietung von Räumen und Einrichtungen gehört zur steuerfreien Vermögensverwaltung. Die laufende kurzfristige Vermietung dagegen, bei der ein Verein für die jederzeitige Benutzbarkeit zu sorgen hat, stellt einen wirtschaftlichen Geschäftsbetrieb dar. Das Urteil des BFH vom 17. 12. 1957 I 182/55 U (BStBl. III 1958 S. 96) steht hierzu nicht im Widerspruch. Im Urteilsfall stellte ein Verein einen Saal und andere Nebenräume an Tagen, an denen er sie nicht selbst für seine gemeinnützige Tätigkeit benötigte, anderen Benutzern zur Abhaltung von Vorträgen, Konzerten, Versammlungen u. a. gegen Entgelt zur Verfügung. Es lag zwar eine Vermietung von Räumlichkeiten an eine Vielzahl von Benutzern für kurze Zeit vor, dem Verein stand aber keine andere Möglichkeit offen, die Räume zu nutzen. Langfristige Mieter konnte der Verein nicht finden, weil er die Räume zu unregelmäßigen Termine für eigene Zwecke brauchte. Die ohne nennenswerten Organisationsapparat betriebene Vermietung an wechselnde Benutzer war die Nutzung, die sich mit dem geringsten Aufwand verwirklichen ließ. Der BFH hat darin zu Recht keinen wirtschaftlichen Geschäftsbetrieb gesehen.

- Die bloße Verwaltung einer Mehrheitsbeteiligung an einer Kapitalgesellschaft, von der ein Verein Kapitalerträge in Form von Dividenden bezieht, gehört zum steuerfreien Bereich. Nimmt der Verein jedoch entscheidenden Einfluss auf die Geschäftsführung des Unternehmens, so muss diese Art der Beteiligung als steuerschädlicher wirtschaftlicher Geschäftsbetrieb eingestuft werden.

Die Unterscheidung zwischen Vermögensverwaltung (steuerbegünstigt) und wirtschaftlichem Geschäftsbetrieb (steuerpflichtig) hat erhebliche Auswirkungen. Der Umfang der einzelnen Aktivitäten ist für die Zuordnung von entscheidender Bedeutung.

V. Zweckbetriebe

Wirtschaftliche Geschäftsbetriebe gemeinnütziger Körperschaften werden unter bestimmten Voraussetzungen dem **steuerbegünstigten Bereich** zugeordnet. Der Grund dafür ist darin zu sehen, dass viele gemeinnützige Organisationen ihre satzungsmäßigen Aufgaben nicht verwirklichen können, ohne sich gleichzeitig wirtschaftlich zu betätigen, d. h. für ihre Leistungen ein Entgelt zu verlangen. Eine wirtschaftliche Betätigung ist allerdings nicht bereits deshalb ein Zweckbetrieb, weil die erwirtschafteten Mittel für die steuerbegünstigten Zwecke verwendet werden.

Die Qualifikation als steuerbegünstigter Zweckbetrieb (Körperschaftsteuer-/Gewerbesteuer-Befreiung, ermäßigter Steuersatz bei der Umsatzsteuer) erfordert, dass

- der wirtschaftliche Geschäftsbetrieb in seiner Gesamtrichtung (d. h. mit den ihn begründenden Tätigkeiten) dazu dient, den steuerbegünstigten satzungsmäßigen Zweck der Körperschaft zu verwirklichen (**Verwirklichung der steuerbegünstigten Zwecke,** § 65 Nr. 1 AO, AEAO Nr. 2 zu § 65 AO),
- der satzungsmäßige Zweck nur durch einen solchen Geschäftsbetrieb erreicht werden kann (**Notwendigkeit des wirtschaftlichen Geschäftsbetriebs,** § 65 Nr. 2 AO, AEAO Nr. 3 zu § 65 AO),
- der wirtschaftliche Geschäftsbetrieb zu nicht begünstigten Betrieben derselben oder ähnlicher Art nicht in größerem Umfang in Wettbewerb tritt, als es bei Erfüllung der steuerbegünstigten Zwecke unvermeidbar ist (**Unvermeidbarkeit des Wettbewerbs,** § 65 Nr. 3 AO, AEAO Nr. 4 zu § 65 AO).

Ein Zweckbetrieb ist folglich **nicht** gegeben, wenn die wirtschaftliche Betätigung

- nur der Mittelbeschaffung dient (keine unmittelbare Verwirklichung des Satzungswerkes);
- nicht notwendiger/integrierter Bestandteil der satzungsmäßigen (gemeinnützigen) Betätigung ist;
- keine Qualität hat, die es rechtfertigt, Vereine insoweit gegenüber Gewerbetreibenden zu begünstigen (Bedarfsdeckung ist durch Gewerbetreibende möglich).

Eine Prüfung der Voraussetzungen des § 65 AO ist nicht notwendig, wenn der Gesetzgeber wirtschaftliche Geschäftsbetriebe selber als Zweckbetriebe eingestuft hat:

- § 66 AO Wohlfahrtspflege,
- § 67 AO Krankenhäuser,

- § 67a AO Sportliche Veranstaltungen,
- § 68 AO Einzelne Zweckbetriebe.

Positivbeispiele aus der Rechtsprechung:

- **Der Kioskbetrieb einer Einrichtung für psychisch Kranke und Behinderte** (Niedersächs. FG vom 19.8.1997, EFG 1998 S. 407):
  1. Ein Verein, dessen satzungsmäßige Aufgabe im Wesentlichen darauf gerichtet ist, für psychisch Kranke tagesstrukturierende Angebote zu schaffen, um dadurch für diesen Personenkreis die Grundlagen für eine Eingliederung in den normalen Arbeitsprozess zu legen, unterhält einen steuerbegünstigten Zweckbetrieb, wenn der Betrieb des Unternehmens (hier: Kiosk) in seiner Gesamtausrichtung zur Verwirklichung der satzungsgemäßen Zwecke dient.
  2. Die Zweckverwirklichung erfolgt regelmäßig durch Abschluss von Beschäftigungsverhältnissen mit den Probanden.
- **Die Lohnaufträge einer arbeitstherapeutischen Beschäftigungsgesellschaft** (BFH vom 26.4.1995, BStBl. II S. 767):
  1. Körperschaften, die schwer vermittelbare und zuvor längere Zeit arbeitslose Personen – insbesondere Suchtkranke, Arbeitsentwöhnte oder Behinderte – arbeitstherapeutisch beschäftigen und berufs- und sozialpädagogisch betreuen, um dadurch deren Eingliederung in den normalen Arbeitsprozess selbstlos zu fördern (arbeitstherapeutische Beschäftigungsgesellschaften), dienen einem gemeinnützigen Zweck.
  2. Führt eine arbeitstherapeutische Beschäftigungsgesellschaft Lohnaufträge aus, um den von ihr geförderten Personen eine sinnvolle Arbeitstherapie anbieten zu können, so ist der dadurch begründete wirtschaftliche Geschäftsbetrieb ein Zweckbetrieb i. S. des § 65 AO, wenn die Leistungen an die Auftraggeber ausschließlich Ergebnis der Arbeitstherapie und somit notwendige Folge der Erfüllung des gemeinnützigen Zwecks sind.

Negativbeispiele aus der Rechtsprechung:

- der Tag der offenen Tür eines Flugsportvereins, für den Eintrittsgelder erhoben werden (FG Brandenburg vom 17. 1. 2001, EFG S. 398);
- die Übernahme von Verwaltungsarbeiten durch einen Wohlfahrtsverband gegen Entgelt (FG Schleswig-Holstein vom 5. 12. 2000, EFG 2001 S. 410);
- der Tonträgerverkauf durch einen Musikverein (BFH vom 6. 6. 2000, BFH/NV S. 1506);
- die entgeltliche Überlassung eines Bewirtschaftungsrechts durch einen

Schützenverein an einen Festwirt anlässlich der Durchführung eines Schützenfestes (Niedersächs. FG vom 27. 7. 1999, EFG S. 1162);

- die Umsätze im „Eine-Welt-Laden" (FG Baden-Württemberg vom 11. 2. 1998, EFG S. 346);
- der Verkauf von Speisen und Getränken durch einen gemeinnützigen Fußball-Club während eines Fußballturniers (FG Saarland vom 13. 9. 1990, EFG 1991 S. 5);
- ein Kommunikationszentrum in Form eines Cafés (Teestube) eines wegen Förderung der Jugendhilfe gemeinnützigen Vereins (BFH vom 11. 4. 1990, BStBl. II S. 724);
- der Bierzeltbetrieb anlässlich des 20jährigen Gründungsjubiläums eines Fußballclubs (BFH vom 9. 11. 1988, BFH/NV 1989 S. 342);
- die Produktion eines Fernsehfilms über wichtige soziale Fragen im Auftrag des steuerbegünstigten Gesellschafters (BFH vom 13. 8. 1986, BStBl. II S. 831;
- die Bewirtung der Besucher eines Waldfestes durch Heimatverein (BFH vom 21. 8. 1985, BStBl. II 1986 S. 92);
- der Verkauf von Getränken und Tabakwaren nur an Vereinsmitglieder (BFH vom 21. 8. 1995, BFH/NV 1986 S. 239);
- der Verkauf von Speisen und Getränken während eines Flugtages (BFH vom 21. 8. 1985, BStBl. II 1986 S. 88);
- der Verkauf von Speisen und Getränken anlässlich der Heimspiele eines Fußballvereins (FG Saarland vom 12. 6. 1995, EFG 1986 S. 38).

L. Praxis-ABC

Zur Vertiefung der in den vorangegangenen Kapiteln aufgezeigten Grundzüge der Vereinsbesteuerung werden im Folgenden in alphabetischer Ordnung Sachverhalte aus der Praxis aufgezeigt, die von allgemeiner Bedeutung sind. Sachverhalte von speziellem Interesse sind im Kapitel D „Satzungszwecke" zu finden und wurden hier bewusst ausgeklammert.

▶ Abweichendes Wirtschaftsjahr

Vereine mit einem abweichenden Wirtschaftsjahr haben bei der Erstellung des Jahresabschlusses Folgendes zu beachten:

Vereine mit steuerpflichtigem wirtschaftlichen Geschäftsbetrieb: Die Körperschaftsteuer bemisst sich grundsätzlich nach dem zu versteuernden Einkommen, das der Steuerpflichtige innerhalb eines Kalenderjahres bezogen hat. Die Gewinne der beiden Wirtschaftsjahre, die sich jeweils auf einen Teil des Kalenderjahres erstrecken, sind dabei anteilig zu erfassen. Keine Aufteilung ist vorzunehmen bei Körperschaften i.S. des §5 Abs. 1 Nr. 9 KStG, die ohne Verpflichtung nach den Vorschriften des HGB ordnungsgemäß Bücher führen (Bilanzierung) und regelmäßig Abschlüsse machen. Hier kann in entsprechender Anwendung des § 7 Abs. 4 KStG auf Antrag das Wirtschaftsjahr der Besteuerung des wirtschaftlichen Geschäftsbetriebs zugrunde gelegt werden (R 31 Abs. 2 KStR 2004). Für die Frage, ob die Besteuerungsgrenze eines wirtschaftlichen Geschäftsbetriebs überschritten wird, sind die in dem Wirtschaftsjahr erzielten Einnahmen maßgebend (AEAO Nr. 21 zu § 64 Abs. 3 AO).

Eine Aufbereitung der Unterlagen ist auch für die Umsatzsteuererklärung erforderlich, da bei der Umsatzsteuer Besteuerungszeitraum das Kalenderjahr ist (vgl. § 16 Abs. 1 Satz 2 UStG).

Vereine ohne steuerpflichtigen wirtschaftlichen Geschäftsbetrieb: Den Nachweis, dass die tatsächliche Geschäftsführung den notwendigen Erfordernissen entspricht, hat die Körperschaft gem.

§§ 60, 63 AO durch ordnungsgemäße Aufzeichnungen über ihre Einnahmen und Ausgaben zu führen. Zum Nachweis der Gemeinnützigkeit ist eine nach einem abweichenden Wirtschaftsjahr erstellte Buchführung ausreichend. Beim Finanzamt sind in diesem Fall die Unterlagen der beiden Wirtschaftsjahre einzureichen, die den Veranlagungszeitraum abdecken.

▶ AfA-Tabelle

Die Anschaffungs- oder Herstellungskosten von Wirtschaftsgütern, die in einem steuerpflichtigen wirtschaftlichen Geschäftsbetrieb genutzt werden, und deren Verwendung oder Nutzung sich erfahrungsgemäß auf einen Zeitraum von mehr als einem Jahr erstreckt (Fahrzeuge, Gebäude, Sportanlagen usw.), dürfen bei der Gewinnermittlung grundsätzlich nicht in vollem Umfang im Jahr der Anschaffung oder Herstellung berücksichtigt werden. Sie sind vielmehr – vermindert um die in Rechnung gestellte Vorsteuer – mit einem jährlichen Anteil, der der betriebsgewöhnlichen Nutzungsdauer des Wirtschaftsguts entspricht, anzusetzen (abzuschreiben). Eine Ausnahme gilt für sog. „geringwertige Wirtschaftsgüter", deren Anschaffungs- oder Herstellungskosten – ohne Vorsteuer – nicht mehr als 150 € betragen. Sie können im Anschaffungs- bzw. Herstellungsjahr voll abgeschrieben werden und sind in einem besonderen Verzeichnis aufzuzeichnen.

Für Gebäude enthält das Einkommensteuergesetz in § 7 Abs. 4 und 5 spezielle Regelungen mit typisierter Nutzungsdauer (z. B. lineare AfA für betrieblich genutzte Gebäude 3 %, für andere Gebäude 2 %).

Für allgemein verwendbare Anlagegüter ist die betriebsgewöhnliche Nutzungsdauer in einer Abschreibungstabelle festgelegt, die mit BMF-Schreiben vom 15. 12. 2000 IV D 2 – S 1551 – 188/00 bekannt gegeben worden ist. Die AfA-Tabelle „AV" ist im Internet auf der Homepage des Bundesministeriums der Finanzen zu finden (http://www.bundesfinanzministerium.de).

Beispiele:

Anlagegüter	*Nutzungsdauer*
• Büromöbel	13 Jahre
• Personenkraftwagen	6 Jahre
• Adressiermaschinen, Frankiermaschinen	8 Jahre
• Personalcomputer, Drucker, Scanner, Bildschirme	3 Jahre
• Fernsprechnebenstellenanlagen	10 Jahre
• Vervielfältigungsgeräte	7 Jahre

▶ Altmaterialsammlungen

Die Verwertung gesammelten Altmaterials durch Verkäufe, die nicht unmittelbar der Verwirklichung der steuerbegünstigten Zwecke dienen, stellt bei Vereinen grundsätzlich einen steuerpflichtigen wirtschaftlichen Geschäftsbetrieb dar.

Eine uneingeschränkte Steuerpflicht ist auch dann gegeben, wenn
• die steuerbegünstigte Körperschaft sich gewerblicher Unternehmen als Hilfspersonen i. S. des § 57 Abs. 1 Satz 2 AO bedient, die sich auf das Sammeln und Verwerten von Textilien spezialisiert haben, oder
• die steuerbegünstigte Körperschaft den nach Bestückung der örtlichen Kleiderkammern verbleibenden Restbestand tragbaren Sammelguts treuhänderisch an gewerbliche Unternehmen übereignet, die wiederum vertraglich verpflichtet sind, Katastrophenlager mit hierfür tauglichen Bekleidungsstücken aufzufüllen und zu unterhalten und in Erfüllung dieser Verpflichtung jeweils mindestens 5 % des Sammelguts den Katastrophenlagern zugeführt haben, oder
• eine gemeinnützige Organisation einem gewerblichen Altkleiderhändler gegen Entgelt gestattet, Kleidersammelcontainer aufzustellen, die mit dem Namenszug der gemeinnützigen Organisation versehen sind, wobei sie die Stellplätze vermittelt und die Container auf Sauberkeit zu kontrollieren hat.

Der Einzelverkauf gesammelter Kleidungsstücke in einer Kleiderkammer oder einer ähnlichen Einrichtung kann ein Zweckbetrieb i. S. des § 66 AO (Einrichtung der Wohlfahrtspflege) sein. Dies setzt voraus, dass mindestens zwei Drittel der Leistungen der Einrichtung hilfsbedürftigen Personen i. S. des § 53 AO zugute kommen.

Bei der Ermittlung des steuerpflichtigen Gewinns können auf Antrag statt der tatsächlichen Aufwendungen die Ausgaben pauschaliert werden (95 % der Einnahmen bei Altpapier, 80 % der Einnahmen bei anderem Altmaterial; vgl. hierzu § 64 Abs. 5 AO i.V. m. AEAO Nr. 25–27 zu § 64 AO). Nach einem Urteil des BFH vom 11. 2. 2009 (I R 73/08, BStBl. II 2009 S. 516) ist diese Schätzung nicht zulässig für Überschüsse aus der Veranstaltung eines Pfennigbasars, auf dem von den Mitgliedern gesammelte Gegenstände verkauft werden. Aus den Gesetzesmaterialien ergebe sich eindeutig, dass der Gesetzgeber die Anwendung der Vorschrift nur auf Überschüsse aus Altmaterialsammlungen (wie z. B. Altkleider, Altpapier und Schrott), nicht aber auf den Einzelverkauf gebrauchter Sachen auf Basaren und Flohmärkten erstrecken wollte. Die Notwendigkeit einer engen Auslegung ergebe sich aus Wettbewerbsgründen.

▶ Aufbewahrung von Unterlagen

Die Ordnungsvorschrift für die Aufbewahrung von Unterlagen ist § 147 AO. Danach beträgt die Aufbewahrungsfrist für die Unterlagen, die für die Besteuerung von Bedeutung sind, 10 Jahre. Das gilt nicht nur für Abschlüsse und Steuererklärungen, sondern auch für Belege, Kontoauszüge und sonstige Buchungsunterlagen.

Die Aufbewahrungsfrist beginnt mit dem Schluss des Kalenderjahres, in dem die letzte Buchung erfolgt und das Inventar, der Jahresabschluss oder der Lagebericht aufgestellt worden ist.

Mit Ausnahme der Jahresabschlüsse und der Eröffnungsbilanz können die Unterlagen auch als Wiedergabe auf einem Bildträger oder auf anderen Unterlagen aufbewahrt werden, wenn dies den Grundsätzen ordnungsgemäßer Buchführung entspricht und sichergestellt ist, dass die Wiedergabe der Daten während der Dauer der Aufbewahrungsfrist jederzeit verfügbar ist, die Daten unverzüglich lesbar gemacht und maschinell ausgewertet werden können.

Auf der Homepage des Bundesministeriums der Finanzen (www.bundesfinanzministerium.de) stehen hierzu folgende weiterführende Unterlagen als download zur Verfügung:

• Fragen und Antworten zum Datenzugriffsrecht der Finanzverwaltung, BMF vom 23. 1. 2008, Referat IV A 7

- Grundsätze zum Datenzugriff und zur Prüfbarkeit digitaler Unterlagen (GDPdU), BMF vom 16. 7. 2001 IV D 2 – S 0316 – 136/01, BStBl. I S. 415.

▶ Auflösung des Vereins

Das gesamte Vermögen eines gemeinnützigen Vereins darf nur für begünstigte Zwecke eingesetzt werden. Das gilt nicht nur während seines Bestehens, sondern auch bei Auflösung oder bei Wegfall seines bisherigen steuerbegünstigten Zweckes.

Rechtsgrundlagen hierzu:

- § 55 Abs. 1 Nr. 4 AO i.V. m. AEAO Nr. 24 zu § 55 AO (Grundsatz der Vermögensbindung);
- § 61 AO, AEAO zu § 61 AO (Festschreibung der Vermögensbindung in der Satzung);
- § 63 AO Abs. 2 (Rechtsfolgen der Verletzung der Vorschrift über die Vermögensbindung).

▶ Aufwandsspenden

Aufwandsspenden (vgl. Kap. F. II und § 10b Abs. 3 Sätze 5 und 6 EStG) haben in der Vereinspraxis eine nicht unerhebliche Bedeutung. Ermöglichen sie doch, dem Spender einen finanziellen Ausgleich zukommen zu lassen, ohne die Vereinskasse zu belasten. Bei der steuerlichen Beurteilung von Aufwandsspenden kommt es folglich zwischen Spender und Finanzamt immer wieder zu unterschiedlichen Auffassungen, die eine Entscheidung der Gerichte erforderlich machen. Hinzuweisen ist insbesondere auf das Urteil des BFH vom 9. 5. 2007 XI R 23/06, DStRE 2008 S. 12, das sich ausführlich mit folgenden Zweifelsfragen auseinandersetzt:

(1) Wann ist beim Spender eine Vermögenseinbuße gegeben?

(2) Wann ist von einer mangelnden wirtschaftlichen Leistungsfähigkeit des Vereins auszugehen?

(3) Handelt es sich bei den Aufwendungen um Geschäfte für den Verein?

Zu (1) Vermögenseinbuße: Sog. Aufwandsspenden können steuerrechtlich als reguläre Spenden zu berücksichtigen sein, sofern beim Spender nachweislich eine tatsächliche **Vermögenseinbuße** eintritt (vgl. die Berichte über die Rechenschaftsberichte 1993 bis 1995 sowie über die Entwicklung der Finanzen der Parteien gem. § 23 Abs. 5 PartG in BT-Drs. 13/4503 S. 16 unter 4.2.3. und in BT-Drs. 13/8888 S. 31 unter 4.4.3.; vgl. Urteil des BFH vom 3. 12. 1996 I R 67/95, BStBl. II 1997, 474 unter II.3.b der Entscheidungsgründe). Bei der Beurteilung des Verzichts auf die Erstattung von Aufwendungen ist zu berücksichtigen, dass es die Beteiligten in der Hand haben, ob sie unentgeltlich, ob sie entgeltlich oder ob sie unentgeltlich, aber zumindest gegen Ersatz ihrer eigenen Aufwendungen tätig werden wollen (vgl. *Geserich*, in Kirchhof/Söhn/Mellinghoff, EStG, § 10b Rz. D 56). Dabei werden die Beteiligten auch Überlegungen anstellen, wie die Situation für alle Beteiligten am günstigsten gestaltet werden kann. Bietet das Steuergesetz bestimmte Wege, so können diese Wege von den Steuerpflichtigen beschritten werden, ohne dass ihnen missbräuchliches Verhalten vorgehalten werden kann. Im Rahmen des Spendenabzugs sieht § 10b Abs. 3 Satz 4 EStG die Möglichkeit des Verzichts auf einen Aufwendungsersatzanspruch ausdrücklich vor. Es ist daher prinzipiell nicht zu beanstanden, wenn die Steuerpflichtigen diese Gestaltung wählen. Allerdings ist im Hinblick auf die gleich gelagerten Interessen von Spender und Empfänger in Fällen dieser Art darauf zu achten, dass die Beteiligten ernstlich gewollte, klare, eindeutige und widerspruchsfreie Abmachungen getroffen haben und dass die einzelnen Verträge und Willenserklärungen ihrem Inhalt entsprechend durchgeführt worden sind; die Vereinbarungen müssen insoweit einem „Fremdvergleich" standhalten.

Zu (2) Realisierbarkeit des Anspruchs: Die vorherige Zusage der Erstattung des Aufwands bedeutet in der Regel gleichzeitig, dass der Aufwendungserstattungsanspruch ohne Weiteres realisierbar sein muss. In der BT-Drs. 13/8888 vom 29. 10. 1997 (betr. den Bericht über die Rechenschaftsberichte 1994 und 1995 sowie die Entwicklung der Finanzen der Parteien gem. § 23 Abs. 5 PartG) hat die Präsidentin des Deutschen Bundestages zur besonderen Transparenz bei Aufwandsspenden hierzu Folgendes ausgeführt:

„Ein freiwilliger Verzicht auf eine Aufwendungserstattung nämlich kann selbstverständlich nur dann als freiwillig gelten, wenn die Partei zum **Zeit-**

punkt der Erstattung über genügend finanzielle Mittel verfügt, diesen Anspruch zu befriedigen. Andernfalls wäre der Spender einem psychologischen Zwang zum Verzicht ausgesetzt, was eine Spende, die auf absoluter Freiwilligkeit beruht, ausschließen würde. Es muß dem Parteimitglied freistehen, den ihm zustehenden Anspruch gegenüber der Partei geltend zu machen oder auf diesen zu verzichten, diesen also zu spenden. Die Höhe der Erstattung ist naturgemäß auf den Vermögensverlust begrenzt, der dem Aufwender durch den für die Partei getätigten Aufwand entsteht. Bei Auslagen bereitet dies keine Probleme, da deren Höhe durch Kaufpreisbelege nachgewiesen ist, die die Partei für die steuer- und parteirechtliche Prüfung im Original zu ihren Rechnungsunterlagen nehmen muß. Bei Aufwendungen, deren Wert nicht konkret belegt werden kann, z. B. beim Einsatz des eigenen Pkw, ist die Erstattung auf die Pauschbeträge begrenzt, die im Steuerrecht bei entsprechenden Werbungskosten anerkannt werden.Unabhängig davon, ob die vereinbarten Aufwendungen erstattet werden oder ob auf den entsprechenden Erstattungsanspruch verzichtet wird, sind die Umstände des Aufwands im Rahmen der Buchführungspflicht (§ 28 PartG) konkret und nachprüfbar nach Anlaß, Ort und Zeit aufzuzeichnen und entsprechende Originalbelege aufzubewahren. Der Parteirevisor und der Wirtschaftsprüfer, denen gerade bei ‚Aufwandsspenden' eine wegen des unmittelbaren Auslösens staatlicher Mittel eine besondere Prüfungspflicht obliegt, müssen in der Lage sein, anhand der Buchungsbelege den konkret getätigten Aufwand kontrollieren zu können. Auch die vorherige, ausdrückliche und uneingeschränkte Einräumung des Aufwendungserstattungsanspruches muß nachprüfbar dokumentiert sein"

Zu (3) Fremdnützigkeit der Aufwendungen: Es muss sich um Aufwendungen handeln, die im Rahmen eines Auftragsverhältnisses getätigt wurden und deren Ersatzanspruch sich aus § 670 BGB ergibt. Nach § 662 BGB verpflichtet sich der Beauftragte, ein ihm übertragenes Geschäft für den Auftraggeber unentgeltlich zu besorgen. Nur die Erstattung solcher Aufwendungen stellt eine zulässige Verwendung von Vereinsmitteln dar. Fahrtkosten darf ein Verein beispielsweise nur erstatten, wenn diese zur Erfüllung seiner satzungsmäßigen Zwecke erforderlich waren. Aufwendungen, die auch der Wahrnehmung der eigenen Mitgliedschaft dienten und (auch) im eigenen Interesse des Zuwendenden getätigt werden, fehlt das für den Spendenabzug zwingend erforderliche Element der Uneigennützigkeit.

▶ **Benefizveranstaltungen**

Benefizveranstaltungen (Wohltätigkeitsveranstaltungen) sind bei gemeinnützigen Körperschaften dem wirtschaftlichen Geschäftsbetrieb zuzuordnen. Die Tatsache, dass der Reinerlös steuerbegünstigten Zwecken zugeführt wird, ändert nichts daran, dass ein evtl. Gewinn versteuert werden muss. Eine Anerkennung als Zweckbetrieb kommt nicht in Betracht, wenn die betreffende Betätigung z. B. auf einen privaten (nicht begünstigten) Unternehmer hätte übertragen werden können. Eine Aufteilung der Eintrittsgelder zu Wohltätigkeitsveranstaltungen in einen Entgelt- und Spendenanteil ist nicht (mehr) zulässig. Steuerbegünstigte Spenden sind nur dann gegeben, wenn neben dem eigentlichen Entgelt (Eintritt) freiwillige Zuwendungen erfolgen.

▶ **Bußgelder**

Bußgelder zählen zu den Einnahmen des ideellen Bereichs. Es besteht kein Zusammenhang mit einer Gegenleistung des Vereins.

Für Bußgelder dürfen auch keine Spendenbescheinigungen ausgestellt werden. Zahlungen zur Erfüllung einer Auflage u. a. nach § 153a Abs. 1 Nr. 2 StPO sind keine Spenden. Die Zahlungen werden nicht in erster Linie zur Förderung der gemeinnützigen Einrichtung geleistet, sondern mit dem Ziel einer endgültigen Verfahrenseinstellung. Die unmittelbare Verknüpfung von Zahlung und Einstellung des Verfahrens steht einem Abzug als Spende entgegen.

▶ **Dachverbände**

Zusammenschlüsse von steuerbegünstigten Körperschaften zu Dachorganisationen oder Spitzenverbänden verfolgen oft nicht selbst unmittelbar steuerbegünstigte Zwecke, sie beschränken sich im Allgemeinen darauf, die Belange der ihnen angeschlossenen Vereine zu vertreten.

Ihre Steuerbegünstigung wird nach § 57 Abs. 2 AO jedoch ausnahmsweise unterstellt, wenn sämtliche der angeschlossenen Mitgliedsvereine als gemeinnützig anerkannt sind. Ist dies nicht der Fall, können der Dachorganisation steuerliche Vergünstigungen nicht gewährt werden. Ein Verband muss deshalb darauf achten, dass er nur Mitglieder aufnimmt, die selbst als gemeinnützig aner-kannt sind. Problematisch ist auch der nachträgliche Verlust der Gemeinnützigkeit eines Verbandsmitglieds. Dieser Fall ist in der Regel nicht vorhersehbar und kann für den Verband zu erheblichen Härten führen. Es empfiehlt sich deshalb, in die Satzung eine Klau-sel aufzunehmen, dass Mitgliedsvereine automatisch ihre Mitglied-schaft verlieren, wenn ihnen die Gemeinnützigkeit aberkannt wird.

Etwas anderes gilt bei Dachverbänden, die selbst steuerbegünstig-te Zwecke unmittelbar verfolgen. Bei diesen ist nach AEAO Nr. 3 zu § 57 AO die bloße Mitgliedschaft einer nicht gemeinnützigen Orga-nisation für die Steuerbegünstigung unschädlich, weil grundsätzlich jede natürliche oder juristische Person Mitglied einer steuerbegüns-tigten Körperschaft sein kann. Der Verband darf die nicht steuerbe-günstigte Organisation aber nicht mit Rat und Tat fördern (z.B. durch Mittelzuweisung, Rechtsberatung). Das schließt die Erbrin-gung von Leistungen an dieses Mitglied gegen angemessenes Entgelt aber nicht aus.

Leistungen an die Mitgliedsvereine, die im Rahmen satzungs-mäßiger Zwecke erbracht werden, sind bei gemeinnützigen Verbänden als Zweckbetriebe steuerbegünstigt:

- die entgeltliche Abgabe von Leistungsabzeichen und Schieß-scheiben von einem Landesschützenbund an seine Mitgliedsver-eine (FG Schleswig-Holstein vom 23. 7. 1963, EFG 1964 S. 30),
- die Tätigkeit eines Sportdachverbands aus der Veräußerung von Drucksachen, die auf die verbandlichen Erfordernisse zuge-schnitten sind und Prüfmarken für Sportgeräte (FG Münster vom 8. 12. 1966, EFG 1967 S. 476),
- die Genehmigung von Wettkampfveranstaltungen der Sportverei-ne, die Genehmigung der Trikotwerbung, die Ausstellung oder Verlängerung von Sportausweisen für Mitglieder (Abschn. 170 Abs. 4 Beispiel 1 UStR 2008); keine Umsatzsteuer-Befreiung hier-für nach § 4 Nr. 22b (Abschn. 116 Abs. 4 UStR 2008).

Leistungen an die Mitgliedsvereine außerhalb der satzungsmäßigen Tätigkeit stellen einen steuerpflichtigen wirtschaftlichen Geschäftsbetrieb dar:

- die Leistungen der Treuhand- und der Buchstelle eines Diakonischen Werkes an seine Mitgliedseinrichtungen (FG Baden-Württemberg vom 11. 1. 2001, EFG 2001 S. 936);
- der zentrale Einkauf von Ausrüstungsmaterial und Hilfsmitteln durch einen als gemeinnützig anerkannten Dachverband der Wohlfahrtspflege und deren Weiterverkauf an die steuerbegünstigten Landesverbände und Ortsverbände (BFH vom 15. 10. 1997, BFH/NV 1998, 150);
- die zentrale Gehaltsabrechnungsstelle eines gemeinnützigen Dachverbandes (FG Baden-Württemberg vom 3. 2. 1993, EFG 1993 S. 619).

Vgl. hierzu auch Stichw. „Regionale Untergliederungen von Großvereinen".

▶ **Darlehen**

Darlehenszuflüsse: Darlehenszuflüsse haben im Allgemeinen keine Auswirkung auf die Einnahmen-/Ausgabenrechnung des Vereins. Einerseits erhöhen sie den Bestand an Finanzmitteln (Zugang), andererseits begründen sie eine Rückzahlungsverpflichtung, die beim Anlage- und Kapitalvermögen als Abgang zu erfassen ist.

Zur steuerlichen Behandlung von Darlehen, die Mitglieder dem Verein im Zusammenhang mit ihrer Aufnahme in den Verein gewähren, vgl. AEAO Nr. 1.3.1.5. zu § 52 AO.

Darlehensvergabe: Zur Frage der Zulässigkeit der Vergabe von Darlehen durch einen gemeinnützigen Verein vgl. AEAO Nr. 15–17 zu § 55 AO.

In der Buchführung findet die Darlehensvergabe Niederschlag durch Verminderung eines Finanzkontos sowie durch Einrichtung eines Darlehensforderungskontos (Anlage- und Kapitalkonten).

▶ **Erbschaften und Schenkungen**

Geldzuflüsse aus Erbschaften und Schenkungen zählen beim Verein zu den Einnahmen des ideellen Bereichs. Sie haben weder

Körperschaftsteuer-/Gewerbesteuer- noch Umsatzsteuerpflicht zur Folge.

Die planmäßige Verwertung im Erbwege erworbener Gegenstände hingegen stellt einen wirtschaftlichen Geschäftsbetrieb dar (Körperschaftsteuer-/Gewerbesteuerpflicht, Umsatzsteuer-Satz 19 %). Vgl. BFH vom 9. 9. 1993 V R 24/89, BStBl. II 1994 S. 57.

Zur Frage, inwieweit Zuwendungen aus Erbschaften und Schenkungen bei gemeinnützigen Vereinen dem Gebot zeitnaher Mittelverwendung unterliegen, vgl. AEAO Nr. 12 zu § 55 AO, § 58 Nr. 11 AO i.V.m. AEAO Nr. 21 zu § 58 AO.

▶ Freistellungsauftrag und NV-Bescheinigung

Soweit die Erträge aus Kapitalvermögen unter dem Sparer-Pauschbetrag von 801 € liegen (vgl. hierzu Kap. A „Umfang der Steuerpflicht" unter I.) oder offensichtlich dem steuerfreien Bereich der Vermögensverwaltung zuzuordnen sind (gemeinnütziger Verein), besteht die Möglichkeit, den Steuerabzug durch Erteilung eines Freistellungsauftrages bzw. durch Vorlage einer sog. Nichtveranlagungsbescheinigung (NV-Bescheinigung) zu vermeiden.

Freistellungsauftrag (§ 44a Abs. 2 Nr. 1 EStG)

Bei Kapitalerträgen bis zur Höhe des o.g. Freibetrags kann die Bank auf einem besonderen Vordruck, dem Freistellungsauftrag, der entweder bei den Kreditinstituten oder beim Finanzamt erhältlich ist, angewiesen werden, von den Zinsen keine Steuer einzubehalten.

Der gesamte Freistellungsbetrag kann auf mehrere Kreditinstitute aufgeteilt werden. Auf die optimale und korrekte Verteilung muss der Steuerpflichtige selbst achten.

Der Freistellungsauftrag muss nach amtlich vorgeschriebenem Vordruck erteilt werden und unterschrieben sein.

Ein einmal unbefristet erteilter Freistellungsauftrag gilt so lange, bis er ausdrücklich gegenüber dem Kreditinstitut widerrufen wird oder ein neuer Freistellungsauftrag erteilt wird.

Nichtveranlagungsbescheinigungen gem. §§ 44 a Abs. 2 Nr. 2 EStG und 24 KStG sowie Bescheinigungen gem. § 44 a Abs. 4, 5, 7 oder 8 EStG

Eine Abstandnahme vom Steuerabzug in unbegrenzter Höhe kann durch eine sog. NV-Bescheinigung erreicht werden. NV-Bescheinigungen werden vom Finanzamt auf Antrag erteilt, z. B. dann,

- wenn der Gläubiger eine von der Körperschaftsteuer befreite inländische Körperschaft, Personenvereinigung oder Vermögensmasse oder eine inländische juristische Personen des öffentlichen Rechts ist (§ 44 a Abs. 4 EStG), → NV-Art 02;
- wenn der Anspruchsberechtigte eine inländische gemeinnützige Körperschaft i. S. des § 5 Abs. 1 Nr. 9 KStG oder eine Stiftung des öffentlichen Rechts, die ausschließlich und unmittelbar gemeinnützigen oder mildtätigen Zwecken dient, oder eine juristische Person des öffentlichen Rechts, die ausschließlich und unmittelbar kirchlichen Zwecken dient, ist, → NV-Art 03;
- wenn es sich um eine nach § 5 Abs. 1 KStG, mit Ausnahme der Nr. 9, steuerbefreite Körperschaft handelt, → NV-Art 04;
- wenn es sich bei den Sparern/Anlegern um Körperschaften, Personenvereinigungen und Vermögensmassen i. S. des § 24 Abs. 1 KStG handelt, deren Einkommen den Freibetrag von 5.000 € nicht übersteigt, → NV-Art 09.

NV-Bescheinigung bei gemeinnützigen Körperschaften und inländischen juristischen Personen des öffentlichen Rechts

Für die Abstandnahme vom Steuerabzug ist grundsätzlich die Vorlage einer NV-Bescheinigung (NV 2B) erforderlich. Die Ausstellung der entsprechenden Bescheinigung ist beim Finanzamt zu beantragen (Vordruck NV 2A). Die Gültigkeitsdauer der Bescheinigung ist in der Regel auf drei Jahre begrenzt. An Stelle einer NV-Bescheinigung kann dem Kreditinstitut auch ein aktueller Freistellungsbescheid oder eine amtlich beglaubigte Kopie hiervon überlassen werden.

Eine Abstandnahme vom Steuerabzug ist unzulässig, wenn die Erträge in einem wirtschaftlichen Geschäftsbetrieb anfallen, für den die Befreiung von der Körperschaftsteuer ausgeschlossen ist, oder wenn sie in einem nicht von der Körperschaftsteuer befreiten Betrieb gewerblicher Art anfallen.

Freistellungsaufträge und NV-Bescheinigungen bei nicht steuerbefreiten Körperschaften

Nicht steuerbefreiten, unbeschränkt steuerpflichtigen Körperschaften, Personenvereinigungen und Vermögensmassen steht, wenn sie Einkünfte aus Kapitalvermögen erzielen, ab 2009 der Sparerpauschbetrag in Höhe von 801 € zu.

Sie können auf dem gleichen Vordruck, wie er für natürliche Personen vorgesehen ist, einen Freistellungsauftrag erteilen, wenn das Konto auf ihren Namen lautet und soweit die Kapitalerträge den Werbungskosten-Pauschbetrag und den Sparer-Freibetrag nicht übersteigen. Dies gilt u.a. auch für nichtrechtsfähige Vereine (§ 1 Abs. 1 Nr. 5 KStG).

Sind die Zinseinnahmen höher als 801 €, haben nicht steuerbefreite, unbeschränkt steuerpflichtige Körperschaften, Personenvereinigungen und Vermögensmassen, denen der Freibetrag nach § 24 KStG zusteht und deren Einkommen den Freibetrag von 5.000 € nicht übersteigt, Anspruch auf Erteilung einer NV-Bescheinigung (NV 3A).

▶ Funktionale Untergliederungen

Die funktionalen Untergliederungen eines Vereins (Abteilungen) werden im Steuerrecht nicht als selbstständige Steuersubjekte anerkannt. In § 51 Abs. 1 Satz 3 AO ist bestimmt, dass sie als unselbstständige Teile des Hauptvereins zu behandeln sind. Buchführung und Steuererklärung müssen folglich die (vollständigen) Einnahmen und Ausgaben sowohl des Hauptvereins als auch sämtlicher Abteilungen enthalten.

Wird bei einem gemeinnützigen Verein eine Abteilung nach außen hin ausgegliedert, um die Steuervergünstigungen (Besteuerungsgrenzen, Zweckbetriebsgrenzen und Freibeträge) mehrfach nutzen zu können, bleibt dieser Vorgang nach § 64 Abs. 4 AO steuerrechtlich wirkungslos, wenn die Abteilung im Innenverhältnis weiterhin dem Hauptverein angehört (Missbrauch von rechtlichen Gestaltungsmöglichkeiten). Kein Fall des § 64 Abs. 4 AO ist wegen der unterschiedlichen Zielsetzung die Gründung eines Fördervereins, selbst wenn sich in ihm ausschließlich die Mitglieder des zu fördernden Vereins engagieren. § 64 Abs. 4 gilt gem. AEAO Nr. 24 zu § 64 AG auch nicht für regionale Untergliederungen (Landes-, Bezirks-, Ortsverbände) steuerbegünstigter Körperschaften.

▶ Gesellige Veranstaltungen

Eine Anerkennung als Zweckbetrieb ist nur unter den Voraussetzungen der §§ 65, 66 AO möglich, z. B. bei Veranstaltungen im Rahmen der Altenhilfe, Betreuung von Menschen mit Behinderungen oder der Jugendhilfe. In allen anderen Fällen stellt die Durchführung geselliger Veranstaltungen, gleich ob im kleinen oder großen Rahmen, gleich ob einmalig oder regelmäßig, grundsätzlich einen wirtschaftlichen Geschäftsbetrieb dar. Steuerpflichtig ist dabei nicht nur die Bewirtung der Besucher, sondern auch die Vermietung der Standplätze und Übertragung der Bewirtschaftung. Bei der Ermittlung des Gewinns ist darüber hinaus zu beachten, dass nicht alle anlässlich der Veranstaltung angefallenen Ausgaben abzugsfähig sind. Ausgaben, die durch das ideelle Rahmenprogramm angefallen sind, sind in der Regel nicht abzugsfähig.

FG Nürnberg vom 31. 5. 2001, EFG 2001 S. 1162 (Festzugausgaben bei einem Vereinsjubiläum): Betreibt ein gemeinnütziger Verein aus Anlass eines Jubiläums ein Festzelt als wirtschaftlichen Geschäftsbetrieb, so sind durch einen Festzug veranlasste Ausgaben abzugsfähig, wenn das Jubiläum des Vereins in einer vom Festzug getrennten Festveranstaltung begangen wird und Ziel des Festzugs das Festzelt ist.

Niedersächs. FG vom 27. 7. 1999, EFG 1999 S. 1162 (Übertragung des Bewirtschaftungsrechts als wirtschaftlicher Geschäftsbetrieb): Die entgeltliche Überlassung eines Bewirtschaftungsrechts durch einen Schützenverein an einen Festwirt anlässlich der Durchführung eines Schützenfestes ist ein wirtschaftlicher Geschäftsbetrieb i. S. des § 14 AO.

BFH vom 21. 7. 1999, BFH/NV 2000 S. 85 (keine Berücksichtigung von Ausgaben des ideellen Bereichs): 1. Veranstaltet ein Feuerwehrverein einen Kreisfeuerwehrtag und betreibt er hierzu ein Festzelt, so sind dem Festzeltbetrieb als wirtschaftlichen Geschäftsbetrieb die Einnahmen und Ausgaben zuzurechnen, die durch den Festzeltbetrieb veranlasst sind. Ausgaben, die auch ohne den Festzeltbetrieb entstanden wären, können den steuerpflichtigen Gewinn aus dem Festzeltbetrieb nicht mindern.

2. Beruht das Entstehen einer Ausgabe auf mehreren, steuerlich unterschiedlich zu beurteilenden Tätigkeiten, so ist eine Gewichtung der verschiedenen Anlässe vorzunehmen.

3. Für die Zuordnung der Ausgaben ist nicht entscheidend, dass der wirtschaftliche Geschäftsbetrieb (Festzeltbetrieb) durch die steuerbegünstigte Tätigkeit (Veranstaltung eines Kreisfeuerwehrtages) veranlasst ist.

4. Aufwendungen, die durch die steuerbegünstigte Tätigkeit veranlasst sind, sind nicht deswegen ganz oder teilweise dem wirtschaftlichen Geschäftsbetrieb zuzuordnen, weil sie dessen Einnahmen erhöhen.

BFH vom 9. 11. 1988, BFH/NV 1989 S. 342 (Festzeltbetrieb als wirtschaftlicher Geschäftsbetrieb): 1. Ein Verein (Fußballclub) wird nachhaltig tätig, wenn er im Rahmen des 20jährigen Gründungsjubiläums zur Bewirtung der Gäste ein Bierzelt betreibt.
2. ...

BFH vom 21. 8. 1985, BStBl. II 1986 S. 92 (Bewirtung der Besucher bei Waldfest als wirtschaftlicher Geschäftsbetrieb): Veranstaltet ein gemeinnütziger Verein, der auf den Gebieten der Heimatpflege und Heimatkunde (Erhaltung der Gebirgstracht, des Volksgesangs und des Volkstanzes sowie alter Sitten und Gebräuche) die Allgemeinheit fördert, sog. Waldfeste und übernimmt er dabei u. a. selbst die Bewirtung der Besucher, so unterhält er insoweit einen (steuerschädlichen) wirtschaftlichen Geschäftsbetrieb. Ein steuerunschädlicher Geschäftsbetrieb ist in einem solchen Falle nicht gegeben. Ein bei den Veranstaltungen erzielter Überschuss der Einnahmen über die Unkosten unterliegt der Körperschaftsteuer.

Niedersächs. FG vom 25. 8. 1980, EFG 1981 S. 259 (Überlassung von Standplätzen als wirtschaftlicher Geschäftsbetrieb): Die alljährlich anlässlich der Abhaltung von Schützenfesten sich wiederholende Vermietung der Standplätze auf dem einem Schützenverein gehörigen Schützenplatz an Schausteller und andere Gewerbetreibende stellt einen über den Rahmen einer Vermögensverwaltung hinausgehenden wirtschaftlichen Geschäftsbetrieb dar. Das gilt nicht für die gelegentlich erfolgende Vermietung des Schützenplatzes im Ganzen an dritte Veranstalter.

BFH vom 25. 4. 1968, BStBl. II 1969 S. 94 (USt-Pflicht der Überlassung von Standplätzen): Der Senat hält an der Auffassung fest, dass die Überlassung von Standplätzen bei Volksfesten, Schützenfesten, Kirchweihen, Jahrmärkten und dgl. keine reine Grundstücksvermietung, sondern entweder eine gemischte Leistung oder eine Leistung besonderer Art darstellt.

BFH vom 21. 12. 1954, BStBl. III 1955 S. 59 (USt-Pflicht der Überlassung von Standplätzen): Überlässt ein Schützenverein für die Dauer eines von ihm veranstalteten Schützenfestes Unternehmern Teilflächen des Festplatzes unter bestimmten Auflagen zur Aufstellung von Verkaufsständen, Schankzelten, Schaubuden, Karussells und dergleichen, so liegt keine Vermietung von Grundstücksteilen, sondern eine Leistung besonderer Art vor. Die von dem Verein für die Überlassung vereinnahmten Entgelte sind deshalb nicht (nach § 4 Nr. 12 UStG) von der Umsatzsteuer ausgenommen.

▶ **Gruppenversicherungen**

Gemeinnützige Vereine und Berufsverbände schließen häufig Gruppenversicherungen ab, denen die Mitglieder des Vereins und deren Familienangehörige beitreten können. Die Vereine übernehmen das Inkasso der Versicherungsbeiträge und andere Verwaltungsaufgaben im Zusammenhang mit der Versicherung. Dafür werden den Vereinsmitgliedern von der Versicherung Vorzugskonditionen eingeräumt, außerdem steht ihnen ein Anspruch auf Gewinnbeteiligung zu.

Verzichten die Vereinsmitglieder in einer mit dem Beitritt zur Gruppenversicherung abzugebenden Zuwendungserklärung auf die Gewinnbeteiligung zu Gunsten des Vereins, so gehören die dem Verein überlassenen Gewinnanteile zu den steuerpflichtigen Einnahmen aus einem wirtschaftlichen Geschäftsbetrieb. Sie stehen in unmittelbarem wirtschaftlichen Zusammenhang mit den Leistungen, die der Verein im Rahmen des Gruppenversicherungsvertrags erbringt. Leistungen im Zusammenhang mit dem Abschluss und der Vermittlung von Versicherungen stellen nach R 16 Abs. 4 Satz 10 KStR 2004 einen wirtschaftlichen Geschäftsbetrieb dar. Der rechtlich und wirtschaftlich erforderliche unlösbare Zusammenhang zwischen Überschussbeteiligung und der Vermittlungsleistung bzw. der vom Verein gegenüber dem Versicherer erbrachten Inkassoleistung ist nach Auffassung des BFH im Urteil vom 15. 10. 1997 I R 2/97, BStBl. II 1998 S. 175 zweifelsfrei gegeben.

Neben der Körperschaftsteuer- und Gewerbesteuerpflicht ist auch eine uneingeschränkte Umsatzsteuerpflicht gegeben. Eine Steuerbefreiung nach § 4 Nr. 10b oder Nr. 11 UStG wird von der Rechtsprechung verneint, weil hier ein sog. „unechter" Versicherungsvertrag vorliegt, vgl. hierzu BFH vom 20. 12. 1990 V R 68/85, BFH/NV 1991, 489; FG Köln vom 3. 8. 1999 9 K 3734/96, EFG 2000 S. 42; FG München vom 27. 9. 2000, 3 K 4230/96, EFG 2001 S. 169.

Beim sog. „unechten" Gruppenversicherungsvertrag erwirbt das Vereins-/Verbandsmitglied keinen unmittelbaren Versicherungsschutz aus dem Gruppenvertrag gegen den Versicherer. Versicherungsschutz wird vielmehr erst dann begründet, wenn das einzelne Mitglied selbst – zu den im Gruppenversicherungsvertrag festgelegten Bedingungen – einen individuellen Versicherungsvertrag mit der Versicherungsgesellschaft schließt. Da der „unechte" Gruppenversicherungsvertrag lediglich die Grundlage für den Inhalt der einzelnen Versicherungsverträge bildet, sind die Voraussetzungen für eine Steuerbefreiung des Vereins/Verbandes nach § 4 Nr. 10 Buchst. b UStG (Leistungen, die darin bestehen, dass anderen Personen Versicherungsschutz verschafft wird) nicht gegeben. Die Mitwirkung des Vereins/Verbandes bei der Einziehung und Abführung der Versicherungsbeiträge sowie bei der Abwicklung des Geschäftsverkehrs ist keine Verschaffung von Versicherungsschutz i.S. dieser Befreiungsnorm.

Auch die Befreiungsnorm des § 4 Nr. 11 UStG (Umsätze aus der Tätigkeit als ... Versicherungsvertreter und Versicherungsmakler) kommt nicht zur Anwendung. Denn die von dem Versicherungsunternehmen gezahlten Vergütungen sind keine Provisionen für die Vermittlung oder den Abschluss von Versicherungsverträgen, sondern Vergütungen für die Verwaltung der einzelnen von den Vereinsmitgliedern abgeschlossenen Versicherungsverträge.

▶ **Hilfsgeschäfte**

Einnahmen aus sog. Hilfsgeschäften, die die Tätigkeit der Geschäftsstelle mit sich bringt (Verkauf von Einrichtungsgegenständen, gebrauchten Fahrzeugen etc.) haben weder Ertragsteuerpflicht noch Umsatzsteuerpflicht zur Folge (vgl. hierzu R 16 Abs. 6 Satz 2 und 3 KStR 2004, Abschn. 20 Abs. 2 und Abschn. 22 Abs. 1 Satz 10 und 11 UStR 2008).

▶ **Humanitäre Hilfe und Umsatzsteuervergütung
nach § 4 a UStG**

Umsatzsteuer, die beim Erwerb von Gegenständen (Lebensmittel, Medikamente, Bekleidung) anfällt, die von gemeinnützigen Organisationen i. S. der §§ 52–54 AO und juristischen Personen des öffentlichen Rechts für Hilfslieferungen ins Ausland verwendet werden, wird unter bestimmten in § 4 a UStG genannten Voraussetzungen vom Finanzamt erstattet:

- Die Lieferung, die Einfuhr oder der innergemeinschaftliche Erwerb des Gegenstandes muss steuerpflichtig gewesen sein.
- Die auf die Lieferung des Gegenstandes entfallende Steuer muss in einer Rechnung i. S. des § 14 Abs. 1 UStG gesondert ausgewiesen und mit dem Kaufpreis bezahlt worden sein.
- Die für die Einfuhr oder den innergemeinschaftlichen Erwerb des Gegenstandes geschuldete Steuer muss entrichtet worden sein.
- Der Gegenstand muss in das Drittlandsgebiet (im Wesentlichen alle Staaten, die nicht zu den 25 EU-Staaten zählen) gelangt sein.
- Der Gegenstand muss im Drittlandsgebiet zu **humanitären, karitativen oder erzieherischen Zwecken** verwendet werden.
- Der Erwerb oder die Einfuhr des Gegenstandes und seine Ausfuhr dürfen nicht im Rahmen eines wirtschaftlichen Geschäftsbetriebes vorgenommen worden sein (kein Vorsteuerabzug).
- Die vorstehenden Voraussetzungen müssen buch- und belegmäßig (vom deutschen Zoll abgestempelte Zollpapiere) **nachgewiesen** sein.

Die Vergütung ist ausgeschlossen bei steuerfreien Lieferungen, bei Lieferungen durch Privatpersonen oder bei unentgeltlichen Lieferungen, z. B. bei Sachspenden.

Zu beachten ist, dass die Erstattung nicht von Amts wegen erfolgt, sondern beantragt werden muss. Der **Antrag** ist nach amtlich vorgeschriebenem Vordruck (USt 1 V) zu stellen, wobei der Antragsteller die zu gewährende Vergütung selbst zu berechnen hat. Der Antrag kann nur bis zum Ablauf des Kalenderjahres gestellt werden, der auf das Kalenderjahr folgt, in dem der Gegenstand in das Drittlandsgebiet gelangt ist.

Zur weiteren Information über Humanitäre Hilfe wird auf die

- Merkblätter des Auswärtigen Amtes für Hilfsgütertransporte (Transit- und Zielländer),
- Empfehlungen für Arzneimittellieferungen in der humanitären Hilfe verwiesen, zu finden unter der Internet-Adresse http://www. auswaertiges-amt.de.

Rechtsgrundlagen:

- § 4a UStG
- § 24 UStDV, Antragsfrist für die Steuervergütung und Nachweis der Voraussetzungen
- Abschn. 123 UStR 2008, Vergütungsberechtigte
- Abschn. 124 UStR 2008, Voraussetzungen für die Vergütung
- Abschn. 125 UStR 2008, Nachweis der Voraussetzungen
- Abschn. 126 UStR 2008, Antragsverfahren
- Abschn. 127 UStR 2008, Wiedereinfuhr von Gegenständen

Formulare:

- Antrag auf Umsatzsteuer-Vergütung für Ausfuhren von Gegenständen zu humanitären, karitativen oder erzieherischen Zwecken (USt 1 V)
- Anlage zum Antrag auf Umsatzsteuer-Vergütung

▶ **Innergemeinschaftlicher Erwerb**

Allgemeines: Der Erwerb von Gegenständen aus einem Mitgliedstaat der EG zählt zu den Tatbeständen, die eine Umsatzsteuerpflicht zur Folge haben können (vgl. § 1 Abs. 1 Nr. 5 UStG).

Allerdings brauchen juristische Personen, die nicht Unternehmer sind oder Gegenstände für den nichtunternehmerischen Bereich erwerben, den Erwerb von Gegenständen aus anderen Mitgliedsstaaten im Inland nicht der Umsatzsteuer zu unterwerfen, wenn der Gesamtbetrag der Entgelte für diese Erwerbe den Betrag von **12.500 €** im vorangegangenen Kalenderjahr nicht überstiegen hat und im laufenden Kalenderjahr voraussichtlich nicht übersteigen wird (vgl. § 1a Abs. 3 UStG).

Erwerb von neuen Fahrzeugen und von verbrauchsteuerpflichtigen Waren: Unabhängig von einer Erwerbsgrenze und ohne Rücksicht auf die Person des Erwerbers unterliegt der innergemeinschaftliche

Erwerb bestimmter neuer Fahrzeuge in jedem Fall der Umsatzsteuer.

Uneingeschränkt umsatzsteuerpflichtig ist darüber hinaus der gemeinschaftliche Erwerb der folgenden verbrauchspflichtigen Waren:

- Mineralöle,
- alkoholische Getränke und
- Tabakwaren.

Umsatzsteuerfreier innergemeinschaftlicher Erwerb: Ebenso wie bestimmte Einfuhren aus Drittländern sind auch bestimmte innergemeinschaftliche Erwerbe umsatzsteuerfrei. Der Umfang dieser Steuerbefreiungen ist in § 4 b UStG festgelegt und ergibt sich zu einem wesentlichen Teil aus der Einfuhrumsatzsteuer-Befreiungsverordnung.

Umsatzsteuerfrei ist der innergemeinschaftliche Erwerb insbesondere von:

- Gegenständen mit geringem Wert, d. h. mit einem Wert von nicht mehr als 22 € (z. B. Bücher und Zeitschriften),
- bestimmten Gebrauch- und Verbrauchsgütern für Ausstellungen und ähnliche Veranstaltungen,
- bestimmten Gegenständen erzieherischen, wissenschaftlichen oder kulturellen Charakters, wenn bestimmte Voraussetzungen erfüllt werden,
- Kunstgegenständen und Sammlungsstücken, die unentgeltlich erworben werden und deren Lieferer nicht Unternehmer ist,
- biologischen und chemischen Stoffen für Forschungszwecke, die unentgeltlich erworben werden,
- Gegenstände für Prüfungs- Analysen- oder Versuchszwecke,
- lebenswichtige Gegenstände für Organisationen der Wohlfahrtspflege, die unentgeltlich erworben werden,
- Gegenstände für Behinderte, die für Organisationen der Wohlfahrtspflege bestimmt sind und unentgeltlich erworben werden.

Höhe der Umsatzsteuer: Grundsätzlich ist auf den innergemeinschaftlichen Erwerb von Gegenständen der allgemeine Steuersatz (19 %) anzuwenden. Der ermäßigte Steuersatz (7 %) kommt in Betracht, wenn der erworbene Gegenstand zu den Waren und Erzeugnissen gehört, die in der „Liste der dem ermäßigten Steuersatz unterliegenden Gegenstände" (Anlage zu § 12 Abs. 2 Nr. 1 und 2 UStG) aufgeführt sind.

Verwendung der Umsatzsteuer-Identifikationsnummer: Da der innergemeinschaftliche Erwerb beim Verein der Umsatzsteuer unterliegt, ist darauf zu achten, dass die diesem Erwerb zugrunde liegende Lieferung von dem betreffenden Unternehmer im anderen EG-Mitgliedsstaat als umsatzsteuerfrei behandelt wird und somit nicht mit einer anderen Umsatzsteuer belastet ist. Durch die Mitteilung der sog. Umsatzsteuer-Identifikationsnummer (USt-IdNr.) wird dem in einem anderen EG-Mitgliedsstaat ansässigen Lieferer oder Auftragnehmer angezeigt, dass der Erwerb oder die Lohnveredelung des Gegenstandes der Umsatzsteuer unterworfen werden soll.

Überschreiten bei einem nicht als Unternehmer tätigen Verein die innergemeinschaftlichen Erwerbe nicht die Jahreserwerbsschwelle von 12.500 € und hat er auf deren Anwendung auch nicht verzichtet, so unterliegt die von dem Unternehmer aus einem anderen EG-Mitgliedsstaat ausgeführte Lieferung bei diesem der Umsatzsteuer.

Zuteilung der Umsatzsteuer-Identifikationsnummer (§ 27 a UStG): Die USt-IdNrn. werden auf schriftlichen Antrag vom Bundeszentralamt für Steuern (Außenstelle Saarlois) erteilt.

In dem Antrag, der auch online gestellt werden kann, sind anzugeben:
- Name und Anschrift des Vereins,
- die Steuernummer, unter der der Verein umsatzsteuerlich geführt wird.

Nähere Einzelheiten zum Verfahren vgl. unter www. bzst.de.

Nichtunternehmerisch tätige Vereine, die eine USt-IdNr. erhalten wollen, müssen sich zunächst an das zuständige Finanzamt wenden.

Aufzeichnungspflichten: Die Besteuerung des innergemeinschaftlichen Erwerbs erfordert, dass hierüber besondere **Aufzeichnungen** geführt werden. Nach Abschn. 256a UStR 2008 hat der Verein für jeden innergemeinschaftlichen Erwerb aufzuzeichnen:
- den Zeitpunkt des Erwerbs,

- die Menge und die handelsübliche Bezeichnung des Gegenstandes, bzw. Art und Umfang einer innergemeinschaftlichen Lohnveredelung und
- die Bemessungsgrundlage.

Aus den Aufzeichnungen muss hervorgehen:
- welche Erwerbe umsatzsteuerpflichtig und welche umsatzsteuerfrei sind,
- wie sich die Bemessungsgrundlagen für umsatzsteuerpflichtige Erwerbe auf den ermäßigten und den allgemeinen Steuersatz verteilen.

Ein Verein, der auch Unternehmer ist, hat die für das Unternehmen vorgenommenen Erwerbe getrennt von den nicht für das Unternehmen ausgeführten Erwerben aufzuzeichnen.

Anmeldung und Zahlung der Umsatzsteuer: Vereine, die ausschließlich Umsatzsteuer für innergemeinschaftlichen Erwerb zu entrichten haben, müssen ebenso wie Unternehmer Umsatzsteuer-Voranmeldungen bei ihrem zuständigen Finanzamt abgeben. Voranmeldungszeitraum ist einheitlich der Kalendermonat.

In der Umsatzsteuer-Voranmeldung sind anzugeben:
- die im Veranlagungszeitraum und im vorangegangenen Kalendermonat vorgenommenen innergemeinschaftlichen Erwerbe (einschließlich innergemeinschaftliche Lohnveredelungen), über die im Voranmeldezeitraum Rechnungen erteilt worden sind, und
- die innergemeinschaftlichen Erwerbe (einschließlich innergemeinschaftlicher Lohnveredelungen) im vorangegangenen Kalendermonat, über die bis zum Ablauf dieses Voranmeldungszeitraums (d. h. des dem Monat des Erwerbs folgenden Kalendermonats) keine Rechnung erteilt worden ist.

Die Umsatzsteuer-Voranmeldungen sind nur nach dem amtlich vorgeschriebenen Vordruck (2009: USt1a_09) abzugeben. Sie müssen bis zum 10. Tag nach Ablauf des jeweiligen Voranmeldungszeitraumes (Kalendermonat) abgegeben werden.

▶ Investitionszulage

Als Anreiz zur Vornahme von Investitionen in den neuen Bundesländern erhalten Unternehmer unter bestimmten Voraussetzungen vom Finanzamt eine indirekte Finanzhilfe in Form der sog. Investitionszulage. Diese Investitionszulage kann grundsätzlich auch von Vereinen in Anspruch genommen werden. Rechtsgrundlage ist das Investitionszulagengesetz 2007 vom 23. 2. 2007 bzw. nachfolgend das Investitionszulagengesetz 2010 vom 7. 12. 2008. Die Investitionszulage soll langfristig auslaufen. Die geltenden Fördersätze von 12,5 % bzw. 25 % der Anschaffungs- oder Herstellungskosten werden deshalb von 2010 bis 2013 jährlich um 2,5 bzw. 5 Prozentpunkte verringert.

Von der Körperschaftsteuer befreite Körperschaften, Personenvereinigungen und Vermögensmassen sind zur Inanspruchnahme der Investitionszulage nur berechtigt, soweit eine Investition dem wirtschaftlichen Geschäftsbetrieb zuzurechnen ist. Steuerpflichtige i. S. des Körperschaftsteuergesetzes haben nach § 1 Abs. 1 Satz 2 InvZulG keinen Anspruch, soweit sie nach § 5 KStG von der Körperschaftsteuer befreit sind.

Der Antrag auf Investitionszulage ist nach amtlich vorgeschriebenem Vordruck zu stellen.

Die Investitionszulagen gehören nicht zu den steuerpflichtigen Einkünften i. S. des Einkommensteuergesetzes (vgl. § 9 InvZulG). Investitionszulagen unterliegen auch nicht der Umsatzsteuer.

▶ Lotterien und Ausspielungen

Aufgrund des Entgeltcharakters der Lose kann die Durchführung einer Lotterie oder Ausspielung (Tombola, Versteigerung etc.) Ertragsteuer-, Umsatzsteuer- und Lotteriesteuer-Pflicht nach sich ziehen. Die steuerliche Behandlung hängt davon ab:
- wer an der Lotterie/Ausspielung teilnehmen kann,
- wie oft sie durchgeführt wird,
- ob sie genehmigt ist oder nicht.

Ertragsteuer-(KSt-/GewSt-)Pflicht: Eine Lotterie oder Ausspielung stellt grundsätzlich einen wirtschaftlichen Geschäftsbetrieb dar. Eine gemeinnützige Körperschaft kann aber die Einstufung als

Zweckbetrieb erreichen, wenn die Lotterie von der zuständigen Behörde genehmigt ist und der Erlös ausschließlich zu steuerbegünstigten Zwecken verwendet wird. Eine Beschränkung auf zwei Lotterien pro Jahr ist seit 1. 1. 2000 nicht mehr gegeben.

Der Genehmigungsbescheid ist eine Voraussetzung für die Zweckbetriebseigenschaft. Zuständig für die Genehmigung ist in Bayern beispielsweise

- das Staatsministerium des Innern für alle Lotterien und Ausspielungen, die sich über einen Regierungsbezirk hinaus erstrecken,
- die Gemeinden für die Ausspielung geringwertiger Gegenstände bei Volksbelustigungen und für die Ausspielung bei Veranstaltungen in geschlossenen Räumen,
- im Übrigen die Bezirksregierungen.

Vgl. hierzu § 68 Nr. 6 AO und AEAO Nr. 9 und 10 zu § 68 AO.

Umsatzsteuerpflicht: Wenn eine Lotterie oder Ausspielung lotteriesteuerpflichtig ist, stellt das Umsatzsteuergesetz den Veranstalter mit den daraus erzielten Umsätzen nach § 4 Nr. 9b UStG i.V.m. Abschn. 72 Abs. 3 UStR von der Umsatzsteuer frei.

Wenn keine Lotteriesteuerpflicht gegeben ist, richtet sich die Umsatzsteuerpflicht von Lotterien/Ausspielungen nach der körperschaftsteuerlichen Behandlung, d.h. bei Zuordnung zum Zweckbetrieb gilt der ermäßigte Umsatzsteuersatz, bei Zuordnung zum wirtschaftlichen Geschäftsbetrieb ist der volle Umsatzsteuersatz anzuwenden.

Lotteriesteuerpflicht: Bei Lotterien und Ausspielungen, die im Rahmen von öffentlichen Veranstaltungen durchgeführt werden, ist daneben auch Lotteriesteuerpflicht gegeben (§§ 17 ff. RennwLottG). Ausnahmen gelten, wenn:

- die Genehmigung der zuständigen Kreisverwaltungsbehörde eingeholt wird,
- der Gesamtpreis der Lose den Betrag von 40.000 € nicht übersteigt und
- der Erlös ausschließlich gemeinnützigen, mildtätigen oder kirchlichen Zwecken zugeführt wird.

Wird eine Genehmigung nicht eingeholt, besteht bei öffentlichen Veranstaltungen eine Lotteriesteuer-Befreiung nur für Ausspielungen, bei denen der Gesamtpreis der Lose den Betrag von 650 € nicht übersteigt und die Gewinne nur in Sachwerten bestehen.

▶ Musikdarbietungen bei Veranstaltungen

Bei nebenberuflich tätigen Musikern, die bei Vereinsveranstaltungen auftreten, liegt ein Arbeitsverhältnis zum Veranstalter und damit eine Steuerabzugspflicht regelmäßig nicht vor, wenn der einzelne Musiker oder die Kapelle, der er angehört, nur gelegentlich – etwa nur für einen Abend oder an einem Wochenende zu geselligen Veranstaltungen – verpflichtet wird.

Ein Arbeitsverhältnis zum Veranstalter ist in der Regel auch dann zu verneinen, wenn eine Kapelle selbstständig als Gesellschaft oder der Kapellenleiter als Arbeitgeber der Musiker aufgetreten ist. In diesen Fällen sind die Kapellen oder der Arbeitgeber-Kapellenleiter für die Versteuerung ihrer Gagen selbst verantwortlich. Tritt die Kapelle, wie dies üblicherweise der Fall ist, sowohl beim Abschluss der Verträge, als auch bei ihren späteren Darbietungen als Einheit auf, indem sie beispielsweise unter ihrem Kapellennamen in Erscheinung tritt, so ist die Gesamtheit der beteiligten Musiker als Unternehmer (GbR) zu behandeln. Das Interesse des einzelnen Veranstalters richtet sich hierbei – insbesondere auch aus Werbegründen – auf den Namen der Kapelle und nicht auf eine bestimmte Zusammensetzung ihrer Mitglieder, da vom Bekanntheitsgrad der Kapelle in der Regel auch der finanzielle Erfolg der Veranstaltung abhängt. Meist sind in diesen Fällen die Mitglieder der Kapelle nach den zwischen ihnen getroffenen Vereinbarungen als Partner und damit als Mitunternehmer i. S. des § 15 Abs. 1 Nr. 2 EStG anzusehen. Soweit dagegen der Kapellenleiter die Musikkapelle nicht nur musikalisch, sondern auch organisatorisch und wirtschaftlich führt, selbst die Verträge mit den Veranstaltern im eigenen Namen abschließt und Inhalt und Zusammensetzung der musikalischen Darbietungen bestimmt, muss in der Regel davon ausgegangen werden, dass der Leiter der Kapelle eine unternehmerische Tätigkeit ausübt. Als Indiz für die Unternehmereigenschaft des Kapellenleiters kann die Tatsache gewertet werden, dass die Kapelle hierbei häufig nach außen hin unter dem Namen des Kapellenleiters auftritt oder dass die Zahl und die Zusammensetzung der Mitglieder oft wechselt. Zwischen den übrigen Kapellenmitgliedern und dem Kapellenleiter dürfte dabei in der Regel ein Arbeitsverhältnis anzunehmen sein, es sei denn, dass ein Musiker nur für einen einzelnen Auftritt vom Kapellenleiter engagiert wird.

Etwaige vertragliche Klauseln, dass „Lohnsteuer bzw. Einkommensteuer zu Lasten des Veranstalters gehen", können als Indiz dafür angesehen werden, dass ein Arbeitsverhältnis zwischen dem Veranstalter und dem Musiker/den Musikern vorliegt. Solche Klauseln allein vermögen jedoch ein Arbeitsverhältnis nicht zu begründen.

▶ **Regionale Untergliederungen von Großvereinen**

Voraussetzungen steuerlicher Selbstständigkeit: Gemäß AEAO Nr. 2 zu § 51 AO sind regionale Untergliederungen (Landes-, Bezirks-, Ortsverbände) von Großvereinen als nichtrechtsfähige Vereine (§ 1 Abs. 1 Nr. 5 KStG) selbstständige Steuersubjekte i. S. des Körperschaftsteuerrechts, wenn sie

• über eigene satzungsmäßige Organe (Vorstand, Mitgliederversammlung) verfügen und über diese auf Dauer nach außen im eigenen Namen auftreten und
• eine eigene Kassenführung haben.

Es ist nicht erforderlich, dass die regionalen Untergliederungen – neben der Satzung des Hauptvereins – noch eine eigene Satzung haben (vgl. dagegen die gemeinnützigkeitsrechtlichen Anforderungen!). Zweck, Aufgaben und Organisation der Untergliederungen können sich auch aus der Satzung des Hauptvereins ergeben.

Bei Vorliegen dieser Voraussetzungen ist auch die umsatzsteuerliche Selbstständigkeit anzuerkennen (Abschn. 17 Abs. 7 UStR 2008). Die regionalen Untergliederungen der Großvereine sind in diesen Fällen – unter den im Einzelfall zu prüfenden weiteren Voraussetzungen des § 2 Abs. 1 UStG – neben dem Hauptverein selbstständige Unternehmer.

Gemeinnützigkeitsrechtliche Anforderungen an eine eigene Satzung: Nach AEAO Nr. 2 Satz 2 zu § 51 können die selbstständigen regionalen Untergliederungen jedoch nur dann als gemeinnützig behandelt werden, wenn sie eine eigene Satzung haben, die den gemeinnützigkeitsrechtlichen Anforderungen entspricht.

▶ **Reisekostenpauschalen**

(1) Kfz-Kosten

Pauschaler Kilometersatz gem. R 9.5 LStR 2008/H 9.5 LStH 2008 bei einem

Kraftwagen 0,30 €
Motorrad/Motorroller 0,13 €
Moped/Mofa 0,08 €
Fahrrad 0,05 €
je Fahrtkilometer

(2) Mehraufwendungen für Verpflegung

Zulässige Verpflegungspauschalen im Inland gem. § 9 Abs. 5 i.V.m. § 4 Abs. 5 Nr. 5 EStG, R 9.6 LStR 2008 bei einer Abwesenheit von

über 8 bis 14 Stunden: 6 €
über 14 bis 24 Stunden: 12 €
mindestens 24 Stunden: 24 €

Für den Ansatz von Verpflegungsmehraufwendungen bei Auswärtstätigkeiten im Ausland gelten nach Staaten unterschiedliche Pauschbeträge (Auslandstagegelder), die vom BMF im Einvernehmen mit den obersten Finanzbehörden der Länder auf der Grundlage der höchsten Auslandstagegelder nach dem BRKG bekannt gemacht werden (R 9.6 Abs. 3 LStR 2008). Vgl. zuletzt BMF-Schreiben vom 17. 12. 2008, BStBl. I S. 1077.

(3) Übernachtungskosten

Berücksichtigung nur in nachgewiesener Höhe, vgl. R 9.7 LStR 2008.

Bei Hotelrechnungen mit Gesamtpreis für Übernachtung und Frühstück ist der maßgebende Pauschbetrag für Verpflegungsmehraufwendungen wie folgt zu kürzen:

für ein Frühstück um 20 %

für ein Mittag- und Abendessen um jeweils 40 %

▶ Reisen

Die Veranstaltung von Reisen stellt regelmäßig einen steuerpflichtigen wirtschaftlichen Geschäftsbetrieb dar. Gewinne daraus unterliegen der Körperschaftsteuer und Gewerbesteuer, umsatzsteuerlich gilt der Steuersatz von 19 %.

Bei gemeinnützigen Vereinen kommt eine Behandlung als steuerbegünstigter Zweckbetrieb nur in Ausnahmefällen in Betracht. Reisen dienen im Allgemeinen nicht ausschließlich steuerbegünstigten Zwecken, weil sie gleichzeitig auch die Freizeitgestaltung und Erholung der Teilnehmer fördern. Dies aber sind Zwecke, die nur dann gemeinnützig sind, wenn sie einem besonders schutzwürdigen Personenkreis (z. B. Kranken, Jugendlichen oder älteren Menschen) zugute kommen oder in einer bestimmten Art und Weise (z. B. Reisen von Sportlern zum Wettkampfort, s. AEAO Nr. 4 zu § 67 a AO) vorgenommen werden. Zusätzliche Voraussetzung für die Annahme eines Zweckbetriebs ist das Fehlen eines vermeidbaren Wettbewerbs zu kommerziellen Reiseveranstaltern.

Besonderheiten bei der Umsatzsteuer: Wenn ein Verein als Reiseveranstalter im eigenen Namen auftritt und für die Durchführung der Reise Lieferungen und sonstige Leistungen Dritter (Reisevorleistungen) in Anspruch nimmt, richtet sich die Besteuerung nach § 25 UStG. In diesem Fall unterliegt der Umsatzsteuer nur die Differenz zwischen dem Entgelt der Reiseteilnehmer und den Ausgaben des Veranstalters für die Reisevorleistungen (sog. Marge). Ein Auftreten im eigenen Namen ist immer dann gegeben, wenn der Verein dem Leistungsempfänger gegenüber für den reibungslosen Ablauf der Reise selbst verantwortlich ist.

▶ Rücklagen

Gemeinnützigen Einrichtungen ist es aufgrund des Gebots zeitnaher Mittelverwendung (§ 55 AO) grundsätzlich versagt, Mittel in Rücklagen aufzuspeichern, d. h. sie erst nach Ablauf des auf das Jahr der Vereinnahmung folgenden Geschäftsjahrs für satzungsmäßige Zwecke i. S. des § 55 Abs. 1 Nr. 1 Satz 1 AO zu verwenden. Nichts einzuwenden ist dabei gegen eine sog. Betriebsmittelreserve, die in der Regel zeitnah ausgegeben wird. Soweit darüber hinaus Mittel angesammelt werden sollen, sind besondere Regelungen zu beachten. Das praktische Bedürfnis nach Rücklagenbildung ist groß. Denn insbesondere bei gemeinnützigen Körperschaften ist das Mittelaufkommen schwankend, jedenfalls soweit sie von Spenden und öffentlichen Zuschüssen abhängig sind. Gleichzeitig haben Körperschaften ohne gesicherte Einkünfte nur eine geringe Kreditwürdigkeit. Im Einzelnen gelten nach § 58 AO folgende Ausnahmen:

Zweckgebundene Rücklagen: Zulässig sind, gleich welcher Herkunft der Mittel, zweckgebundene Rücklagen für bestimmte Vorhaben mit konkreten Zeitvorstellungen (keine zahlenmäßig festen Grenzen, Zeitpunkt der Realisierung und Höhe der Kosten müssen greifbar sein). Nach § 58 Nr. 6 AO i.V.m. AEAO Nr. 9–12 zu § 58 sind im Einzelnen folgende Rücklagen zulässig:

- Rücklagen zur Ansammlung von Mitteln für die Erfüllung des steuerbegünstigten satzungsmäßigen Zwecks (z. B. für die Durchführung einer Baumaßnahme);
- Rücklagen für periodisch wiederkehrende Ausgaben (z. B. Löhne, Gehälter, Mieten) in Höhe des Mittelbedarfs für eine angemessene Zeitspanne (sog. Betriebsmittelrücklage). In der gleichen Weise können auch Rücklagen für wiederkehrende Ausgaben zur Erfüllung des steuerbegünstigten Zwecks (z. B. Gewährung von Stipendien) gebildet werden.

Freie Rücklagen:

- aus Mitteln der Vermögensverwaltung (§ 58 Nr. 7a AO, AEAO Nr. 13, 15 zu § 58 AO). Zulässig ist die Zuführung eines Drittels des Überschusses der Einnahmen über die Unkosten aus Vermögensverwaltung. Höhe und Dauer der freien Rücklage sind prinzipiell unbegrenzt. ·
- aus sonstigen Mitteln. Über die vorgenannte Rücklage aus Mitteln der Vermögensverwaltung hinaus dürfen nach § 58 Nr. 7a AO, AEAO Nr. 14 zu § 58 AO bis zu 10 % der sonstigen zeitnah zu ver-

wendenden Mittel der freien Rücklage zugeführt werden dürfen Diese zusätzliche Möglichkeit der Bildung einer freien Rücklage ist insbesondere für gemeinnützige Einrichtungen von Bedeutung, die über keine Vermögensverwaltung verfügen. So haben auch vermögenslose Vereine die Möglichkeit, eine freie Rücklage aufzubauen.

Ansammlung von Mitteln zum Erwerb von Gesellschaftsrechten zur Erhaltung der prozentualen Beteiligung an Kapitalgesellschaften (§ 58 Nr. 7b AO, AEAO Nr. 14 bis 16 zu § 58 AO):

Die Herkunft der Mittel ist ohne Bedeutung. Die Verwendung von Mitteln zum Erwerb von Gesellschaftsrechten im Zuflussjahr sind auf die Höhe der Rücklagen anzurechnen.

Daneben dürfen nach AEAO Nr. 3 zu § 55 Abs. 1 Nr. 1 AO Rücklagen nur dann gebildet werden, wenn dies

• im Bereich der Vermögensverwaltung zur Durchführung konkreter Reparatur- und Erhaltungsmaßnahmen notwendig ist, oder

• im Bereich der wirtschaftlichen Geschäftsbetriebe ein konkreter Anlass gegeben ist, der auch aus objektiv unternehmerischer Sicht die Bildung einer Rücklage rechtfertigt.

Wegen der Folgen unzulässiger Mittelansammlung vgl. § 63 Abs. 4 AO.

▶ Sachspenden

Sachspenden sind steuerlich grundsätzlich nur dann als Spenden abzugsfähig, wenn sie den ideellen Zwecken des Vereins unmittelbar dienen. Nicht berücksichtigungsfähig sind im Umkehrschluss Sachspenden, die einer begünstigten Einrichtung nur mittelbar zugute kommen. Dies ist beispielsweise der Fall bei Altkleidersammlungen, Basaren und ähnlichen Verkaufsveranstaltungen, die der Mittelbeschaffung dienen. Es handelt sich insoweit um steuerpflichtige wirtschaftliche Geschäftsbetriebe mit denen der Verein in Konkurrenz zu anderen gewerblichen Unternehmern tritt. Hierfür gibt es keine Steuervergünstigungen. Eine Spendenbescheinigung darf deshalb nicht erstellt werden für „Sachspenden", die im Rahmen eines wirtschaftlichen Geschäftsbetriebs verwendet/verwertet werden.

Soweit danach eine Sachspende dem Vereinszweck unmittelbar dient, ist bei der Ausstellung von Spendenbescheinigung bezüglich des Wertansatzes Folgendes zu beachten:

- bei Entnahme aus einem Betriebsvermögen: Ansatz mit dem Buchwert zzgl. Umsatzsteuer (§ 10b Abs. 3 Satz 2 i.V.m. § 6 Abs. 1 Nr. 4 Satz 5 EStG und R 10b.1 Abs. 1 Satz 4 EStR 2008),
- in allen übrigen Fällen: Ansatz mit dem gemeinen Wert des zugewendeten Wirtschaftsguts (§ 10b Abs. 3 Satz 3 EStG).

Wie dieser auf der Spendenbestätigung anzugebende Wert zu ermitteln ist, ist für den Verein nicht ganz unproblematisch, denn durch die Bescheinigung eines überhöhten Werts gefährdet der Verein seine Gemeinnützigkeit. Zur Entlastung für die Spendenbeauftragten des Vereins enthalten die neuen Muster für Zuwendungsbestätigungen mittlerweile einige verlässliche Anhaltspunkte, die es dem Zuwendungsempfänger erleichtern, eine zutreffende Spendenbescheinigung zu erstellen. So ist beispielsweise von Bedeutung, ob es sich um eine Sachspende aus dem Betriebsvermögen oder dem Privatvermögen handelt.

Sachspenden aus dem Betriebsvermögen: Für Sachspenden aus dem Betriebsvermögen darf eine Zuwendungsbestätigung nur in Höhe des Betrags ausgestellt werden, mit dem das betreffende Wirtschaftsgut buchhalterisch ausgebucht worden ist. Bei einer Zuwendung aus einem Betriebsvermögen für gemeinnützige Zwecke liegt nämlich eine Entnahme für betriebsfremde Zwecke vor, die grundsätzlich mit dem Teilwert anzusetzen ist (§ 6 Abs. 1 Nr. 4 Satz 1 EStG). Die Entnahme kann – wahlweise – mit dem Buchwert bewertet werden, wenn das Wirtschaftsgut unmittelbar nach seiner Entnahme einer gemeinnützigen Körperschaft zur Verwendung für steuerbegünstigte Zwecke i. S. des § 10b Abs. 1 Satz 1 unentgeltlich überlassen wird. Die korrespondierende Vorschrift zu § 6 Abs. 1 Nr. 4 Satz 5 EStG ist § 10b Abs. 3 Satz 2 EStG. Danach darf bei Spenden aus einem Betriebsvermögen der bei der Entnahme angesetzte Wert nicht überschritten werden. **Der bei der Entnahme angesetzte Wert und der Betrag auf der Spendenbestätigung müssen also immer übereinstimmen.** § 9 Nr. 3 KStG enthält eine entsprechende Regelung für Sachspenden von Körperschaften.

Bei der Zuwendung von Spenden aus einem Betriebsvermögen sind es immer wieder die gleichen Fehler, die zu Beanstandungen durch die Finanzverwaltung führen. Sei es, dass unterlassen wird, die Ausgabe als Entnahme zu erfassen mit der Folge ist, dass die Spende sich doppelt auswirkt: sie wird als Sonderausgabe abgezogen und der Gewinn ist zu niedrig erfasst. Manchmal wird auch (in der Regel aus Unkenntnis) gegenüber dem Verein/der Körperschaft nicht der Entnahmewert, sondern der normale Veräußerungspreis als Spendenwert angegeben. Auch in diesem Fall kommt es in Höhe der Differenz zwischen Entnahmewert und Veräußerungspreis zu einer doppelten Begünstigung.

In den seit 2007 geltenden Bestätigungsmustern für Sachzuwendungen sind diese Fehlerquellen weitgehend beseitigt. So hat der Zuwendungsempfänger jetzt u. a. ausdrücklich anzugeben,

• ob es sich um eine Spende aus dem Betriebsvermögen handelt und die Bewertung mit dem Entnahmewert vorgenommen worden ist,

• ob es sich um eine Sachzuwendung aus dem Privatvermögen handelt und welche Unterlagen zur Wertermittlung gedient haben

Sachspenden aus dem Privatvermögen: Die Bewertung von Sachspenden aus einem privaten Vermögen ist im Allgemeinen einfach, wenn die gespendeten Sachen neu sind, und der Spender den Wert durch die Vorlage seiner Einkaufsrechnung nachweisen kann. Schwierig wird es dagegen häufig bei der Zuwendung von gebrauchten Sachen. Abgesehen davon, dass eine zutreffende Schätzung manchmal sehr schwer ist, bestehen hier auch besonders große Missbrauchsmöglichkeiten.

In diesem Zusammenhang ist auf ein Urteil des BFH vom 23. 5. 1989 X R 17/85 (BStBl. II 879) hinzuweisen, in dem die Frage der Abzugsfähigkeit von Kleiderspenden an das DRK strittig war. Das Finanzgericht hat in Anlehnung an die Bescheinigung des DRK alle Kleidungsstücke eines bestimmten Warentyps (Mantel, Anorak, Blusen, Herrenhemden, Schuhe etc.) mit einem bestimmten Wert angesetzt. Die Annahme des Finanzgerichts, gebrauchte Kleidung einer bestimmten Warengattung habe ohne Rücksicht auf deren Neuwert einen gleichen Gebrauchtwarenmarktwert, ist nach Ansicht des BFH fehlerhaft, denn Faktoren, wie Material, Design, Marke etc., die sich im Kaufpreis niederschlagen, bleiben Wert bestimmend auch dann, wenn die Gegenstände gebraucht weiterveräußert werden. Der gemeine Wert von Kleidungsstücken wird durch den Gebrauch und – davon unabhängig – durch bloßen Zeitablauf gemindert. Kleidungsstücke sind Gegenstände, deren Wert besonders von der Änderung des modischen Geschmacks entscheidend mitbestimmt wird; sie sind nach kurzer Zeit auch als neue Wirtschaftsgüter nur noch schwer, als gebrauchte nur ausnahmsweise verkäuflich. Dass Wirtschaftsgüter, weil sie nicht verbraucht sind, noch einen Nutzungswert haben können, verschafft ihnen noch keinen Marktwert i. S. eines gemeinen Werts.

Soweit danach gebrauchte Kleidung überhaupt einen gemeinen Wert (Marktwert) hat, sind die für eine Schätzung des gemeinen Wertes (Marktwert) maßgeblichen Faktoren wie **Neupreis, Zeitraum zwischen Anschaffung und Weggabe und der tatsächliche Erhaltungszustand** im Einzelnen durch den Steuerpflichtigen nachzuweisen. In der Spendenbescheinigung ist anzugeben, welche Unterlagen vorhanden sind, die zur Wertermittlung gedient haben.

Da nur den Spendern die Beweisführung zur Klärung der für die Schätzung des gemeinen Werts erheblichen Angaben möglich ist, geht die Unaufklärbarkeit des Sachverhalts zu ihren Lasten.

Sachspenden finden im Übrigen in der Buchung keinen Niederschlag, da keine Geldbewegung stattfindet. Sachspenden sollten daher zweckmäßigerweise im Geschäftsbericht erwähnt werden.

▶ **Sammlungen**

Erträge aus Sammlungen i. S. der Sammlungsgesetze der einzelnen Länder sind mangels eines Leistungsaustausches dem ideellen Bereich des Vereins zuzurechnen. Es besteht weder KSt-/GewSt-Pflicht noch unterliegen die Einnahmen der Umsatzsteuer.

Spenden, die bei Straßensammlungen u. Ä. geleistet werde, können mangels Zuwendungsbestätigung nicht als Sonderausgaben abgezogen werden. Dies gilt nach einem Urteil des Niedersächs. FG vom 8. 3. 1994 I 381/90 auch dann, wenn der Steuerpflichtige eine „eidesstattliche" Erklärung abgibt.

▶ Speisen- und Getränkeverkauf

Der Verkauf von Speisen und Getränken stellt in der Regel einen (steuerpflichtigen) wirtschaftlichen Geschäftsbetrieb dar:

- Club-Häuser, Kantinen, Vereinsheime oder Vereinsgaststätten (AEAO Nr. 10 zu § 67 a AO),
- Verkauf von Speisen und Getränken bei sportlichen Veranstaltungen (AEAO Nrn. 6 u. 7 zu § 67 a AO),
- Verkauf von Speisen und Getränken bei kulturellen Veranstaltungen (§ 68 Nr. 7 2. Halbsatz AO i.V. m. AEAO Nr. 13 zu § 68 AO).

Zweckbetriebe sind bei gemeinnützigen Vereinen nur dann gegeben, wenn die Beköstigung für die Verwirklichung der satzungsmäßigen Zwecke unerlässlich ist, und eine Konkurrenz zu anderen steuerpflichtigen gastronomischen Einrichtungen unvermeidbar ist:

- Beköstigung von Tagungsteilnehmern (§ 68 Nr. 8 2. Halbsatz AO),
- Grundversorgung von Schülerinnen- und Schülern mit Speisen und Getränken an Schulen (AEAO Nr. 5 zu § 66 AO),
- Mensa- und Cafeteria-Betriebe von Studentenwerken (AEAO Nr. 5 zu § 66 AO),
- Kantinenbetrieb einer Behindertenwerkstätte (AEAO Nr. 6 zu § 68 AO).

Beispiele aus der Rechtsprechung:

- Der Verkauf von Speisen und Getränken anlässlich der Heimspiele eines Fußballvereins beinhaltet ebenso wenig einen Zweckbetrieb i. S. von §§ 65, 68 AO wie die Festveranstaltung gelegentlich einer Kirmes (FG des Saarlandes vom 12. 6. 1985, EFG 1986 S. 38);
- Eine Beteiligung am allgemeinen wirtschaftlichen Verkehr liegt auch vor, wenn ein gemeinnütziger Verein Getränke und Tabakwaren grundsätzlich nur an Vereinsmitglieder verkauft (BFH vom 21. 8. 1985, BFH/NV 1986 S. 239);
- Die von einem gemeinnützigen Flugsportverein während eines Flugtages und eines mehrtägigen Hallenfestes betriebene Restauration (Verkauf von Getränken und Esswaren) ist ein wirtschaftlicher Geschäftsbetrieb. Der erzielte Gewinn unterliegt der Körperschaftsteuer (BFH vom 21. 8. 1985, BStBl. II 1986 S. 88);
- Ein Kommunikationszentrum in Form eines Cafés (Teestube) eines wegen Förderung der Jugendhilfe gemeinnützigen Vereins ist kein Zweckbetrieb (BFH vom 11. 4. 1990, BStBl. II 1990 S. 724);

- Der Verkauf von Speisen und Getränken durch einen gemeinnützigen Fußball-Club während eines Fußballturniers begründet einen wirtschaftlichen Geschäftsbetrieb, der kein Zweckbetrieb ist (FG des Saarlandes vom 13. 9. 1990, EFG 1991 S. 5).

Umsatzsteuer:

- ermäßigter Steuersatz von 7 % für die Lieferung von Nahrungsmitteln und Speisen;
- Regelsteuersatz, wenn zu der Lieferung von Speisen auch Dienstleistungen wie Servieren oder Spülen hinzutreten oder die Speisen für den Verzehr an Ort und Stelle vorgesehen sind;
- steuerfrei, wenn es sich um eng mit der Wohlfahrtspflege (§ 4 Nr. 18 UStG) oder der Kinder- und Jugendbetreuung (§ 4 Nr. 23 und 25 UStG) handelt.

▶ **Sponsoring**

Unter Sponsoring versteht man üblicherweise die Gewährung von Geld oder geldwerten Vorteilen durch Unternehmen zur Förderung von Personen, Gruppen und/oder Organisationen in sportlichen, kulturellen, kirchlichen, wissenschaftlichen, sozialen, ökologischen oder ähnlich bedeutsamen gesellschaftspolitischen Bereichen, mit der regelmäßig auch eigene unternehmensbezogene Ziele der Werbung oder Öffentlichkeitsarbeit verfolgt werden. Leistungen eines Sponsors beruhen häufig auf einer vertraglichen Vereinbarung zwischen dem Sponsor und dem Empfänger der Leistungen (Sponsoring-Vertrag), in dem Art und Umfang der Leistungen des Sponsors und das Empfängers geregelt sind.

I. Ertragsteuerliche Behandlung des Sponsoring

(1) Steuerliche Behandlung beim Sponsor: Die im Zusammenhang mit dem Sponsoring gemachten Aufwendungen können

- Betriebsausgaben i. S. des § 4 Abs. 4 EStG sein,
- Spenden, die unter den Voraussetzungen der §§ 10b EStG, 9 Abs. 1 Nr. 2 KStG, 9 Nr. 5 GewStG abgezogen werden dürfen, oder
- steuerlich nicht abzugsfähige Kosten der Lebensführung (§ 12 Nr. 1 EStG), bei Kapitalgesellschaften verdeckte Gewinnausschüttungen (§ 8 Abs. 3 Satz 2 KStG).

Die Aufwendungen sind **Betriebsausgaben,** wenn der Sponsor wirtschaftliche Vorteile, die insbesondere in der Sicherung oder Erhöhung seines unternehmerischen Ansehens liegen können (vgl. BFH vom 3. 2. 1993, BStBl. II S. 441, 445), für sein Unternehmen erstrebt oder für Produkte seines Unternehmens werben will. Das ist insbesondere der Fall, wenn der Empfänger der Leistungen auf Plakaten, Veranstaltungshinweisen, in Ausstellungskatalogen, auf den von ihm benutzten Fahrzeugen oder anderen Gegenständen auf das Unternehmen oder auf die Produkte des Sponsors werbewirksam hinweist. Die Berichterstattung in Zeitungen, Rundfunk oder Fernsehen kann einen wirtschaftlichen Vorteil, den der Sponsor für sich anstrebt, begründen, insbesondere wenn sie in seine Öffentlichkeitsarbeit eingebunden ist, oder der Sponsor an Pressekonferenzen oder anderen öffentlichen Veranstaltungen des Empfängers mitwirken und eigene Erklärungen über sein Unternehmen oder seine Produkte abgeben kann. Wirtschaftliche Vorteile für das Unternehmen des Sponsors können auch dadurch erreicht werden, dass der Sponsor durch Verwendung des Namens, von Emblemen oder Logos des Empfängers oder in anderer Weise öffentlichkeitswirksam auf seine Leistungen aufmerksam macht. Für die Berücksichtigung der Aufwendungen als Betriebsausgaben kommt es nicht darauf an, ob die Leistungen notwendig, üblich oder zweckmäßig sind; die Aufwendungen dürfen auch dann als Betriebsausgaben abgezogen werden, wenn die Geld- oder Sachleistungen des Sponsors und die erstrebten Werbeziele für das Unternehmen nicht gleichwertig sind. Bei einem krassen Missverhältnis zwischen den Leistungen des Sponsors und dem erstrebten wirtschaftlichen Vorteil ist der Betriebsausgabenabzug allerdings zu versagen (§ 4 Abs. 5 Satz 1 Nr. 7 EStG). Leistungen des Sponsors im Rahmen des Sponsoring-Vertrags, die die Voraussetzungen für den Betriebsausgabenabzug erfüllen, sind keine Geschenke i. S. des § 4 Abs. 5 Satz 1 Nr. 1 EStG.

Zuwendungen des Sponsors, die keine Betriebsausgaben sind, sind als **Spenden** (§ 10 b EStG) zu behandeln, wenn sie zur Förderung steuerbegünstigter Zwecke freiwillig oder aufgrund einer freiwillig eingegangenen Rechtspflicht erbracht werden, kein Entgelt für eine bestimmte Leistung des Empfängers sind und nicht in einem tatsächlichen wirtschaftlichen Zusammenhang mit dessen Leistungen stehen (BFH vom 25. 11. 1987 I R 126/85, BStBl. II 1988 S. 220; vom 12. 9. 1990 I R 65/86, BStBl. II 1991 S. 258).

Als Sponsoringaufwendungen bezeichnete Aufwendungen, die keine Betriebsausgaben und keine Spenden sind, sind **nicht abzugsfähige Kosten der privaten Lebensführung** (§ 12 Nr. 1 Satz 2 EStG). Bei entsprechenden Zuwendungen einer Kapitalgesellschaft können verdeckte Gewinnausschüttungen vorliegen, wenn der Gesellschafter durch die Zuwendungen begünstigt wird, z. B. eigene Aufwendungen als Mäzen erspart (vgl. Abschn. 31 Abs. 2 Satz 4 KStR 1995).

(2) Steuerliche Behandlung bei steuerbegünstigten Empfängern: Die Verwaltungsanweisungen in AEAO Nrn. 8–10 zu § 64 AO enthalten dazu einige grundsätzliche Ausführungen. Vorauszuschicken ist, dass die steuerliche Behandlung der Leistungen beim Empfänger grundsätzlich nicht davon abhängt, wie die entsprechenden Aufwendungen beim leistenden Unternehmen behandelt werden.

Die im Zusammenhang mit dem Sponsoring erhaltenen Leistungen können bei steuerbegünstigten Körperschaften steuerfreie Einnahmen im ideellen Bereich, steuerfreie Einnahmen aus der Vermögensverwaltung oder Einnahmen eines steuerpflichtigen wirtschaftlichen Geschäftsbetriebs sein. Die Abgrenzung richtet sich nach den allgemeinen Grundsätzen.

Ein wirtschaftlicher Geschäftsbetrieb liegt danach nicht vor, wenn die steuerbegünstigte Körperschaft dem Sponsor nur die Nutzung ihres Namens zu Werbezwecken in der Weise gestattet, dass der Sponsor selbst zu Werbezwecken oder zur Imagepflege auf seine Leistungen an die Körperschaft hinweist. Ein wirtschaftlicher Geschäftsbetrieb liegt auch dann nicht vor, wenn der Empfänger der Leistungen z. B. auf Plakaten, Veranstaltungshinweisen, in Ausstellungskatalogen oder in anderer Weise auf die Unterstützung durch einen Sponsor lediglich hinweist. Dieser Hinweis kann unter Verwendung des Namens, Emblems oder Logos des Sponsors, jedoch ohne besondere Hervorhebung, erfolgen.

Von einem wirtschaftlichen Geschäftsbetrieb ist dagegen auszugehen, wenn die Körperschaft an den Werbemaßnahmen mitwirkt.

Der wirtschaftliche Geschäftsbetrieb kann kein Zweckbetrieb (§§ 65 bis 68 AO) sein.

Mittlerweile liegt zu dieser Problematik auch eine höchstrichterliche Entscheidung des Bundesfinanzhofs vor. Ein steuerpflichtiger wirtschaftlicher Geschäftsbetrieb ist nach einem Urteil des BFH vom 7. 11. 2007 (I R 42/06, BStBl. II 2008 S. 946) gegeben, wenn sich der Sponsor eines gemeinnützigen Sportvereins verpflichtet, die Vereinstätigkeit (finanziell und organisatorisch) zu fördern, und der Verein dem Sponsor im Gegenzug u. a. das Recht einräumt, in einem von dem Verein herausgegebenen Publikationsorgan Werbeanzeigen zu schalten, einschlägige sponsorbezogene Themen darzustellen und bei Vereinsveranstaltungen die Vereinsmitglieder über diese Themen zu informieren und dafür zu werben.

Nach Auffassung des BFH ist eine eigene wirtschaftliche Tätigkeit des Vereins auch insoweit anzunehmen, als er dem Sponsor (einer Versicherung) ermöglichte, auf seinen Veranstaltungen ihre Produkte vorzustellen und sie zu bewerben. Dem steht nicht entgegen, dass er über die Überlassung des Standes bei seinen Veranstaltungen hinaus keine weiteren Tätigkeiten für die Versicherung entfaltet hat. Denn auch ein Dulden von Werbung auf Sportveranstaltungen kann Gegenstand eines wirtschaftlichen Geschäftsbetriebes sein (so schon Senatsurteil vom 13. 3. 1991 I R 8/88, BStBl. II 1992, 101; s. auch FG München vom 30. 7. 1996 15 K 353/95, EFG S. 1180). Es handelt sich nicht um eine vermögensverwaltende Betätigung. Denn die Zahlung wurde nicht dafür erbracht, dass die Versicherung eine bestimmte abgegrenzte Raumfläche nutzen, sondern dafür, dass sie auf den Sportveranstaltungen des Klägers für sich werben durfte. Ohne die Sportveranstaltungen des Klägers war der Werbestand für sie nutzlos (vgl. allgemein FG Hamburg vom 15. 6. 2006 2 K 10/05, EFG 2007 S. 218).

Die Einnahmen hierfür sind nicht dem Zweckbetrieb „Sportveranstaltungen" zuzurechnen. Denn Veranstaltungen für Sportschützen können auch ohne Werbung durchgeführt werden. Zwar mag sich aus waffenrechtlichen Regelungen ergeben, dass der Schützensport nur ausgeübt werden darf, wenn der Schütze haftpflichtversichert ist. Dies erfordert jedoch nicht die Anwesenheit eines einzelnen Versicherungsunternehmens auf den Veranstaltungen des Klägers.

Soweit der Kläger der Versicherung gestattet hat, mit seinem Namen unter Hinweis auf den Beratungsvertrag zu werben, liegt zwar nach Auffassung der Verwaltung (AEAO Nr. 9 zu § 64 AO, s. o.) für sich betrachtet kein wirtschaftlicher Geschäftsbetrieb vor. Selbst wenn der Senat dem folgen wollte, wäre die Zahlung der Versicherung nicht aufzuteilen, weil sich diese Leistung nicht von den übrigen Leistungen des Klägers trennen ließe. In Ermangelung eines geeigneten Aufteilungsmaßstabes sind daher die Zahlungen der Versicherung insgesamt dem wirtschaftlichen Geschäftsbetrieb zuzuordnen.

II. Umsatzsteuerliche Behandlung des Sponsoring

Für die umsatzsteuerliche Einordnung der Sachverhalte gilt nach einer Verfügung der OFD Frankfurt vom 18. 3. 2009 S 7100 A -202 – St 110 (StEd S. 265) Folgendes:

- Geldleistungen des Sponsors an steuerbegünstigte Einrichtungen. Bei den Leistungen im Rahmen des jeweiligen Sponsoring-Vertrages ist zu unterscheiden zwischen konkreten Werbeleistungen (z. B. Trikotwerbung, Bandenwerbung, Anzeigen, Lautsprecherdurchsagen usw.) und bloßen Duldungsleistungen (z. B. Aufnahme eines Emblems oder Logos des Sponsors in Verbandsnachrichten, Veranstaltungshinweisen etc.) ohne besondere Hervorhebung des Sponsors oder Nennung von Werbebotschaften. Während die Duldungsleistungen dem ermäßigten Steuersatz nach § 12 Abs. 2 Nr. 8a Satz 1 UStG unterliegen, weil kein steuerschädlicher wirtschaftlicher Geschäftsbetrieb vorliegt, werden die Werbeleistungen im Rahmen eines wirtschaftlichen Geschäftsbetriebs erbracht und unterliegen dem Regelsteuersatz (§ 12 Abs. 1 UStG). Gehören zu den gesponserten Leistungen auch Eintrittsberechtigungen zu Veranstaltungen, kann die auf die Eintrittsberechtigung entfallende Zahlung des Sponsors unter eine Steuerbefreiung fallen (z. B. Theaterkarte nach § 4 Nr. 20 Buchst. a UStG).
- Sachleistungen des Sponsors an steuerbegünstigte Einrichtungen. Auf Sach- oder Dienstleistungen (z. B. Überlassung von Fahrzeu-

gen) sind die vorgenannten Ausführungen zu Nr. 1 entsprechend anzuwenden. Als Bemessungsgrundlage für die steuerpflichtige Leistung der steuerbegünstigten Einrichtung ist grundsätzlich der gemeine Wert der Sach- oder Dienstleistung des Sponsors anzusetzen (§§ 3 Abs. 12, 10 Abs. 2 UStG). Soweit der Wert nicht ermittelt werden kann, ist er zu schätzen. Anhaltspunkt für die Bewertung der Gegenleistung können die Selbstkosten, bei der Lieferung eines Gegenstandes der Einkaufspreis, des Sponsors sein, vgl. Abschn. 153 Abs. 1 UStR 2008. Die Höhe der Bemessungsgrundlage ist unabhängig vom Wert der Werbe- bzw. Duldungsleistung der steuerbegünstigten Einrichtung.

Der Sponsor und die steuerbegünstigte Einrichtung sind berechtigt, für die erbrachten Leistungen Rechnungen mit gesondert ausgewiesener Umsatzsteuer zu erteilen.

Die Zulässigkeit eines Vorsteuerabzugs aus der Rechnung des Sponsors bestimmt sich nach der tatsächlichen Verwendung der Sach- oder Dienstleistung. Während eine Zuordnung zum ideellen Bereich den Vorsteuerabzug ausschließt, ist bei einer Nutzung im Rahmen von wirtschaftlichen Geschäftsbetrieben, Zweckbetrieben oder der Vermögensverwaltung der Vorsteuerabzug unter den weiteren Voraussetzungen des § 15 UStG zulässig.

▶ Steuergeheimnis

Die Frage, ob eine Körperschaft wegen Verfolgung gemeinnütziger, mildtätiger oder kirchlicher Zwecke steuerbegünstigt ist oder nicht, unterliegt grundsätzlich dem Steuergeheimnis. Auskünfte darüber, ob eine Körperschaft wegen Verfolgung gemeinnütziger, mildtätiger oder kirchlicher Zwecke steuerbegünstigt ist oder nicht, sind dem Spender nach AEAO Nr. 4.2 zu § 30 AO nur dann zu erteilen, wenn

- er im Besteuerungsverfahren die Berücksichtigung der geleisteten Spende beantragt (§ 30 Abs. 4 Nr. 1 i.V.m. Abs. 2 Nr. 1 Buchst. a AO),

- die Körperschaft ihm den Tatsachen entsprechend mitgeteilt hat, dass sie zur Entgegennahme steuerlich abzugsfähiger Spenden berechtigt ist,

- die Körperschaft wahrheitswidrig behauptet, sie sei zur Entgegennahme steuerlich abzugsfähiger Spenden berechtigt (§ 30 Abs. 4 Nr. 1 i.V. m. Abs. 2 Nr. 1 Buchst. a AO, vgl. zu § 85 AO); die Richtigstellung kann öffentlich erfolgen, wenn die Körperschaft ihre wahrheitswidrige Behauptung öffentlich verbreitet.

Ansonsten ist der Spender bei Anfragen stets an die Körperschaft zu verweisen, sofern keine Zustimmung der Körperschaft zur Auskunftserteilung vorliegt.

▶ **Verwaltungskosten**

Die Höhe der Verwaltungskosten ist für den Spender häufig das entscheidende Kriterium über die Förderungswürdigkeit einer gemeinnützigen Einrichtung. Spender legen Wert darauf, dass möglichst viel von ihrer Spende ankommt, Verwaltungskosten erachten sie als nicht notwendig, geringe Kosten sind für sie ein Qualitätsmerkmal. Diese Erwartungshaltung erschwert es den Vereinen, ordnungsgemäß über die wirklichen Kosten zu informieren. Vereine sollten aber nicht zu Lasten der Kostentransparenz ihre Bilanzen schönen und den Eindruck erwecken, sie kämen ohne Werbung und Verwaltung aus. Werbe- und Verwaltungsausgaben dienen zwar nur mittelbar der Erfüllung der satzungsmäßigen Zwecke, sind aber notwendig und sinnvoll:

- Sie dienen der Beschaffung von Geldspenden und Sachspenden, Mitgliedsbeiträgen, Bußgeldern, Erbschaften und Schenkungen, öffentlichen Mitteln sowie Zuwendungen von anderen Organisationen und Unternehmen.
- Sie sind unverzichtbar für die Öffentlichkeitsarbeit, dazu zählen insbesondere die Selbstdarstellung des Vereins, Informationen über geplante Maßnahmen, die Projektberichterstattung und die Rechenschaftslegung.
- Sie gewährleisten die Grundfunktionen der betrieblichen Organisation und des betrieblichen Ablaufs. Hauptsächliche Bereiche sind Leitungs- und Aufsichtsgremien, Finanz- und Rechnungswesen sowie Personalverwaltung und Organisation.

Verwaltungskosten sind im Übrigen nur schwer vergleichbar. Vereine arbeiten unter verschiedenen Rahmenbedingungen, sie haben unterschiedliche Strukturen und verfolgen in der Regel auch unterschiedliche Zwecke. Dies hat zwangsläufig erheblichen Einfluss auf den individuellen Umfang der Werbe- und Verwaltungsausgaben. Der Anteil der Werbe- und Verwaltungskosten an den Gesamtausgaben als Indikator für Sparsamkeit und Wirtschaftlichkeit einer gemeinnützigen Einrichtung ist deshalb auch bei der steuerlichen Prüfung der Gemeinnützigkeit nur eines von mehreren Entscheidungskriterien.

Die steuerlichen Anforderungen sind in AEAO Nrn. 18–21 zu § 55 AO festgelegt. Danach gilt zunächst, dass eine Körperschaft nicht als steuerbegünstigt behandelt werden kann, wenn ihre Ausgaben für die allgemeine Verwaltung einschließlich der Werbung um Spenden einen „angemessenen Rahmen" übersteigen. Dieser Rahmen ist in jedem Fall überschritten, wenn eine Körperschaft, die sich weitgehend durch Geldspenden finanziert, diese – nach einer Aufbauphase – überwiegend zur Bestreitung von Ausgaben für Verwaltung und Spendenwerbung statt für die Verwirklichung der steuerbegünstigten satzungsmäßigen Zwecke verwendet (BFH-Beschluss vom 23. 9. 1998 I B 82/98, BStBl. II 2000 S. 320). Bei der Ermittlung des prozentualen Anteils sind die Verwaltungsausgaben einschließlich Spendenwerbung „ins Verhältnis zu den gesamten vereinnahmten Mitteln (Spenden, Mitgliedsbeiträge, Zuschüsse, Gewinne aus wirtschaftlichen Geschäftsbetrieben usw.)" zu setzen. Nach Ansicht der Finanzverwaltung kommt es für die Frage der Angemessenheit von Verwaltungsausgaben entscheidend auf die „Umstände des jeweiligen Einzelfalls" an. Eine für die Steuerbegünstigung schädliche Mittelverwendung kann deshalb auch schon dann vorliegen, wenn der prozentuale Anteil der Verwaltungsausgaben einschließlich der Spendenwerbung deutlich geringer als 50 % ist. Die Steuerbegünstigung ist im Übrigen auch dann zu versagen, wenn das Verhältnis der Verwaltungsausgaben zu den Ausgaben für die steuerbegünstigten Zwecke zwar insgesamt nicht zu beanstanden, eine einzelne Verwaltungsausgabe (z. B. das Gehalt des Geschäftsführers oder der Aufwand für die Mitglieder- und Spendenwerbung) aber nicht angemessen ist.

Auch nach *Hüttemann*, Gemeinnützigkeits- und Spendenrecht, § 5 Rz. 34, Köln 2008, ist es verkehrt, „Sparsamkeit" bei gemeinnützigen Körperschaften zu einem Wert an sich zu erklären. Gemeinnützige Einrichtungen sind nicht von Rechts wegen verpflichtet, möglichst nur mit ehrenamtlichen Kräften zu arbeiten, ihre Fahrzeuge und Gerätschaften weit über die gewöhnliche ND hinaus einzusetzen oder auf eine Kreditaufnahme oder die Inanspruchnahme professioneller Berater wegen der damit verbundenen Kosten möglichst zu verzichten. Nicht Sparsamkeit um jeden Preis, sondern ein wirtschaftlich sinnvolles Ausgabeverhalten ist geboten, um die satzungsmäßigen Zwecke möglichst effektiv und nachhaltig zu verwirklichen. Dazu bedarf es aber zumindest bei größeren Einrichtungen regelmäßig professioneller, gut ausgebildeter und motivierter Mitarbeiter, moderner Ausstattung und einer wirtschaftlichen Resourcennutzung.

Für die Anerkennung der Gemeinnützigkeit ist daher vor allem die Wirkung der Arbeit einer Organisation von Bedeutung (Sinnhaftigkeit, Effektivität und Nachhaltigkeit der Projektausgaben). Förderungswürdig i. S. des Gemeinnützigkeitsrecht ist folglich nur eine tatsächliche Geschäftsführung, die auf Kostenoptimierung und nicht auf Kostenminimierung gerichtet ist.

Zur weiterführenden Information über den Ausweis der Werbe- und Verwaltungsausgaben in der Finanzberichterstattung wird auf die Abhandlung „Definitionen der Werbe- und Verwaltungsausgaben Spenden sammelnder Organisationen" des Deutschen Zentralinstituts für soziale Fragen (DZI) verwiesen, die im Internet unter www.dzi.de/downloads/Verwaltungskostenkonzept.pdf erhältlich ist.

▶ Vorsteuerdurchschnittssatz

Vereine, deren steuerpflichtiger Vorjahresumsatz nicht mehr als 35.000 € betragen hat, haben die Möglichkeit, die Vorsteuer pauschal geltend zu machen. Diese Pauschale (Durchschnittssatz) beträgt 7 % des steuerpflichtigen Umsatzes (§ 23 a UStG). Die Folge ist im Ergebnis eine Umsatzsteuer-Festsetzung von null €, sofern nur steuerbegünstigte Umsätze (im Bereich der Vermögensverwaltung und der Zweckbetriebe) getätigt werden. Tätigt der Verein daneben auch steuerpflichtige Umsätze zu 19 %, beträgt die zu zahlende Umsatzsteuer 12 % (19 % abzgl. 7 %) dieser Umsätze.

Will der Verein von der Vereinfachungsregelung Gebrauch machen, muss er dies dem Finanzamt gegenüber spätestens bis zum 10. Tag nach Ablauf des ersten Voranmeldungszeitraums eines Kalenderjahres (im Allgemeinen der 10. April) erklären.

An die Pauschalierung ist der Verein fünf Jahre lang gebunden!

Vorteile dieser Vereinfachungsregelung:

- eine Aufteilung der Vorsteuerbeträge kann unterbleiben,
- die Pflicht zur Aufzeichnung der Eingangsumsätze entfällt.

Nachteile: aus der Vorsteuer-Pauschalierung kann sich nie eine Erstattung ergeben.

Zu weiteren Einzelheiten wird auf die folgenden Rechtsgrundlagen verwiesen:

- § 23a UStG, Durchschnittssatz für Körperschaften i.S. des § 5 Abs. 1 Nr. 9 KStG
- § 66a UStDV, Aufzeichnungspflichten bei der Anwendung des Durchschnittssatzes
- Abschn. 258 UStR 2008, Erleichterungen der Aufzeichnungspflichten

▶ **Werbung**

Wenn ein Verein bei seinen Veranstaltungen oder in seinen Publikationen gegen Entgelt für einen Unternehmer bzw. für dessen Produkte wirbt, ist in der Regel ein steuerpflichtiger wirtschaftlicher Geschäftsbetrieb gegeben. Der Verein beschränkt sich nämlich nicht nur darauf, dass ein Recht zur Nutzung von Werbeflächen übertragen wird, die Werbewirksamkeit ergibt sich vielmehr erst durch die Verbindung mit seinen publikumswirksamen Aktivitäten und geht deshalb über den Rahmen einer Vermögensverwaltung hinaus.

Die Einnahmen aus der Werbetätigkeit unterliegen der Körperschaftsteuer und Gewerbesteuer, bei der Umsatzsteuer ist der volle Steuersatz (19 %) anzusetzen.

Beispiele für wirtschaftliche Geschäftsbetriebe:

- AEAO Nr. 13 zu § 68 AO: Werbung bei kulturellen Veranstaltungen,
- BFH vom 28.11.1961, BStBl. III 1962 S. 73: Anzeigengeschäft als Teil einer Vereinszeitung,

- FG Düsseldorf vom 17.1.1974, EFG 1974 S. 385: entgeltliche Veröffentlichung von Werbeanzeigen im Turnierprogrammheft eines Reit- und Fahrvereins,
- BFH vom 9.12.1981, BStBl. II 1983 S. 27: Verpflichtung eines Spitzenverbands des Sports, seine Mannschaft bei bestimmten sportlichen Veranstaltungen in Sportschuhen eines bestimmten Herstellers auftreten zu lassen.

Ein wirtschaftlicher Geschäftsbetrieb liegt mangels Gegenleistung des Vereins dagegen nicht vor, wenn eine Stadt Einnahmen aus der Bandenwerbung auf dem ihr gehörenden Sportplatz an den Verein weiterleitet (FG Köln vom 25. 7. 1991, EFG 1991 S. 698).

Übertragung von Werberechten: Die Besteuerung als wirtschaftlicher Geschäftsbetrieb kann der Verein dadurch vermeiden, dass er das Werbegeschäft an einen Dritten verpachtet. Einnahmen aus Verpachtung sind dem steuerbegünstigten Bereich der Vermögensverwaltung zuzuordnen. Voraussetzung hierfür ist, dass die Verpachtung ernsthaft vereinbart und durchgeführt wird. Die Finanzverwaltung achtet in diesem Fall insbesondere darauf, dass dem Pächter ein angemessener Gewinn verbleibt (vgl. AEAO Nr. 9 zu § 67a AO betr. die entgeltliche Übertragung des Rechts zur Nutzung von Werbeflächen (Bandenwerbung: Vermögensverwaltung, Trikotwerbung: wirtschaftlicher Geschäftsbetrieb).

Besonderheiten bei der Ermittlung des Gewinns: Bei Werbung im Zusammenhang mit der steuerbegünstigten Tätigkeit kann nach § 64 Abs. 6 Nr. 1 AO der Gewinn mit 15 % der Einnahmen angesetzt gelegt werden.

▶ Zuordnung von Einnahmen und Ausgaben

Ausgaben, die sowohl den steuerbegünstigten als auch den steuerpflichtigen Bereich betreffen, sind grundsätzlich dem Bereich zuzuordnen, der primärer Anlass für ihr Entstehen ist. Entgegen der früheren Praxis kommt eine Aufteilung nur ausnahmsweise in Betracht.

Ausgaben gehören zu einem steuerpflichtigen wirtschaftlichen Geschäftsbetrieb, wenn er der Anlass für ihr Entstehen ist. Beruht das Entstehen einer Ausgabe auf mehreren, steuerrechtlich unterschiedlich zu beurteilenden Tätigkeiten, setzt die Zuordnung der Ausgabe eine Gewichtung der verschiedenen Anlässe ihrer Entstehung voraus. Für die Gewichtung ist von Bedeutung, dass eine Körperschaft, die die teilweise Befreiung von der Steuer erlangen und bewahren will, nicht in erster Linie eigenwirtschaftliche Zwecke verfolgen darf. Deshalb ist davon auszugehen, dass primärer Anlass für das Entstehen einer sowohl mit steuerbefreiten als auch mit steuerpflichtigen Tätigkeiten zusammenhängende Ausgabe die nicht erwerbswirtschaftliche, steuerbefreite Tätigkeit ist.

Der primäre Anlass ist für die Zuordnung allein maßgebend, wenn die Ausgabe auch ohne den steuerpflichtigen wirtschaftlichen Geschäftsbetrieb entstanden wäre. Wirkt sich der sekundäre Anlass der Entstehung auf die Höhe der Ausgabe nicht aus, besteht kein Grund, ihn zu berücksichtigen. Wäre die Ausgabe ohne den steuerpflichtigen wirtschaftlichen Geschäftsbetrieb geringer gewesen, ist sie nach einem objektiven und sachgerechten Maßstab aufzuteilen.

Beispiele aus der Rechtsprechung:

FG Nürnberg vom 31. 5. 2001, EFG 2001, 1162 *(Ausgaben für Festzug anlässlich eines Vereinsjubiläums)*:
Betreibt ein gemeinnütziger Verein aus Anlass eines Jubiläums ein Festzelt als wirtschaftlichen Geschäftsbetrieb, so sind durch einen Festzug veranlasste Ausgaben abzugsfähig, wenn das Jubiläum des Vereins in einer vom Festzug getrennten Festveranstaltung begangen wird und Ziel des Festzugs das Festzelt ist.

BFH vom 21. 7. 1999, BFH/NV 2000 S. 85 *(Festzeltbetrieb anlässlich eines Kreisfeuerwehrtages)*:
1. Veranstaltet ein Feuerwehrverein einen Kreisfeuerwehrtag und betreibt er hierzu ein Festzelt, so sind dem Festzeltbetrieb als wirtschaftlichen Geschäftsbetrieb die Einnahmen und Ausgaben zuzurechnen, die durch den Festzeltbetrieb veranlasst sind. Ausgaben, die auch ohne den Festzeltbetrieb entstanden wären, können den Steuerpflichtigen Gewinn aus dem Festzeltbetrieb nicht mindern.
2. Beruht das Entstehen einer Ausgabe auf mehreren, steuerlich unterschiedlich zu beurteilenden Tätigkeiten, so ist eine Gewichtung der verschiedenen Anlässe vorzunehmen.
3. Für die Zuordnung der Ausgaben ist nicht entscheidend, dass der wirtschaftliche Geschäftsbetrieb (Festzeltbetrieb) durch die steuerbe-

günstigte Tätigkeit (Veranstaltung eines Kreisfeuerwehrtages) veranlasst ist.

4. Aufwendungen, die durch die steuerbegünstigte Tätigkeit veranlasst sind, sind nicht deswegen ganz oder teilweise dem wirtschaftlichen Geschäftsbetrieb zuzuordnen, weil sie dessen Einnahmen erhöhen.

BFH vom 21. 9. 1995, BFH/NV 1996 S. 268 *(Aufwendungen eines Kunstvereins für die Vorbereitung und Nachbereitung von Kunstreisen)*: Ausgaben – mit Ausnahme von Spenden, für die andere Zuordnungsregeln gelten – gehören zu einem steuerpflichtigen wirtschaftlichen Geschäftsbetrieb, wenn er der Anlass für ihr Entstehen ist. Beruht das Entstehen einer Ausgabe auf mehreren, steuerrechtlich unterschiedlich zu beurteilenden Tätigkeiten, setzt die Zuordnung der Ausgabe eine Gewichtung der verschiedenen Anlässe ihrer Entstehung voraus. Für die Gewichtung ist von Bedeutung, dass eine Körperschaft, die die teilweise Befreiung von der Steuer erlangen und bewahren will, nicht in erster Linie eigenwirtschaftliche Zwecke verfolgen darf. Deshalb ist davon auszugehen, dass primärer Anlass für das Entstehen einer sowohl mit steuerbefreiten als auch mit steuerpflichtigen Tätigkeiten zusammenhängenden Ausgabe die nicht erwerbswirtschaftliche, steuerbefreite Tätigkeit ist.

Hessisches FG vom 23. 8. 1995, EFG 1996 S. 250 *(Aufwendungen für den Spiel- und Trainingsbetrieb eines Sportvereins)*:

1. Aufwendungen für den Spielbetrieb eines Sportvereins sind regelmäßig nicht als Ausgaben im Rahmen eines einheitlichen wirtschaftlichen Geschäftsbetriebs „sportliche Veranstaltung" abzugsfähig, wenn durch den Spielbetrieb keine Einnahmen erzielt werden.

2. Aufwendungen sind dem wirtschaftlichen Geschäftsbetrieb einer ansonsten steuerbefreiten Körperschaft nur dann zuzuordnen, wenn dieser primärer Anlass für deren Entstehen ist.

3. Eine Aufteilung von Ausgaben, die sowohl mit dem steuerpflichtigen wirtschaftlichen Geschäftsbetrieb als auch mit der steuerbefreiten Tätigkeit einer Körperschaft zusammenhängen, hat nur zu erfolgen, wenn der sekundäre Anlass zu einer konkreten Kostenerhöhung geführt hat.

BFH vom 5. 2. 1992, BFH/NV 1993 S. 341 *(Trikotwerbung eines Amateurfußballvereins)*:

Betreibt eine Körperschaft sowohl einen steuerbefreiten wirtschaftlichen Geschäftsbetrieb (Zweckbetrieb, § 65 Nr. 1 AO) als auch einen steuerpflichtigen wirtschaftlichen Geschäftsbetrieb (§ 64 Abs. 1 AO), so können die jeweils zuzuordnenden positiven und negativen Einkünfte nicht saldiert werden. Dies gilt auch bei enger oder wechselseitiger Verflechtung von steuerfreiem und steuerpflichtigem wirtschaftlichem Geschäftsbetrieb. Steht eine Aufwendung sowohl im Zusammenhang mit dem Zweckbetrieb als auch mit dem steuerpflichtigen wirtschaftlichen Geschäftsbetrieb, so ist der primäre Anlass ihrer Entstehung für die Zuordnung maßgeblich. Wäre die Ausgabe auch ohne den wirtschaftlichen Geschäftsbetrieb entstanden, ist sie dem steuerfreien Bereich zuzuordnen. Hat in diesem Fall der wirtschaftliche Geschäftsbetrieb eine Erhöhung der Ausgabe veranlasst, so ist nach einem objektiven und sachgerechten Maßstab aufzuteilen.

BFH vom 27. 3. 1991, BStBl. II 1992 S. 103 (*Abzug der Aufwendungen eines Sportvereins für die Vereinsmannschaft bei der Ermittlung seiner Einkünfte aus Werbetätigkeit*):
1. Einem wirtschaftlichen Geschäftsbetrieb, mit dem ein teilweise von der Körperschaftsteuer befreiter Sportverein der Besteuerung unterliegt, sind die Einnahmen und Ausgaben zuzuordnen, deren Entstehen durch die den Geschäftsbetrieb begründende Tätigkeit veranlasst ist.
2. Ausgaben für das Training und die Spiele der Vereinsmannschaft (z. B. Aufwendungen für Trainer, Schiedsrichter, Fahrtkosten, Hallenmiete) mindern nicht die Einkünfte, die der Verein durch Werbung für Dritte während der Spiele seiner Mannschaft erzielt, sofern diese Ausgaben auch ohne die Werbetätigkeit entstanden wären.

▶ Zusammenschlüsse von Vereinen

Wenn sich Vereine zusammenschließen, um gemeinsam eine Veranstaltung durchzuführen (z. B. Festveranstaltung, Lotterie) oder sich mit einer gemeinsamen Mannschaft am Spielbetrieb zu beteiligen, gilt dieser Zusammenschluss als Gesellschaft bürgerlichen Rechts, d. h. als eigene Rechtsperson.

Der Gewinn für die Gemeinschaft wird im Rahmen einer einheitlichen Gewinnfeststellung ermittelt und ist von den einzelnen Beteiligten entsprechend ihrem Anteil als Beteiligungsertrag zu erfassen. Soweit es sich um hierbei um gemeinsame kulturelle oder sportliche Veranstaltungen handelt, ist der Gewinnanteil bei den Zweckbetrieben zu erfassen, soweit es sich um Veranstaltungen mit gewerblichem Charakter handelt (z. B. gesellige Veranstaltungen), ist der Gewinnanteil den wirtschaftlichen Geschäftsbetrieben zuzurechnen.

Bei der Umsatzsteuer gilt die GbR als eigenes Steuersubjekt. Der Steuersatz beträgt grundsätzlich 19 %. Soweit es sich bei den Beteiligten ausschließlich um gemeinnützige Vereine handelt und die betreffenden Leistungen, falls die Beteiligten sie anteilig selbst ausführten, ermäßigt besteuert würden, kommt nach der Sonderregelung des § 12 Abs. 2 Nr. 8 Buchst. b UStG der ermäßigte Steuersatz auch bei der BGB-Gesellschaft zur Anwendung.

Vgl. hierzu auch:

- AEAO Nr. 19 zu § 67 a AO, Spielgemeinschaften von Sportvereinen,
- Abschn. 170a UStR 2008, Zusammenschlüsse steuerbegünstigter Einrichtungen (§ 12 Abs. 2 Nr. 8 Buchst. b UStG).

▶ Zuschüsse

Zuschüsse sind im Allgemeinen nicht steuerbar und damit dem ideellen Bereich des Vereins zuzurechnen. Eine Ausnahme gilt dann, wenn sie als Entgelt für eine Gegenleistung des Vereins gewährt werden. Ob dies der Fall ist, ergibt sich aus den Vereinbarungen des Vereins mit dem Zahlenden, z. B. den zugrunde liegenden Verträgen oder Vergaberichtlinien.

Ein steuerpflichtiger Leistungsaustausch ist gekennzeichnet durch einen vertraglichen Anspruch auf Erbringung einer Leistung. Zwischen der Leistung des Zuschussempfängers (des Vereins) und der Zuschussgewährung besteht ein unmittelbarer Zusammenhang dahingehend, dass eine Leistung gewährt wird, um die andere Leistung zu erhalten. Ein Leistungsaustausch ist folglich nicht gegeben bei Zuwendungen an den Verein, die unabhängig von einer bestimmten Leistung gewährt werden, um ihm die Mittel zu verschaffen, die er z. B. zur Erfüllung von im allgemeinen öffentlichen Interesse liegenden Aufgaben benötigt. Der Anspruch des Zuschussgebers auf zweckentsprechende Verwendung der bewilligten Mittel begründet für sich allein noch keinen Leistungsaustausch.

Entgeltcharakter haben vor allem solche Zuwendungen, die dem Verein von einem anderen als dem Leistungsempfänger für eine Lieferung oder sonstige Leistung des Vereins gewährt werden. Dies sind insbesondere die Fälle, in denen die öffentliche Hand anstelle desjenigen, gegenüber dem der Verein tätig wird, die Gegenleistung ganz oder zum Teil erbringt. Nicht der Verein, sondern derjenige, dem die Leistung zugute kommt, soll gefördert (werden subventioniert). Unerheblich ist, ob der Zuschussgeber das Geld dem Begünstigten zur Verfügung stellt, der es dann an den Verein zahlt, oder ob der Zuschussgeber direkt an den Verein zahlt.

Wegen der Abgrenzung zwischen nicht steuerbarem Zuschuss und Entgelt im Einzelnen wird auf Abschn. 150 UStR 2008 verwiesen.

Bei der umsatzsteuerrechtlichen Beurteilung von Zuwendungen aus öffentlichen Kassen zur Projektförderung sowie zur institutionellen Förderung, z. B. zu Forschungs- und Entwicklungsvorhaben, ist nach dem BMF-Schreiben vom 15. 8. 2006 IV A 5 – S 7200 – 59/06, BStBl. I 2006 S. 502 wie folgt zu verfahren:

I. Zuwendungen aus öffentlichen Kassen, die ausschließlich auf der Grundlage des Haushaltsrechts und den dazu erlassenen Allgemeinen Nebenbestimmungen vergeben werden, sind grundsätzlich echte Zuschüsse. Die in den Nebenbestimmungen normierten Auflagen reichen für die Annahme eines Leistungsaustauschverhältnisses nicht aus (vgl. Abschn. 150 Abs. 8 UStR). Zuwendungen, die auf der Grundlage folgender Nebenbestimmungen gewährt werden, sind grundsätzlich als nicht der Umsatzsteuer unterliegende echte Zuschüsse zu beurteilen:

1. Nebenbestimmungen für Zuwendungen auf Kostenbasis des Bundesministeriums für Bildung und Forschung an Unternehmen der gewerblichen Wirtschaft für Forschungs- und Entwicklungsvorhaben (NKBF 98) – gelten z. B. auch im Geschäftsbereich des Bundesministeriums für Wirtschaft (BMWi) und des Bundesministeriums für Umwelt, Naturschutz und Reaktorsicherheit (BMU),

2. Allgemeine Nebenbestimmungen für Zuwendungen zur Projektförderung (ANBest-P) – Anlage 2 der VV zu § 44 BHO,

3. Allgemeine Nebenbestimmungen für Zuwendungen zur Projektförderung an Gebietskörperschaften und Zusammenschlüsse von Gebietskörperschaften (ANBest-GK) – Anlage 3 der VV zu § 44 BHO,

4. Besondere Nebenbestimmungen für Zuwendungen des Bundesministeriums für Bildung und Forschung zur Projektförderung auf Ausgabenbasis (BNBest-BMBF 98) – gelten z. B. auch im Geschäftsbereich des Bundesministeriums für Wirtschaft (BMWi) und des Bundesministeriums für Umwelt, Naturschutz und Reaktorsicherheit (BMU),

5. Allgemeine Nebenbestimmungen für Zuwendungen zur Projektförderung auf Kostenbasis (ANBest-P-Kosten) – Anlage 4 der VV zu § 44 BHO,

6. Allgemeine Nebenbestimmungen für Zuwendungen zur institutionellen Förderung (ANBest-I) – Anlage 1 der VV zu § 44 BHO,
7. Finanzstatut für Forschungseinrichtungen der Hermann von Helmholtz-Gemeinschaft Deutscher Forschungszentren e.V. (FinSt-HZ).

Entsprechendes gilt für Zuwendungen, die nach Richtlinien und Nebenbestimmungen zur Förderung bestimmter z. B. Forschungs- und Entwicklungsvorhaben gewährt werden, die inhaltlich den o. a. Förderbestimmungen entsprechen (z. B. Zuwendungen im Rahmen der Programme der Biotechnologie- und Energieforschung sowie zur Förderung des FuE-Personals in der Wirtschaft).

II. Diese Beurteilung schließt im Einzelfall eine Prüfung nicht aus, ob auf Grund zusätzlicher Auflagen oder Bedingungen des Zuwendungsgebers oder sonstiger Umstände ein steuerbarer Leistungsaustausch zwischen dem Zuwendungsgeber und dem Zuwendungsempfänger begründet worden ist. Dabei ist bei Vorliegen entsprechender Umstände auch die Frage des Entgelts von dritter Seite zu prüfen. Eine Prüfung kommt insbesondere in Betracht, wenn die Tätigkeit zur Erfüllung von Ressortaufgaben des Zuwendungsgebers durchgeführt wird und deshalb z. B. folgende zusätzliche Vereinbarungen getroffen wurden (vgl. auch BFH vom 23. 2. 1989, V R 141/84, BStBl. II 1989, 638, und v. 28. 7. 1994, V R 19/92, BStBl. II 1995, 86):

– Vorbehalt von Verwertungsrechten für den Zuwendungsgeber,
– Zustimmungsvorbehalt des Zuwendungsgebers für die Veröffentlichung der Ergebnisse,
– fachliche Detailsteuerung durch den Zuwendungsgeber,
– Vollfinanzierung bei Zuwendungen an Unternehmen der gewerblichen Wirtschaft.

Die Vorbehalte sprechen nicht für einen Leistungsaustausch, wenn sie lediglich dazu dienen, die Tätigkeit zu optimieren und die Ergebnisse für die Allgemeinheit zu sichern.

III. Nach den vorstehenden Grundsätzen ist auch bei der umsatzsteuerlichen Beurteilung von Zuwendungen zur Projektförderung sowie zur institutionellen Förderung auf Grund entsprechender Bestimmungen der Bundesländer zu verfahren.

M. Anhang: Abgabenordnung[1] §§ 51–68 (Steuerbegünstigte Zwecke) mit Anwendungserlass (AEAO)[2]

§ 51 Allgemeines. (1) Gewährt das Gesetz eine Steuervergünstigung, weil eine Körperschaft ausschließlich und unmittelbar gemeinnützige, mildtätige oder kirchliche Zwecke (steuerbegünstigte Zwecke) verfolgt, so gelten die folgenden Vorschriften. Unter Körperschaften sind die Körperschaften, Personenvereinigungen und Vermögensmassen im Sinne des Körperschaftsteuergesetzes zu verstehen. Funktionale Untergliederungen (Abteilungen) von Körperschaften gelten nicht als selbstständige Steuersubjekte.

(2) Werden die steuerbegünstigten Zwecke im Ausland verwirklicht, setzt die Steuervergünstigung voraus, dass natürliche Personen, die ihren Wohnsitz oder ihren gewöhnlichen Aufenthalt im Geltungsbereich dieses Gesetzes haben, gefördert werden oder die Tätigkeit der Körperschaft neben der Verwirklichung der steuerbegünstigten Zwecke auch zum Ansehen der Bundesrepublik Deutschland im Ausland beitragen kann.

(3) Eine Steuervergünstigung setzt zudem voraus, dass die Körperschaft nach ihrer Satzung und bei ihrer tatsächlichen Geschäftsführung keine Bestrebungen im Sinne des § 4 des Bundesverfassungsschutzgesetzes fördert und dem Gedanken der Völkerverständigung nicht zuwiderhandelt. Bei Körperschaften, die im Verfassungsschutzbericht des Bundes oder eines Landes als extremistische Organisation aufgeführt sind, ist widerlegbar davon auszugehen, dass die Voraussetzungen des Satzes 1 nicht erfüllt sind. Die Finanzbehörde teilt Tatsachen, die den Verdacht von Bestrebungen im Sinne des § 4 des Bundesverfassungsschutzgesetzes oder des Zuwiderhandelns gegen den Gedanken der Völkerverständigung begründen, der Verfassungsschutzbehörde mit.

AEAO zu § 51 – Allgemeines:

1. Unter Körperschaften im Sinne des § 51, für die eine Steuervergünstigung in Betracht kommen kann, sind Körperschaften, Personenvereinigungen und Vermögensmassen im Sinne des KStG zu verstehen. Dazu gehören auch die juristischen Personen des öffentlichen Rechts mit ih-

---

[1] **Abgabenordnung** zuletzt geändert durch Gesetz vom 30. 7. 2009 (BGBl. I S. 2747).
[2] **AEAO** zuletzt geändert durch BMF-Schreiben vom 30. 7. 2009 (BStBl. I S. 807).

ren Betrieben gewerblicher Art (§ 1 Abs. 1 Nr. 6, § 4 KStG), nicht aber die juristischen Personen des öffentlichen Rechts als solche.

2. (1) Regionale Untergliederungen (Landes-, Bezirks-, Ortsverbände) von Großvereinen sind als nichtrechtsfähige Vereine (§ 1 Abs. 1 Nr. 5 KStG) selbständige Steuersubjekte im Sinne des Körperschaftsteuerrechts, wenn sie

a) über eigene satzungsmäßige Organe (Vorstand, Mitgliederversammlung) verfügen und über diese auf Dauer nach außen im eigenen Namen auftreten und

b) eine eigene Kassenführung haben.

Die selbständigen regionalen Untergliederungen können nur dann als gemeinnützig behandelt werden, wenn sie eine eigene Satzung haben, die den gemeinnützigkeitsrechtlichen Anforderungen entspricht. Zweck, Aufgaben und Organisation der Untergliederungen können sich auch aus der Satzung des Hauptvereins ergeben.

3. Über die Befreiung von der Körperschaftsteuer nach § 5 Abs. 1 Nr. 9 KStG wegen Förderung steuerbegünstigter Zwecke ist stets für einen bestimmten Veranlagungszeitraum zu entscheiden (Grundsatz der Abschnittsbesteuerung). Eine Körperschaft kann nur dann nach dieser Vorschrift von der Körperschaftsteuer befreit werden, wenn sie in dem zu beurteilenden Veranlagungszeitraum alle Voraussetzungen für die Steuerbegünstigung erfüllt. Die spätere Erfüllung einer der Voraussetzungen für die Steuerbegünstigung kann nicht auf frühere, abgelaufene Veranlagungszeiträume zurückwirken.

4. Wird eine bisher steuerpflichtige Körperschaft nach § 5 Abs. 1 Nr. 9 KStG von der Körperschaftsteuer befreit, ist eine Schlussbesteuerung nach § 13 KStG durchzuführen.

5. Für die Steuerbegünstigung einer Körperschaft reichen Betätigungen aus, mit denen die Verwirklichung der steuerbegünstigten Satzungszwecke nur vorbereitet wird. Die Tätigkeiten müssen ernsthaft auf die Erfüllung eines steuerbegünstigten satzungsmäßigen Zwecks gerichtet sein. Die bloße Absicht, zu einem ungewissen Zeitpunkt einen der Satzungszwecke zu verwirklichen, genügt nicht (BFH-Urteil vom 23. 7. 2003 – I R 29/02 – BStBl. II, S. 930).

6. Die Körperschaftsteuerbefreiung einer Körperschaft, die nach ihrer Satzung steuerbegünstigte Zwecke verfolgt, endet, wenn die eigentliche steuerbegünstigte Tätigkeit eingestellt und über das Vermögen der Körperschaft das Konkurs- oder Insolvenzverfahren eröffnet wird (BFH-Urteil vom 16. 5. 2007 – I R 14/06 – BStBl. II, S. 808).

§ 52 Gemeinnützige Zwecke. (1) Eine Körperschaft verfolgt gemeinnützige Zwecke, wenn ihre Tätigkeit darauf gerichtet ist, die Allgemeinheit auf materiellem, geistigem oder sittlichem Gebiet selbstlos zu fördern. Eine Förderung der Allgemeinheit ist nicht gegeben, wenn der Kreis der Personen, dem die Förderung zugute kommt, fest abgeschlossen ist, zum Beispiel Zugehörigkeit zu einer Familie oder zur Belegschaft eines Unternehmens, oder infolge seiner Abgrenzung, insbesondere nach räumlichen oder beruflichen Merkmalen, dauernd nur klein sein kann. Eine Förderung der Allgemeinheit liegt nicht allein deswegen vor, weil eine Körperschaft ihre Mittel einer Körperschaft des öffentlichen Rechts zuführt.

(2) Unter den Voraussetzungen des Absatzes 1 sind als Förderung der Allgemeinheit anzuerkennen:

1. die Förderung von Wissenschaft und Forschung;
2. die Förderung der Religion;
3. die Förderung des öffentlichen Gesundheitswesens und der öffentlichen Gesundheitspflege, insbesondere die Verhütung und Bekämpfung von übertragbaren Krankheiten, auch durch Krankenhäuser im Sinne des § 67, und von Tierseuchen;
4. die Förderung der Jugend- und Altenhilfe;
5. die Förderung von Kunst und Kultur;
6. die Förderung des Denkmalschutzes und der Denkmalpflege;
7. die Förderung der Erziehung, Volks- und Berufsbildung einschließlich der Studentenhilfe;
8. die Förderung des Naturschutzes und der Landschaftspflege im Sinne des Bundesnaturschutzgesetzes und der Naturschutzgesetze der Länder, des Umweltschutzes, des Küstenschutzes und des Hochwasserschutzes;
9. die Förderung des Wohlfahrtswesens, insbesondere der Zwecke der amtlich anerkannten Verbände der freien Wohlfahrtspflege (§ 23 Umsatzsteuer-Durchführungsverordnung), ihrer Unterverbände und ihrer angeschlossenen Einrichtungen und Anstalten;
10. die Förderung der Hilfe für politisch, rassisch oder religiös Verfolgte, für Flüchtlinge, Vertriebene, Aussiedler, Spätaussiedler, Kriegsopfer, Kriegshinterbliebene, Kriegsbeschädigte und Kriegsgefangene, Zivilbeschädigte und Behinderte sowie Hilfe für Opfer von Straftaten; Förderung des Andenkens an Verfolgte, Kriegs- und Katastrophenopfer; Förderung des Suchdienstes für Vermisste;
11. die Förderung der Rettung aus Lebensgefahr;
12. die Förderung des Feuer-, Arbeits-, Katastrophen- und Zivilschutzes sowie der Unfallverhütung;

13. die Förderung internationaler Gesinnung, der Toleranz auf allen Gebieten der Kultur und des Völkerverständigungsgedankens;
14. die Förderung des Tierschutzes;
15. die Förderung der Entwicklungszusammenarbeit;
16. die Förderung von Verbraucherberatung und Verbraucherschutz;
17. die Förderung der Fürsorge für Strafgefangene und ehemalige Strafgefangene;
18. die Förderung der Gleichberechtigung von Frauen und Männern;
19. die Förderung des Schutzes von Ehe und Familie;
20. die Förderung der Kriminalprävention;
21. die Förderung des Sports (Schach gilt als Sport);
22. die Förderung der Heimatpflege und Heimatkunde;
23. die Förderung der Tierzucht, der Pflanzenzucht, der Kleingärtnerei, des traditionellen Brauchtums einschließlich des Karnevals, der Fastnacht und des Faschings, der Soldaten- und Reservistenbetreuung, des Amateurfunkens, des Modellflugs und des Hundesports;
24. die allgemeine Förderung des demokratischen Staatswesens im Geltungsbereich dieses Gesetzes; hierzu gehören nicht Bestrebungen, die nur bestimmte Einzelinteressen staatsbürgerlicher Art verfolgen oder die auf den kommunalpolitischen Bereich beschränkt sind;
25. die Förderung des bürgerschaftlichen Engagements zugunsten gemeinnütziger, mildtätiger und kirchliche Zwecke.

Sofern der von der Körperschaft verfolgte Zweck nicht unter Satz 1 fällt, aber die Allgemeinheit auf materiellem, geistigem oder sittlichem Gebiet entsprechend selbstlos gefördert wird, kann dieser Zweck für gemeinnützig erklärt werden. Die obersten Finanzbehörden der Länder haben jeweils eine Finanzbehörde im Sinne des Finanzverwaltungsgesetzes zu bestimmen, die für Entscheidungen nach Satz 2 zuständig ist.

AEAO zu § 52 – Gemeinnützige Zwecke:

1. Die Gemeinnützigkeit einer Körperschaft setzt voraus, dass ihre Tätigkeit der Allgemeinheit zugute kommt (§ 52 Abs. 1 Satz 1). Dies ist nicht gegeben, wenn der Kreis der geförderten Personen infolge seiner Abgrenzung, insbesondere nach räumlichen oder beruflichen Merkmalen, dauernd nur klein sein kann (§ 52 Abs. 1 Satz 2). Hierzu gilt Folgendes:

1.1 Allgemeines

Ein Verein, dessen Tätigkeit in erster Linie seinen Mitgliedern zugute kommt (insbesondere Sportvereine und Vereine, die in § 52 Abs. 2 Nr. 23 genannte Freizeitbetätigungen fördern), fördert nicht die Allge-

meinheit, wenn er den Kreis der Mitglieder durch hohe Aufnahmegebühren oder Mitgliedsbeiträge (einschließlich Mitgliedsumlagen) klein
hält.

Bei einem Verein, dessen Tätigkeit in erster Linie seinen Mitgliedern
zugute kommt, ist eine Förderung der Allgemeinheit im Sinne des § 52
Abs. 1 anzunehmen, wenn

a) die Mitgliedsbeiträge und Mitgliedsumlagen zusammen im Durchschnitt 1.023 € je Mitglied und Jahr und

b) die Aufnahmegebühren für die im Jahr aufgenommenen Mitglieder
im Durchschnitt 1.534 € nicht übersteigen.

1.2 Investitionsumlage

Es ist unschädlich für die Gemeinnützigkeit eines Vereins, dessen Tätigkeit in erster Linie seinen Mitgliedern zugute kommt, wenn der Verein neben den o.a. Aufnahmegebühren und Mitgliedsbeiträgen (einschließlich sonstiger Mitgliedsumlagen) zusätzlich eine Investitionsumlage nach folgender Maßgabe erhebt:

Die Investitionsumlage darf höchstens 5.113 € innerhalb von 10 Jahren je Mitglied betragen. Die Mitglieder müssen die Möglichkeit haben,
die Zahlung der Umlage auf bis zu 10 Jahresraten zu verteilen. Die
Umlage darf nur für die Finanzierung konkreter Investitionsvorhaben
verlangt werden. Unschädlich ist neben der zeitnahen Verwendung der
Mittel für Investitionen auch die Ansparung für künftige Investitionsvorhaben im Rahmen von nach § 58 Nr. 6 zulässigen Rücklagen und die
Verwendung für die Tilgung von Darlehen, die für die Finanzierung von
Investitionen aufgenommen worden sind. Die Erhebung von Investitionsumlagen kann auf neu eintretende Mitglieder (und ggf. nachzahlen-
de Jugendliche, vgl. Nr. 1.3.1.2) beschränkt werden.

Investitionsumlagen sind keine steuerlich abziehbaren Spenden.

1.3 Durchschnittsberechnung

Der durchschnittliche Mitgliedsbeitrag und die durchschnittliche Aufnahmegebühr sind aus dem Verhältnis der zu berücksichtigenden Leistungen der Mitglieder zu der Zahl der zu berücksichtigenden Mitglieder
zu errechnen.

1.3.1 Zu berücksichtigende Leistungen der Mitglieder

1.3.1.1 Grundsatz

Zu den maßgeblichen Aufnahmegebühren bzw. Mitgliedsbeiträgen
gehören alle Geld- und geldwerten Leistungen, die ein Bürger aufwenden muss, um in den Verein aufgenommen zu werden bzw. in ihm ver-

bleiben zu können. Umlagen, die von den Mitgliedern erhoben werden, sind mit Ausnahme zulässiger Investitionsumlagen (vgl. Nr. 1.2) bei der Berechnung der durchschnittlichen Aufnahmegebühren oder Mitgliedsbeiträge zu berücksichtigen.

1.3.1.2 Sonderentgelte und Nachzahlungen

So genannte Spielgeldvorauszahlungen, die im Zusammenhang mit der Aufnahme in den Verein zu entrichten sind, gehören zu den maßgeblichen Aufnahmegebühren. Sonderumlagen und Zusatzentgelte, die Mitglieder zum Beispiel unter der Bezeichnung Jahresplatzbenutzungsgebühren zahlen müssen, sind bei der Durchschnittsberechnung als zusätzliche Mitgliedsbeiträge zu berücksichtigen.

Wenn jugendliche Mitglieder, die zunächst zu günstigeren Konditionen in den Verein aufgenommen worden sind, bei Erreichen einer Altersgrenze Aufnahmegebühren nachzuentrichten haben, sind diese im Jahr der Zahlung bei der Berechnung der durchschnittlichen Aufnahmegebühr zu erfassen.

1.3.1.3 Auswärtige Mitglieder

Mitgliedsbeiträge und Aufnahmegebühren, die auswärtige Mitglieder an andere gleichartige Vereine entrichten, sind nicht in die Durchschnittsberechnungen einzubeziehen. Dies gilt auch dann, wenn die Mitgliedschaft in dem anderen Verein Voraussetzung für die Aufnahme als auswärtiges Mitglied oder die Spielberechtigung in der vereinseigenen Sportanlage ist.

1.3.1.4 Juristische Personen und Firmen

Leistungen, die juristische Personen und Firmen in anderer Rechtsform für die Erlangung und den Erhalt der eigenen Mitgliedschaft in einem Verein aufwenden (so genannte Firmenmitgliedschaften), sind bei den Durchschnittsberechnungen nicht zu berücksichtigen (vgl. Nr. 1.3.2).

1.3.1.5 Darlehen

Darlehen, die Mitglieder dem Verein im Zusammenhang mit ihrer Aufnahme in den Verein gewähren, sind nicht als zusätzliche Aufnahmegebühren zu erfassen. Wird das Darlehen zinslos oder zu einem günstigeren Zinssatz, als er auf dem Kapitalmarkt üblich ist, gewährt, ist der jährliche Zinsverzicht als zusätzlicher Mitgliedsbeitrag zu berücksichtigen. Dabei kann typisierend ein üblicher Zinssatz von 5,5 v. H. angenommen werden (BFH-Urteil vom 13. 11. 1996 – I R 152/93 – BStBl. 1998 II, S. 711). Als zusätzlicher Mitgliedsbeitrag sind demnach pro

Jahr bei einem zinslosen Darlehen 5,5 v. H. des Darlehensbetrags und bei einem zinsgünstigen Darlehen der Betrag, den der Verein weniger als bei einer Verzinsung mit 5,5 v. H. zu zahlen hat, anzusetzen.

Diese Grundsätze gelten auch, wenn Mitgliedsbeiträge oder Mitgliedsumlagen (einschließlich Investitionsumlagen) als Darlehen geleistet werden.

1.3.1.6 Beteiligung an Gesellschaften

Kosten für den zur Erlangung der Spielberechtigung notwendigen Erwerb von Geschäftsanteilen an einer Gesellschaft, die neben dem Verein besteht und die die Sportanlagen errichtet oder betreibt, sind mit Ausnahme des Agios nicht als zusätzliche Aufnahmegebühren zu erfassen.

Ein Sportverein kann aber mangels Unmittelbarkeit dann nicht als gemeinnützig behandelt werden, wenn die Mitglieder die Sportanlagen des Vereins nur bei Erwerb einer Nutzungsberechtigung von einer neben dem Verein bestehenden Gesellschaft nutzen dürfen.

1.3.1.7 Spenden

Wenn Bürger im Zusammenhang mit der Aufnahme in einen Sportverein als Spenden bezeichnete Zahlungen an den Verein leisten, ist zu prüfen, ob es sich dabei um freiwillige unentgeltliche Zuwendungen, das heißt um Spenden, oder um Sonderzahlungen handelt, zu deren Leistung die neu eintretenden Mitglieder verpflichtet sind.

Sonderzahlungen sind in die Berechnung der durchschnittlichen Aufnahmegebühr einzubeziehen. Dies gilt auch, wenn kein durch die Satzung oder durch Beschluss der Mitgliederversammlung festgelegter Rechtsanspruch des Vereins besteht, die Aufnahme in den Verein aber faktisch von der Leistung einer Sonderzahlung abhängt.

Eine faktische Verpflichtung ist regelmäßig anzunehmen, wenn mehr als 75 v. H. der neu eingetretenen Mitglieder neben der Aufnahmegebühr eine gleich oder ähnlich hohe Sonderzahlung leisten. Dabei bleiben passive oder fördernde, jugendliche und auswärtige Mitglieder sowie Firmenmitgliedschaften außer Betracht. Für die Beurteilung der Frage, ob die Sonderzahlungen der neu aufgenommenen Mitglieder gleich oder ähnlich hoch sind, sind die von dem Mitglied innerhalb von drei Jahren nach seinem Aufnahmeantrag oder, wenn zwischen dem Aufnahmeantrag und der Aufnahme in den Verein ein ungewöhnlich langer Zeitraum liegt, nach seiner Aufnahme geleisteten Sonderzahlungen, soweit es sich dabei nicht um von allen Mitgliedern erhobene Umlagen handelt, zusammenzurechnen.

Die 75 v. H.-Grenze ist eine widerlegbare Vermutung für das Vorliegen von Pflichtzahlungen. Maßgeblich sind die tatsächlichen Verhältnisse des Einzelfalls. Sonderzahlungen sind deshalb auch dann als zusätzliche Aufnahmegebühren zu behandeln, wenn sie zwar von weniger als 75 v. H. der neu eingetretenen Mitglieder geleistet werden, diese Mitglieder aber nach den Umständen des Einzelfalls zu den Zahlungen nachweisbar verpflichtet sind.

Die vorstehenden Grundsätze einschließlich der 75 v. H.-Grenze gelten für die Abgrenzung zwischen echten Spenden und Mitgliedsumlagen entsprechend. Pflichtzahlungen sind in diesem Fall in die Berechnung des durchschnittlichen Mitgliedsbeitrags einzubeziehen.

Nicht bei der Durchschnittsberechnung der Aufnahmegebühren und Mitgliedsbeiträge zu berücksichtigen sind Pflichteinzahlungen in eine zulässige Investitionsumlage (vgl. Nr. 1.2).

Für Leistungen, bei denen es sich um Pflichtzahlungen (zum Beispiel Aufnahmegebühren, Mitgliedsbeiträge, Ablösezahlungen für Arbeitsleistungen und Umlagen einschließlich Investitionsumlagen) handelt, dürfen keine Zuwendungsbestätigungen im Sinne des § 50 EStDV ausgestellt werden. Die Grundsätze des BFH-Urteils vom 13. 12. 1978 – I R 39/78 – BStBl. 1979 II, S. 488 sind nicht anzuwenden, soweit sie mit den vorgenannten Grundsätzen nicht übereinstimmen.

1.3.2 Zu berücksichtigende Mitglieder

Bei der Berechnung des durchschnittlichen Mitgliedsbeitrags ist als Divisor die Zahl der Personen anzusetzen, die im Veranlagungszeitraum (Kalenderjahr) Mitglieder des Vereins waren. Dabei sind auch die Mitglieder zu berücksichtigen, die im Laufe des Jahres aus dem Verein ausgetreten oder in ihn aufgenommen worden sind. Voraussetzung ist, dass eine Dauermitgliedschaft bestanden hat bzw. die Mitgliedschaft auf Dauer angelegt ist.

Divisor bei der Berechnung der durchschnittlichen Aufnahmegebühr ist die Zahl der Personen, die in dem Veranlagungszeitraum auf Dauer neu in den Verein aufgenommen worden sind. Bei den Berechnungen sind grundsätzlich auch die fördernden oder passiven, jugendlichen und auswärtigen Mitglieder zu berücksichtigen. Unter auswärtigen Mitgliedern sind regelmäßig Mitglieder zu verstehen, die ihren Wohnsitz außerhalb des Einzugsgebiets des Vereins haben und/oder bereits ordentliches Mitglied in einem gleichartigen anderen Sportverein sind und die deshalb keine oder geringere Mitgliedsbeiträge oder Aufnahmegebühren zu zahlen haben. Nicht zu erfassen sind juristische Personen oder Firmen in anderer Rechtsform sowie die natürlichen Personen, die infolge der Mitgliedschaft dieser Organisationen Zugang zu dem Verein haben.

Die nicht aktiven Mitglieder sind nicht zu berücksichtigen, wenn der Verein ihre Einbeziehung in die Durchschnittsberechnung missbräuchlich ausnutzt. Dies ist zum Beispiel anzunehmen, wenn die Zahl der nicht aktiven Mitglieder ungewöhnlich hoch ist oder festgestellt wird, dass im Hinblick auf die Durchschnittsberechnung gezielt nicht aktive Mitglieder beitragsfrei oder gegen geringe Beiträge aufgenommen worden sind. Entsprechendes gilt für die Einbeziehung auswärtiger Mitglieder in die Durchschnittsberechnung.

2. Bei § 52 Abs. 2 handelt es sich grundsätzlich um eine abschließende Aufzählung gemeinnütziger Zwecke. Die Allgemeinheit kann allerdings auch durch die Verfolgung von Zwecken, die hinsichtlich der Merkmale, die ihre steuerrechtliche Förderung rechtfertigen, mit den in § 52 Abs. 2 aufgeführten Zwecken identisch sind, gefördert werden.

Mit der Aufnahme der gemeinnützigen Zwecke in § 52 Abs. 2 AO ist keine Einengung der bisher als besonders förderungswürdig anerkannten Zwecke nach Anlage 1 zu § 48 Abs. 2 EStDV in der bis einschließlich 2006 geltenden Fassung verbunden. Textliche Abweichungen in § 52 Abs. 2 Nr. 3, 5, 9, 10, 13 und 15 sind redaktioneller Art.

2.1 Die Förderung von Kunst und Kultur umfasst die Bereiche der Musik, der Literatur, der darstellenden und bildenden Kunst und schließt die Förderung von kulturellen Einrichtungen, wie Theater und Museen, sowie von kulturellen Veranstaltungen, wie Konzerte und Kunstausstellungen, ein. Zur Förderung von Kunst und Kultur gehört auch die Förderung der Pflege und Erhaltung von Kulturwerten. Kulturwerte sind Gegenstände von künstlerischer und sonstiger kultureller Bedeutung, Kunstsammlungen und künstlerische Nachlässe, Bibliotheken, Archive sowie andere vergleichbare Einrichtungen.

2.2 Die Förderung der Denkmalpflege bezieht sich auf die Erhaltung und Wiederherstellung von Bau- und Bodendenkmälern, die nach den jeweiligen landesrechtlichen Vorschriften anerkannt sind. Die Anerkennung ist durch eine Bescheinigung der zuständigen Stelle nachzuweisen.

2.3 Zur Förderung des Andenkens an Verfolgte, Kriegs- und Katastrophenopfer gehört auch die Errichtung von Ehrenmalen und Gedenkstätten.

Zur Förderung der Tier- bzw. Pflanzenzucht gehört auch die Förderung der Erhaltung vom Aussterben bedrohter Nutztierrassen und Nutzpflanzen.

Die Förderung des Einsatzes für nationale Minderheiten im Sinne des durch Deutschland ratifizierten Rahmenabkommens zum Schutz nationaler Minderheiten und die Förderung des Einsatzes für die gemäß der von Deutschland ratifizierten Charta der Regional- und Minderheitensprachen geschützten Sprachen sind – je nach Betätigung im Einzelnen – Förderung von Kunst und Kultur, Förderung der Heimatpflege und Heimatkunde oder Förderung des traditionellen Brauchtums. Bei den nach der Charta geschützten Sprachen handelt es sich um die Regionalsprache Niederdeutsch sowie die Minderheitensprachen Dänisch, Friesisch, Sorbisch und das Romanes der deutschen Sinti und Roma.

2.4 Unter dem Begriff „bürgerschaftliches Engagement" versteht man eine freiwillige, nicht auf das Erzielen eines persönlichen materiellen Gewinns gerichtete, auf die Förderung der Allgemeinheit hin orientierte, kooperative Tätigkeit. Die Anerkennung der Förderung des bürgerschaftlichen Engagements zugunsten gemeinnütziger, mildtätiger und kirchlicher Zwecke dient der Hervorhebung der Bedeutung, die ehrenamtlicher Einsatz für unsere Gesellschaft hat. Eine Erweiterung der gemeinnützigen Zwecke ist damit nicht verbunden.

2.5 Durch § 52 Abs. 2 Satz 2 wird die Möglichkeit eröffnet, Zwecke auch dann als gemeinnützig anzuerkennen, wenn diese nicht unter den Katalog des § 52 Abs. 2 Satz 1 fallen. Die Anerkennung der Gemeinnützigkeit solcher gesellschaftlicher Zwecke wird bundeseinheitlich abgestimmt.

3. Internetvereine können wegen Förderung der Volksbildung als gemeinnützig anerkannt werden, sofern ihr Zweck nicht der Förderung der (privat betriebenen) Datenkommunikation durch Zurverfügungstellung von Zugängen zu Kommunikationsnetzwerken sowie durch den Aufbau, die Förderung und den Unterhalt entsprechender Netze zur privaten und geschäftlichen Nutzung durch die Mitglieder oder andere Personen dient. Freiwilligenagenturen können regelmäßig wegen Förderung der Bildung (§ 52 Abs. 2 Nr. 7) als gemeinnützig behandelt werden, weil das Schwergewicht ihrer Tätigkeit in der Aus- und Weiterbildung der Freiwilligen liegt (BMF-Schreiben vom 15. 9. 2003, BStBl. I, S. 446).

4. Bei Körperschaften, die Privatschulen betreiben oder unterstützen, ist zwischen Ersatzschulen und Ergänzungsschulen zu unterscheiden. Die Förderung der Allgemeinheit ist bei Ersatzschulen stets anzunehmen, weil die zuständigen Landesbehörden die Errichtung und den Betrieb einer Ersatzschule nur dann genehmigen dürfen, wenn eine Sonderung der Schüler nach den Besitzverhältnissen der Eltern nicht gefördert wird (Art. 7 Abs. 4 Satz 3 GG und die Privatschulgesetze der Länder). Bei Ergänzungsschulen kann eine Förderung der Allgemeinheit dann angenommen werden, wenn in der Satzung der Körperschaft festgelegt ist, dass bei mindestens 25 v. H. der Schüler keine Sonderung nach den Besitzverhältnissen der Eltern im Sinne des Art. 7 Abs. 4 Satz 3 GG und der Privatschulgesetze der Länder vorgenommen werden darf.

5. Nachbarschaftshilfevereine, Tauschringe und ähnliche Körperschaften, deren Mitglieder kleinere Dienstleistungen verschiedenster Art gegenüber anderen Vereinsmitgliedern erbringen (zum Beispiel kleinere Reparaturen, Hausputz, Kochen, Kinderbetreuung, Nachhilfeunterricht, häusliche Pflege) sind grundsätzlich nicht gemeinnützig, weil regelmäßig durch die gegenseitige Unterstützung in erster Linie eigenwirtschaftliche Interessen ihrer Mitglieder gefördert werden und damit gegen den Grundsatz der Selbstlosigkeit (§ 55 Abs. 1) verstoßen wird. Solche Körperschaften können jedoch gemeinnützig sein, wenn sich ihre Tätigkeit darauf beschränkt, alte und hilfsbedürftige Menschen in Verrichtungen des täglichen Lebens zu unterstützen und damit die Altenhilfe gefördert bzw. mildtätige Zwecke (§ 53) verfolgt werden. Soweit sich der Zweck der Körperschaften zusätzlich auf die Erteilung von Nachhilfeunterricht und Kinderbetreuung erstreckt, können sie auch wegen Förderung der Jugendhilfe anerkannt werden. Voraussetzung für die Anerkennung der Gemeinnützigkeit solcher Körperschaften ist, dass die aktiven Mitglieder ihre Dienstleistungen als Hilfspersonen der Körperschaft (§ 57 Abs. 1 Satz 2) ausüben.

Vereine, deren Zweck die Förderung esoterischer Heilslehren ist, zum Beispiel Reiki-Vereine, können nicht wegen Förderung des öffentlichen Gesundheitswesens oder der öffentlichen Gesundheitspflege als gemeinnützig anerkannt werden.

6. Ein wesentliches Element des Sports (§ 52 Abs. 2 Nr. 21) ist die körperliche Ertüchtigung. Motorsport fällt unter den Begriff des Sports (BFH-Urteil vom 29. 10. 1997 – I R 13/97 – BStBl. 1998 II, S. 9), ebenso Ballonfahren. Skat (BFH-Urteil vom 17. 2. 2000 – I R 108, 109/98 – BFH/NV S. 1071), Bridge, Gospiel, Gotcha, Paintball, Tischfußball und Tipp-Kick sind dagegen kein Sport im Sinne des Gemeinnützigkeitsrechts. Dies gilt auch für Amateurfunk, Modellflug und Hundesport, die jedoch eigenständige gemeinnützige Zwecke sind (§ 52 Abs. 2 Nr. 23). Schützenvereine können auch dann als gemeinnützig anerkannt werden, wenn sie nach ihrer Satzung neben dem Schießsport (als Hauptzweck) auch das Schützenbrauchtum (vgl. Nr. 11) fördern. Die Durchführung von volksfestartigen Schützenfesten ist kein gemeinnütziger Zweck.

7. Die Förderung des bezahlten Sports ist kein gemeinnütziger Zweck, weil dadurch eigenwirtschaftliche Zwecke der bezahlten Sportler gefördert werden. Sie ist aber unter bestimmten Voraussetzungen unschädlich für die Gemeinnützigkeit eines Sportvereins (s. §§ 58 Nr. 9 und 67 a).

8. Eine steuerbegünstigte allgemeine Förderung des demokratischen Staatswesens ist nur dann gegeben, wenn sich die Körperschaft umfassend mit den demokratischen Grundprinzipien befasst und diese objektiv und neutral würdigt. Ist hingegen Zweck der Körperschaft die politische Bildung, der es auf der Grundlage der Normen und Vorstellungen einer rechtsstaatlichen Demokratie um die Schaffung und Förderung politischer Wahrnehmungsfähigkeit und politischen Verantwortungsbewusstseins geht, liegt Volksbildung vor. Diese muss nicht nur in theoretischer Unterweisung bestehen, sie kann auch durch den Aufruf zu konkreter Handlung ergänzt werden. Keine politische Bildung ist demgegenüber die einseitige Agitation, die unkritische Indoktrination oder die parteipolitisch motivierte Einflussnahme (BFH-Urteil vom 23. 9. 1999 – XI R 63/98 – BStBl. 2000 II, S. 200).

9. Die Förderung von Freizeitaktivitäten außerhalb des Bereichs des Sports ist nur dann als Förderung der Allgemeinheit anzuerkennen, wenn die Freizeitaktivitäten hinsichtlich der Merkmale, die ihre steuerrechtliche Förderung rechtfertigen, mit den im Katalog des § 52 Abs. 2 Nr. 23 genannten Freizeitgestaltungen identisch sind. Es reicht nicht aus, dass die Freizeitgestaltung sinnvoll und einer der in § 52 Abs. 2 Nr. 23 genannten ähnlich ist (BFH-Urteil vom 14. 9. 1994 – I R 153/93 – BStBl. 1995 II, S. 499). Die Förderung des Baus und Betriebs von Schiffs-, Auto-, Eisenbahn- und Drachenflugmodellen ist identisch im vorstehenden Sinne mit der Förderung des Modellflugs, die Förderung des CB-Funkens mit der Förderung des Amateurfunkens. Diese Zwecke sind deshalb als gemeinnützig anzuerkennen. Nicht identisch im vorstehenden Sinne mit den in § 52 Abs. 2 Nr. 23 genannten Freizeitaktivitäten und deshalb nicht als eigenständige gemeinnützige Zwecke anzuerkennen sind zum Beispiel die Förderung des Amateurfilmens und -fotografierens, des Kochens, von Brett- und Kartenspielen und des Sammelns von Gegenständen, wie Briefmarken, Münzen und Autogrammkarten, sowie die Tätigkeit von Reise- und Touristik-, Sauna-, Geselligkeits-, Kosmetik-, und Oldtimer-Vereinen. Bei Vereinen, die das Amateurfilmen und -fotografieren fördern, und bei Oldtimer-Vereinen kann aber eine Steuerbegünstigung wegen der Förderung von Kunst oder (technischer) Kultur in Betracht kommen.

10. Obst- und Gartenbauvereine fördern in der Regel die Pflanzenzucht im Sinne des § 52 Abs. 2 Nr. 23. Die Förderung der Bonsaikunst ist Pflanzenzucht, die Förderung der Aquarien- und Terrarienkunde ist Tierzucht im Sinne der Vorschrift.

11. Historische Schützenbruderschaften können wegen der Förderung der Brauchtumspflege (vgl. Nr. 6), Freizeitwinzervereine wegen der Förderung der Heimatpflege, die Teil der Brauchtumspflege ist, als gemeinnützig behandelt werden. Dies gilt auch für Junggesellen- und Burschenvereine, die das traditionelle Brauchtum einer bestimmten Region fördern, zum Beispiel durch das Setzen von Maibäumen (Maiclubs). Die besondere Nennung des traditionellen Brauchtums als gemeinnütziger Zweck in § 52 Abs. 2 Nr. 23 bedeutet jedoch keine allgemeine Ausweitung des Brauchtumsbegriffs im Sinne des Gemeinnützigkeitsrechts. Studentische Verbindungen, zum Beispiel Burschenschaften, ähnliche Vereinigungen, zum Beispiel Landjugendvereine, Country- und Westernvereine und Vereine, deren Hauptzweck die Veranstaltung von örtlichen Volksfesten (zum Beispiel Kirmes, Kärwa, Schützenfest) ist, sind deshalb in der Regel nach wie vor nicht gemeinnützig.

12. Bei Tier- und Pflanzenzuchtvereinen, Freizeitwinzervereinen sowie Junggesellen- oder Burschenvereinen ist besonders auf die Selbstlosigkeit (§ 55) und die Ausschließlichkeit (§ 56) zu achten. Eine Körperschaft ist zum Beispiel nicht selbstlos tätig, wenn sie in erster Linie eigenwirtschaftliche Zwecke ihrer Mitglieder fördert. Sie verstößt zum Beispiel gegen das Gebot der Ausschließlichkeit, wenn die Durchführung von Festveranstaltungen (zum Beispiel Winzerfest, Maiball) Satzungszweck ist. Bei der Prüfung der tatsächlichen Geschäftsführung von Freizeitwinzer-, Junggesellen- und Burschenvereinen ist außerdem besonders darauf zu achten, dass die Förderung der Geselligkeit nicht im Vordergrund der Vereinstätigkeit steht.

13. Soldaten- und Reservistenvereine verfolgen in der Regel gemeinnützige Zwecke im Sinne des § 52 Abs. 2 Nr. 23, wenn sie aktive und ehemalige Wehrdienstleistende, Zeit- und Berufssoldaten betreuen, zum Beispiel über mit dem Soldatsein zusammenhängende Fragen beraten, Möglichkeiten zu sinnvoller Freizeitgestaltung bieten oder beim Übergang in das Zivilleben helfen. Die Pflege der Tradition durch Soldaten- und Reservistenvereine ist weder steuerbegünstigte Brauchtumspflege noch Betreuung von Soldaten und Reservisten im Sinne des § 52 Abs. 2 Nr. 23. Die Förderung der Kameradschaft kann neben einem steuerbegünstigten Zweck als Vereinszweckgenannt werden, wenn sich aus der Satzung ergibt, dass damit lediglich eine Verbundenheit der Vereinsmitglieder angestrebt wird, die aus der gemeinnützigen Vereinstätigkeit folgt (BFH-Urteil vom 11. 3. 1999 – V R 57, 58/96 – BStBl. II, S. 331).

14. Einrichtungen, die mit ihrer Tätigkeit auf die Erholung arbeitender Menschen ausgerichtet sind (zum Beispiel der Betrieb von Freizeiteinrichtungen wie Campingplätze oder Bootsverleihe), können nicht als gemeinnützig anerkannt werden, es sein denn, dass das Gewähren von Erholung einem besonders schutzwürdigen Personenkreis (zum Beispiel Kranken oder der Jugend) zugute kommt oder in einer bestimmten Art und Weise (zum Beispiel auf sportlicher Grundlage) vorgenommen wird (BFH-Urteile vom 22. 11. 1972 – I R 21/71 – BStBl. 1973 II, S. 251, und vom 30. 9. 1981 – III R 2/80 – BStBl. 1982 II, S. 148). Wegen Erholungsheimen wird auf § 68 Nr. 1 Buchstabe a hingewiesen.

15. Politische Zwecke (Beeinflussung der politischen Meinungsbildung, Förderung politischer Parteien u. dergl.) zählen grundsätzlich nicht zu den gemeinnützigen Zwecken im Sinne des § 52.

Eine gewisse Beeinflussung der politischen Meinungsbildung schließt jedoch die Gemeinnützigkeit nicht aus (BFH-Urteil vom 29. 8. 1984 – I R 203/81 – BStBl. II, S. 844). Eine politische Tätigkeit ist danach unschädlich für die Gemeinnützigkeit, wenn eine gemeinnützige Tätigkeit nach den Verhältnissen im Einzelfall zwangsläufig mit einer politischen Zielsetzung verbunden ist und die unmittelbare Einwirkung auf die politischen Parteien und die staatliche Willensbildung gegenüber der Förderung des gemeinnützigen Zwecks weit in den Hintergrund tritt. Eine Körperschaft fördert deshalb auch dann ausschließlich ihren steuerbegünstigten Zweck, wenn sie gelegentlich zu tagespolitischen Themen im Rahmen ihres Satzungszwecks Stellung nimmt. Entscheidend ist, dass die Tagespolitik nicht Mittelpunkt der Tätigkeit der Körperschaft ist oder wird, sondern der Vermittlung der steuerbegünstigten Ziele der Körperschaft dient (BFH-Urteil vom 23. 11. 1988 – I R 11/88 – BStBl. 1989 II, S. 391).

Dagegen ist die Gemeinnützigkeit zu versagen, wenn ein politischer Zweck als alleiniger oder überwiegender Zweck in der Satzung einer Körperschaft festgelegt ist oder die Körperschaft tatsächlich ausschließlich oder überwiegend einen politischen Zweck verfolgt.

16. Eine Körperschaft im Sinne des § 51 kann nur dann als gemeinnützig anerkannt werden, wenn sie sich bei ihrer Betätigung im Rahmen der verfassungsmäßigen Ordnung hält. Die verfassungsmäßige Ordnung wird schon durch die Nichtbefolgung von polizeilichen Anordnungen durchbrochen (BFH-Urteil vom 29. 8. 1984 – I R 215/81 – BStBl. 1985 II, S. 106). Gewaltfreier Widerstand, zum Beispiel Sitzblockaden gegen geplante Maßnahmen des Staates verstößt grundsätzlich nicht gegen die verfassungsmäßige Ordnung (vgl. BVerfG-Beschluss vom 10. 1. 1995 – 1 BvR 718/89, 1 BvR 719/89, 1 BvR 722/89, 1 BvR 723/89 – NJW S. 1141).

§ 53 Mildtätige Zwecke. Eine Körperschaft verfolgt mildtätige Zwecke, wenn ihre Tätigkeit darauf gerichtet ist, Personen selbstlos zu unterstützen,

1. die infolge ihres körperlichen, geistigen oder seelischen Zustands auf die Hilfe anderer angewiesen sind oder

2. deren Bezüge nicht höher sind als das Vierfache des Regelsatzes der Sozialhilfe im Sinne des § 28 des Zwölften Buches Sozialgesetzbuch; beim Alleinstehenden oder Haushaltsvorstand tritt an die Stelle des Vierfachen das Fünffache des Regelsatzes. Dies gilt nicht für Personen, deren Vermögen zur nachhaltigen Verbesserung ihres Unterhalts ausreicht und denen zugemutet werden kann, es dafür zu verwenden. Bei Personen, deren wirtschaftliche Lage aus besonderen Gründen zu einer Notlage geworden ist, dürfen die Bezüge oder das Vermögen die genannten Grenzen übersteigen. Bezüge im Sinne dieser Vorschrift sind

a) Einkünfte im Sinne des § 2 Abs. 1 des Einkommensteuergesetzes und

b) andere zur Bestreitung des Unterhalts bestimmte oder geeignete Bezüge,

die der Alleinstehende oder der Haushaltsvorstand und die sonstigen Haushaltsangehörigen haben. Zu den Bezügen zählen nicht Leistungen der Sozialhilfe, Leistungen zur Sicherung des Lebensunterhalts nach dem Zweiten Buch Sozialgesetzbuch und bis zur Höhe der Leistungen der Sozialhilfe Unterhaltsleistungen an Personen, die ohne die Unterhaltsleistungen sozialhilfeberechtigt wären, oder Anspruch auf Leistungen zur Sicherung des Lebensunterhalts nach dem Zweiten Buch Sozialgesetzbuch hätten. Unterhaltsansprüche sind zu berücksichtigen.

AEAO zu § 53 – Mildtätige Zwecke:

1. Der Begriff „mildtätige Zwecke" umfasst auch die Unterstützung von Personen, die wegen ihres seelischen Zustands hilfsbedürftig sind. Das hat beispielsweise für die Telefonseelsorge Bedeutung.

2. Völlige Unentgeltlichkeit der mildtätigen Zuwendung wird nicht verlangt. Die mildtätige Zuwendung darf nur nicht des Entgelts wegen erfolgen.

3. Eine Körperschaft, zu deren Satzungszwecken die Unterstützung von hilfsbedürftigen Verwandten der Mitglieder, Gesellschafter, Genossen oder Stifter gehört, kann nicht als steuerbegünstigt anerkannt werden. Bei einer derartigen Körperschaft steht nicht die Förderung mildtätiger Zwecke, sondern die Förderung der Verwandtschaft im Vordergrund.

Ihre Tätigkeit ist deshalb nicht, wie es § 53 verlangt, auf die selbstlose Unterstützung hilfsbedürftiger Personen gerichtet. Dem steht bei Stiftungen § 58 Nr. 5 nicht entgegen. Diese Vorschrift ist lediglich eine Ausnahme von dem Gebot der Selbstlosigkeit (§ 55), begründet aber keinen eigenständigen gemeinnützigen Zweck. Bei der tatsächlichen Geschäftsführung ist die Unterstützung von hilfsbedürftigen Angehörigen grundsätzlich nicht schädlich für die Steuerbegünstigung. Die Verwandtschaft darf jedoch kein Kriterium für die Förderleistungen der Körperschaft sein.

4. Hilfen nach § 53 Nr. 1 (Unterstützung von Personen, die infolge ihres körperlichen, geistigen oder seelischen Zustands auf die Hilfe anderer angewiesen sind) dürfen ohne Rücksicht auf die wirtschaftliche Unterstützungsbedürftigkeit gewährt werden. Bei der Beurteilung der Bedürftigkeit im Sinne des § 53 Nr. 1 kommt es nicht darauf an, dass die Hilfsbedürftigkeit dauernd oder für längere Zeit besteht. Hilfeleistungen wie beispielsweise „Essen auf Rädern" können daher steuerbegünstigt durchgeführt werden. Bei Personen, die das 75. Lebensjahr vollendet haben, kann körperliche Hilfsbedürftigkeit ohne weitere Nachprüfung angenommen werden.

5. § 53 Nr. 2 legt die Grenzen der wirtschaftlichen Hilfsbedürftigkeit fest. Danach können ohne Verlust der Steuerbegünstigung Personen unterstützt werden, deren Bezüge das Vierfache, beim Alleinstehenden oder Haushaltsvorstand das Fünffache des Regelsatzes der Sozialhilfe im Sinne des § 28 SGB XII nicht übersteigen. Etwaige Mehrbedarfszuschläge zum Regelsatz sind nicht zu berücksichtigen. Leistungen für die Unterkunft werden nicht gesondert berücksichtigt. Für die Begriffe „Einkünfte" und „Bezüge" sind die Ausführungen in H 33a.1 und H 33a.2 (Anrechnung eigener Einkünfte und Bezüge) EStH sowie in H 32.10 (Anrechnung eigener Bezüge) EStH maßgeblich.

6. Zu den Bezügen im Sinne des § 53 Nr. 2 zählen neben den Einkünften im Sinne des § 2 Abs. 1 EStG auch alle anderen für die Bestreitung des Unterhalts bestimmten oder geeigneten Bezüge aller Haushaltsangehörigen. Hierunter fallen auch solche Einnahmen, die im Rahmen der steuerlichen Einkunftsermittlung nicht erfasst werden, also sowohl nicht steuerbare als auch für steuerfrei erklärte Einnahmen (BFH-Urteil vom 2. 8. 1974 – VI R 148/71 – BStBl. 1975 II, S. 139).

Bei der Beurteilung der wirtschaftlichen Hilfsbedürftigkeit von unverheirateten minderjährigen Schwangeren und minderjährigen Müttern, die ihr leibliches Kind bis zur Vollendung seines 6. Lebensjahres betreuen und die dem Haushalt ihrer Eltern oder eines Elternteils angehören, sind die Bezüge und das Vermögen der Eltern oder des Elternteils nicht zu berücksichtigen. Bei allen Schwangeren oder Müttern, die ihr leibliches Kind bis zur Vollendung seines 6. Lebensjahres betreuen – einschließlich der volljährigen, verheirateten und nicht bei ihren Eltern lebenden Frauen –, bleiben ihre Unterhaltsansprüche gegen Verwandte ersten Grades unberücksichtigt.

7. Bei Renten zählt der über den von § 53 Nr. 2 Buchstabe a erfassten Anteil hinausgehende Teil der Rente zu den Bezügen im Sinne des § 53 Nr. 2 Buchstabe b.

8. Bei der Feststellung der Bezüge im Sinne des § 53 Nr. 2 Buchstabe b sind aus Vereinfachungsgründen insgesamt 180 € im Kalenderjahr abzuziehen, wenn nicht höhere Aufwendungen, die in wirtschaftlichem Zusammenhang mit den entsprechenden Einnahmen stehen, nachgewiesen oder glaubhaft gemacht werden.

9. Erbringt eine Körperschaft ihre Leistungen an wirtschaftlich hilfsbedürftige Personen, muss sie anhand ihrer Unterlagen nachweisen können, dass die Höhe der Einkünfte und Bezüge sowie das Vermögen der unterstützten Personen die Grenzen des § 53 Nr. 2 nicht übersteigen. Eine Erklärung, in der von der unterstützten Person nur das Unterschreiten der Grenzen des § 53 Nr. 2 mitgeteilt wird, reicht allein nicht aus. Eine Berechnung der maßgeblichen Einkünfte und Bezüge ist stets beizufügen.

§ 54 Kirchliche Zwecke. (1) Eine Körperschaft verfolgt kirchliche Zwecke, wenn ihre Tätigkeit darauf gerichtet ist, eine Religionsgemeinschaft, die Körperschaft des öffentlichen Rechts ist, selbstlos zu fördern.

(2) Zu diesen Zwecken gehören insbesondere die Errichtung, Ausschmückung und Unterhaltung von Gotteshäusern und kirchlichen Gemeindehäusern, die Abhaltung von Gottesdiensten, die Ausbildung von Geistlichen, die Erteilung von Religionsunterricht, die Beerdigung und die Pflege des Andenkens der Toten, ferner die Verwaltung des Kirchenvermögens, die Besoldung der Geistlichen, Kirchenbeamten und Kirchendiener, die Alters- und Behindertenversorgung für diese Personen und die Versorgung ihrer Witwen und Waisen.

AEAO zu § 54 – Kirchliche Zwecke:

Ein kirchlicher Zweck liegt nur vor, wenn die Tätigkeit darauf gerichtet ist, eine Religionsgemeinschaft des öffentlichen Rechts zu fördern. Bei Religionsgemeinschaften, die nicht Körperschaften des öffentlichen Rechts sind, kann wegen Förderung der Religion eine Anerkennung als gemeinnützige Körperschaft in Betracht kommen.

§ 55 Selbstlosigkeit. (1) Eine Förderung oder Unterstützung geschieht selbstlos, wenn dadurch nicht in erster Linie eigenwirtschaftliche Zwecke – zum Beispiel gewerbliche Zwecke oder sonstige Erwerbszwecke – verfolgt werden und wenn die folgenden Voraussetzungen gegeben sind:

1. Mittel der Körperschaft dürfen nur für die satzungsmäßigen Zwecke verwendet werden. Die Mitglieder oder Gesellschafter (Mitglieder im Sinne dieser Vorschriften) dürfen keine Gewinnanteile und in ihrer Eigenschaft als Mitglieder auch keine sonstigen Zuwendungen aus Mitteln der Körperschaft erhalten. Die Körperschaft darf ihre Mittel weder für die unmittelbare noch für die mittelbare Unterstützung oder Förderung politischer Parteien verwenden.

2. Die Mitglieder dürfen bei ihrem Ausscheiden oder bei Auflösung oder Aufhebung der Körperschaft nicht mehr als ihre eingezahlten Kapitalanteile und den gemeinen Wert ihrer geleisteten Sacheinlagen zurückerhalten.

3. Die Körperschaft darf keine Person durch Ausgaben, die dem Zweck der Körperschaft fremd sind, oder durch unverhältnismäßig hohe Vergütungen begünstigen.

4. Bei Auflösung oder Aufhebung der Körperschaft oder bei Wegfall ihres bisherigen Zwecks darf das Vermögen der Körperschaft, soweit es die eingezahlten Kapitalanteile der Mitglieder und den gemeinen Wert der von den Mitgliedern geleisteten Sacheinlagen übersteigt, nur für steuerbegünstigte Zwecke verwendet werden (Grundsatz der Vermögensbindung). Diese Voraussetzung ist auch erfüllt, wenn das Vermögen einer anderen steuerbegünstigten Körperschaft oder einer Körperschaft des öffentlichen Rechts für steuerbegünstigte Zwecke übertragen werden soll.

5. Die Körperschaft muss ihre Mittel grundsätzlich zeitnah für ihre steuerbegünstigten satzungsmäßigen Zwecke verwenden. Verwendung in diesem Sinne ist auch die Verwendung der Mittel für die Anschaffung oder Herstellung von Vermögensgegenständen, die satzungsmäßigen Zwecken dienen. Eine zeitnahe Mittelverwendung ist gegeben, wenn die Mittel spätestens in dem auf den Zufluss folgenden Kalender- oder Wirtschaftsjahr für die steuerbegünstigten satzungsmäßigen Zwecke verwendet werden.

(2) Bei der Ermittlung des gemeinen Werts (Absatz 1 Nr. 2 und 4) kommt es auf die Verhältnisse zu dem Zeitpunkt an, in dem die Sacheinlagen geleistet worden sind.

(3) Die Vorschriften, die die Mitglieder der Körperschaft betreffen (Absatz 1 Nr. 1, 2 und 4), gelten bei Stiftungen für die Stifter und ihre Erben, bei Betrieben gewerblicher Art von Körperschaften des öffentlichen Rechts für die Körperschaft sinngemäß, jedoch mit der Maßgabe, dass bei Wirtschaftsgütern, die nach § 6 Absatz 1 Nummer 4 Satz 4 des Einkommensteuergesetzes

aus einem Betriebsvermögen zum Buchwert entnommen worden sind, an die Stelle des gemeinen Werts der Buchwert der Entnahme tritt.

AEAO zu § 55 – Selbstlosigkeit:

Zu § 55 Abs. 1 Nr. 1:

1. Eine Körperschaft handelt selbstlos, wenn sie weder selbst noch zugunsten ihrer Mitglieder eigenwirtschaftliche Zwecke verfolgt. Ist die Tätigkeit einer Körperschaft in erster Linie auf Mehrung ihres eigenen Vermögens gerichtet, so handelt sie nicht selbstlos. Eine Körperschaft verfolgt zum Beispiel in erster Linie eigenwirtschaftliche Zwecke, wenn sie ausschließlich durch Darlehen ihrer Gründungsmitglieder finanziert ist und dieses Fremdkapital satzungsgemäß tilgen und verzinsen muss (BFH-Urteile vom 13. 12. 1978 – I R 39/78 – BStBl. 1979 II, S. 482, vom 26. 4. 1989 – I R 209/85 – BStBl. II, S. 670 und vom 28. 6. 1989 – I R 86/85 – BStBl. 1990 II, S. 550).

2. Unterhält eine Körperschaft einen steuerpflichtigen wirtschaftlichen Geschäftsbetrieb, ist zwischen ihrer steuerbegünstigten und dieser wirtschaftlichen Tätigkeit zu gewichten. Die Körperschaft ist nicht steuerbegünstigt, wenn ihr die wirtschaftliche Tätigkeit bei einer Gesamtbetrachtung das Gepräge gibt.

3. Nach § 55 Abs. 1 dürfen sämtliche Mittel der Körperschaft nur für die satzungsmäßigen Zwecke verwendet werden (Ausnahmen siehe § 58). Auch der Gewinn aus Zweckbetrieben und aus dem steuerpflichtigen wirtschaftlichen Geschäftsbetrieb (§ 64 Abs. 2) sowie der Überschuss aus der Vermögensverwaltung dürfen nur für die satzungsmäßigen Zwecke verwendet werden. Dies schließt die Bildung von Rücklagen im wirtschaftlichen Geschäftsbetrieb und im Bereich der Vermögensverwaltung nicht aus. Die Rücklagen müssen bei vernünftiger kaufmännischer Beurteilung wirtschaftlich begründet sein (entsprechend § 14 Abs. 1 Nr. 4 KStG). Für die Bildung einer Rücklage im wirtschaftlichen Geschäftsbetrieb muss ein konkreter Anlass gegeben sein, der auch aus objektiver unternehmerischer Sicht die Bildung der Rücklage rechtfertigt (zum Beispiel eine geplante Betriebsverlegung, Werkserneuerung oder Kapazitätsausweitung). Eine fast vollständige Zuführung des Gewinns zu einer Rücklage im wirtschaftlichen Geschäftsbetrieb ist nur dann unschädlich für die Steuerbegünstigung, wenn die Körperschaft nachweist, dass die betriebliche Mittelverwendung zur Sicherung ihrer Existenz geboten war (BFH-Urteil vom 15. 7. 1998 – I R 156/94 – BStBl. 2002 II, S. 162). Im Bereich der Vermögensverwaltung dürfen außerhalb der Regelung des § 58 Nr. 7 Rücklagen nur für die Durchführung konkreter Reparatur- oder Erhaltungsmaßnahmen an Vermögensgegenständen im Sinne des § 21 EStG gebildet werden. Die Maßnahmen, für deren Durchführung die Rücklage gebildet wird, müssen notwendig sein, um den ordnungsgemäßen Zustand des Vermögensgegenstandes zu erhalten oder wiederherzustellen, und in einem angemessenen Zeitraum durchgeführt werden können (zum Beispiel geplante Erneuerung eines undichten Daches).

4. Es ist grundsätzlich nicht zulässig, Mittel des ideellen Bereichs (insbesondere Mitgliedsbeiträge, Spenden, Zuschüsse, Rücklagen), Gewinne aus Zweckbetrieben, Erträge aus der Vermögensverwaltung und das entsprechende Vermögen für einen steuerpflichtigen wirtschaftlichen Geschäftsbetrieb zu verwenden, zum Beispiel zum Ausgleich eines Verlustes. Für das Vorliegen eines Verlustes ist das Ergebnis des einheitlichen steuerpflichtigen wirtschaftlichen Geschäftsbetriebs (§ 64 Abs. 2) maßgeblich. Eine Verwendung von Mitteln des ideellen Bereichs für den Ausgleich des Verlustes eines einzelnen wirtschaftlichen Geschäftsbetriebs liegt deshalb nicht vor, soweit der Verlust bereits im Entstehungsjahr mit Gewinnen anderer steuerpflichtiger wirtschaftlicher Geschäftsbetriebe verrechnet werden kann. Verbleibt danach ein Verlust, ist keine Verwendung von Mitteln des ideellen Bereichs für dessen Ausgleich anzunehmen, wenn dem ideellen Bereich in den sechs vorangegangenen Jahren Gewinne des einheitlichen steuerpflichtigen wirtschaftlichen Geschäftsbetriebs in mindestens gleicher Höhe zugeführt worden sind. Insoweit ist der Verlustausgleich im Entstehungsjahr als Rückgabe früherer, durch das Gemeinnützigkeitsrecht vorgeschriebener Gewinnabführungen anzusehen.

5. Ein nach ertragsteuerlichen Grundsätzen ermittelter Verlust eines steuerpflichtigen wirtschaftlichen Geschäftsbetriebs ist unschädlich für die Steuerbegünstigung der Körperschaft, wenn er ausschließlich durch die Berücksichtigung von anteiligen Abschreibungen auf gemischt genutzte Wirtschaftsgüter entstanden ist und wenn die folgenden Voraussetzungen erfüllt sind:

– Das Wirtschaftsgut wurde für den ideellen Bereich angeschafft oder hergestellt und wird nur zur besseren Kapazitätsauslastung und Mittelbeschaffung teil- oder zeitweise für den steuerpflichtigen wirtschaftlichen Geschäftsbetrieb genutzt. Die Körperschaft darf nicht schon im Hinblick auf eine zeit- oder teilweise Nutzung für den steuerpflichtigen wirtschaftlichen Geschäftsbetrieb ein größeres Wirtschaftsgut angeschafft oder hergestellt haben, als es für die ideelle Tätigkeit notwendig war.

– Die Körperschaft verlangt für die Leistungen des steuerpflichtigen wirtschaftlichen Geschäftsbetriebs marktübliche Preise.

– Der steuerpflichtige wirtschaftliche Geschäftsbetrieb bildet keinen eigenständigen Sektor eines Gebäudes (zum Beispiel Gaststättenbetrieb in einer Sporthalle).

Diese Grundsätze gelten entsprechend für die Berücksichtigung anderer gemischter Aufwendungen (zum Beispiel zeitweiser Einsatz von Personal des ideellen Bereichs in einem steuerpflichtigen wirtschaftlichen Geschäftsbetrieb) bei der gemeinnützigkeitsrechtlichen Beurteilung von Verlusten.

6. Der Ausgleich des Verlustes eines steuerpflichtigen wirtschaftlichen Geschäftsbetriebs mit Mitteln des ideellen Bereichs ist außerdem unschädlich für die Steuerbegünstigung, wenn

– der Verlust auf einer Fehlkalkulation beruht,

– die Körperschaft innerhalb von 12 Monaten nach Ende des Wirtschaftsjahres, in dem der Verlust entstanden ist, dem ideellen Tätigkeitsbereich wieder Mittel in entsprechender Höhe zuführt und

– die zugeführten Mittel nicht aus Zweckbetrieben, aus dem Bereich der steuerbegünstigten Vermögensverwaltung, aus Beiträgen oder aus anderen Zuwendungen, die zur Förderung der steuerbegünstigten Zwecke der Körperschaft bestimmt sind, stammen (BFH-Urteil vom 13. 11. 1996 – I R 152/93 – BStBl. 1998 II, S. 711).

Die Zuführungen zu dem ideellen Bereich können demnach aus dem Gewinn des (einheitlichen) steuerpflichtigen wirtschaftlichen Geschäftsbetriebs, der in dem Jahr nach der Entstehung des Verlustes erzielt wird, geleistet werden. Außerdem dürfen für den Ausgleich des Verlustes Umlagen und Zuschüsse, die dafür bestimmt sind, verwendet werden. Derartige Zuwendungen sind jedoch keine steuerbegünstigten Spenden.

7. Eine für die Steuerbegünstigung schädliche Verwendung von Mitteln für den Ausgleich von Verlusten des steuerpflichtigen wirtschaftlichen Geschäftsbetriebs liegt auch dann nicht vor, wenn dem Betrieb die erforderlichen Mittel durch die Aufnahme eines betrieblichen Darlehens zugeführt werden oder bereits in dem Betrieb verwendete ideelle Mittel mittels eines Darlehens, das dem Betrieb zugeordnet wird, innerhalb der Frist von 12 Monaten nach dem Ende des Verlustentstehungsjahres an den ideellen Bereich der Körperschaft zurück gegeben werden. Voraussetzung für die Unschädlichkeit ist, dass Tilgung und Zinsen für das Darlehen ausschließlich aus Mitteln des steuerpflichtigen wirtschaftlichen Geschäftsbetriebs geleistet werden.

Die Belastung von Vermögen des ideellen Bereichs mit einer Sicherheit für ein betriebliches Darlehen (zum Beispiel Grundschuld auf einer Sporthalle) führt grundsätzlich zu keiner anderen Beurteilung. Die Eintragung einer Grundschuld bedeutet noch keine Verwendung des belasteten Vermögens für den steuerpflichtigen wirtschaftlichen Geschäftsbetrieb.

8. Steuerbegünstigte Körperschaften unterhalten steuerpflichtige wirtschaftliche Geschäftsbetriebe regelmäßig nur, um dadurch zusätzliche Mittel für die Verwirklichung der steuerbegünstigten Zwecke zu beschaffen. Es kann deshalb unterstellt werden, dass etwaige Verluste bei Betrieben, die schon längere Zeit bestehen, auf einer Fehlkalkulation beruhen. Bei dem Aufbau eines neuen Betriebs ist eine Verwendung von Mitteln des ideellen Bereichs für den Ausgleich von Verlusten auch dann unschädlich für die Steuerbegünstigung, wenn mit Anlaufverlusten zu rechnen war. Auch in diesem Fall muss die Körperschaft aber in der Regel innerhalb von drei Jahren nach dem Ende des Entstehungsjahres des Verlustes dem ideellen Bereich wieder Mittel, die gemeinnützigkeitsunschädlich dafür verwendet werden dürfen, zuführen.

9. Die Regelungen in Nrn. 4 bis 8 gelten entsprechend für die Vermögensverwaltung.

10. Mitglieder dürfen keine Zuwendungen aus Mitteln der Körperschaft erhalten. Dies gilt nicht, soweit es sich um Annehmlichkeiten handelt, wie sie im Rahmen der Betreuung von Mitgliedern allgemein üblich und nach allgemeiner Verkehrsauffassung als angemessen anzusehen sind.

11. Keine Zuwendung im Sinne des § 55 Abs. 1 Nr. 1 liegt vor, wenn der Leistung der Körperschaft eine Gegenleistung des Empfängers gegenübersteht (zum Beispiel bei Kauf-, Dienst- und Werkverträgen) und die Werte von Leistung und Gegenleistung nach wirtschaftlichen Grundsätzen gegeneinander abgewogen sind.

12. Ist einer Körperschaft zugewendetes Vermögen mit vor der Übertragung wirksam begründeten Ansprüchen (zum Beispiel Nießbrauch, Grund – oder Rentenschulden, Vermächtnisse aufgrund testamentarischer Bestimmungen des Zuwendenden) belastet, deren Erfüllung durch die Körperschaft keine nach wirtschaftlichen Grundsätzen abgewogene Gegenleistung für die Übertragung des Vermögens darstellt, mindern die Ansprüche das übertragene Vermögen bereits im Zeitpunkt des Übergangs. Wirtschaftlich betrachtet wird der Körperschaft nur das nach der Erfüllung der Ansprüche verbleibende Vermögen zugewendet. Die Erfüllung der Ansprüche aus dem zugewendeten Vermögen ist deshalb keine Zuwendung im Sinne des § 55 Abs. 1 Nr. 1. Dies gilt auch, wenn die

Körperschaft die Ansprüche aus ihrem anderen zulässigen Vermögen einschließlich der Rücklage nach § 58 Nr. 7 Buchstabe a erfüllt.

13. Soweit die vorhandenen flüssigen Vermögensmittel nicht für die Erfüllung der Ansprüche ausreichen, darf die Körperschaft dafür auch Erträge verwenden. Ihr müssen jedoch ausreichende Mittel für die Verwirklichung ihrer steuerbegünstigten Zwecke verbleiben. Diese Voraussetzung ist als erfüllt anzusehen, wenn für die Erfüllung der Verbindlichkeiten höchstens ein Drittel des Einkommens der Körperschaft verwendet wird. Die Ein-Drittel-Grenze umfasst bei Rentenverpflichtungen nicht nur die über den Barwert hinausgehenden, sondern die gesamten Zahlungen. Sie bezieht sich auf den Veranlagungszeitraum.

14. § 58 Nr. 5 enthält eine Ausnahmeregelung zu § 55 Abs. 1 Nr. 1 für Stiftungen. Diese ist nur anzuwenden, wenn eine Stiftung Leistungen erbringt, die dem Grunde nach gegen § 55 Abs. 1 Nr. 1 verstoßen, also zum Beispiel freiwillige Zuwendungen an den in § 58 Nr. 5 genannten Personenkreis leistet oder für die Erfüllung von Ansprüchen dieses Personenkreises aus der Übertragung von Vermögen nicht das belastete oder anderes zulässiges Vermögen, sondern Erträge einsetzt. Im Unterschied zu anderen Körperschaften kann eine Stiftung unter den Voraussetzungen des § 58 Nr. 5 auch dann einen Teil ihres Einkommens für die Erfüllung solcher Ansprüche verwenden, wenn ihr dafür ausreichende flüssige Vermögensmittel zur Verfügung stehen. Der Grundsatz, dass der wesentliche Teil des Einkommens für die Verwirklichung der steuerbegünstigten Zwecke verbleiben muss, gilt aber auch für Stiftungen. Daraus folgt, dass eine Stiftung insgesamt höchstens ein Drittel ihres Einkommens für unter § 58 Nr. 5 fallende Leistungen und für die Erfüllung von anderen durch die Übertragung von belastetem Vermögen begründeten Ansprüchen verwenden darf.

15. Die Vergabe von Darlehen aus Mitteln, die zeitnah für die steuerbegünstigten Zwecke zu verwenden sind, ist unschädlich für die Gemeinnützigkeit, wenn die Körperschaft damit selbst unmittelbar ihre steuerbegünstigten satzungsmäßigen Zwecke verwirklicht. Dies kann zum Beispiel der Fall sein, wenn die Körperschaft im Rahmen ihrer jeweiligen steuerbegünstigten Zwecke Darlehen im Zusammenhang mit einer Schuldnerberatung zur Ablösung von Bankschulden, Darlehen an Nachwuchskünstler für die Anschaffung von Instrumenten oder Stipendien für eine wissenschaftliche Ausbildung teilweise als Darlehen vergibt. Voraussetzung ist, dass sich die Darlehensvergabe von einer gewerbsmäßigen Kreditvergabe dadurch unterscheidet, dass sie zu günstigeren Bedingungen erfolgt als zu den allgemeinen Bedingungen am Kapitalmarkt (zum Beispiel Zinslosigkeit, Zinsverbilligung).

Die Vergabe von Darlehen aus zeitnah für die steuerbegünstigten Zwecke zu verwendenden Mitteln an andere steuerbegünstigte Körperschaften ist im Rahmen des § 58 Nrn. 1 und 2 zulässig (mittelbare Zweckverwirklichung), wenn die andere Körperschaft die darlehensweise erhaltenen Mittel unmittelbar für steuerbegünstigte Zwecke innerhalb der für eine zeitnahe Mittelverwendung vorgeschriebenen Frist verwendet.

Darlehen, die zur unmittelbaren Verwirklichung der steuerbegünstigten Zwecke vergeben werden, sind im Rechnungswesen entsprechend kenntlich zu machen. Es muss sichergestellt und für die Finanzbehörde nachprüfbar sein, dass die Rückflüsse, das heißt Tilgung und Zinsen, wieder zeitnah für die steuerbegünstigten Zwecke verwendet werden.

16. Aus Mitteln, die nicht dem Gebot der zeitnahen Mittelverwendung unterliegen (Vermögen einschließlich der zulässigen Zuführungen und der zulässig gebildeten Rücklagen), darf die Körperschaft Darlehen nach folgender Maßgabe vergeben:

Die Zinsen müssen sich in dem auf dem Kapitalmarkt üblichen Rahmen halten, es sei denn, der Verzicht auf die üblichen Zinsen ist eine nach den Vorschriften des Gemeinnützigkeitsrechts und der Satzung der Körperschaft zulässige Zuwendung (zum Beispiel Darlehen an eine ebenfalls steuerbegünstigte Mitgliedsorganisation oder eine hilfsbedürftige Person). Bei Darlehen an Arbeitnehmer aus dem Vermögen kann der (teilweise) Verzicht auf eine übliche Verzinsung als Bestandteil des Arbeitslohns angesehen werden, wenn dieser insgesamt, also einschließlich des Zinsvorteils, angemessen ist und der Zinsverzicht auch von der Körperschaft als Arbeitslohn behandelt wird (zum Beispiel Abführung von Lohnsteuer und Sozialversicherungsbeiträgen).

Maßnahmen, für die eine Rücklage nach § 58 Nr. 6 gebildet worden ist, dürfen sich durch die Gewährung von Darlehen nicht verzögern.

17. Die Vergabe von Darlehen ist als solche kein steuerbegünstigter Zweck. Sie darf deshalb nicht Satzungszweck einer steuerbegünstigten Körperschaft sein. Es ist jedoch unschädlich für die Steuerbegünstigung, wenn die Vergabe von zinsgünstigen oder zinslosen Darlehen nicht als Zweck, sondern als Mittel zur Verwirklichung des steuerbegünstigten Zwecks in der Satzung der Körperschaft aufgeführt ist.

18. Eine Körperschaft kann nicht als steuerbegünstigt behandelt werden, wenn ihre Ausgaben für die allgemeine Verwaltung einschließlich der Werbung um Spenden einen angemessenen Rahmen übersteigen

(§ 55 Abs. 1 Nrn. 1 und 3). Dieser Rahmen ist in jedem Fall überschritten, wenn eine Körperschaft, die sich weitgehend durch Geldspenden
finanziert, diese – nach einer Aufbauphase – überwiegend zur Bestreitung von Ausgaben für Verwaltung und Spendenwerbung statt für die
Verwirklichung der steuerbegünstigten satzungsmäßigen Zwecke verwendet (BFH-Beschluss vom 23. 9. 1998 – I B 82/98 – BStBl. 2000 II,
S. 320). Die Verwaltungsausgaben einschließlich Spendenwerbung sind
bei der Ermittlung der Anteile ins Verhältnis zu den gesamten vereinnahmten Mitteln (Spenden, Mitgliedsbeiträge, Zuschüsse, Gewinne aus
wirtschaftlichen Geschäftsbetrieben usw.) zu setzen.

Für die Frage der Angemessenheit der Verwaltungsausgaben kommt
es entscheidend auf die Umstände des jeweiligen Einzelfalls an. Eine für
die Steuerbegünstigung schädliche Mittelverwendung kann deshalb
auch schon dann vorliegen, wenn der prozentuale Anteil der Verwaltungsausgaben einschließlich der Spendenwerbung deutlich geringer
als 50 v. H. ist.

19. Während der Gründungs- oder Aufbauphase einer Körperschaft
kann auch eine überwiegende Verwendung der Mittel für Verwaltungsausgaben und Spendenwerbung unschädlich für die Steuerbegünstigung sein. Die Dauer der Gründungs- oder Aufbauphase, während der
dies möglich ist, hängt von den Verhältnissen des Einzelfalls ab.

Der in dem BFH-Beschluss vom 23. 9. 1998 – I B 82/98 – BStBl. 2000
II, S. 320 zugestandene Zeitraum von vier Jahren für die Aufbauphase,
in der höhere anteilige Ausgaben für Verwaltung und Spendenwerbung
zulässig sind, ist durch die Besonderheiten des entschiedenen Falles begründet (insbesondere zweite Aufbauphase nach Aberkennung der
Steuerbegünstigung). Er ist deshalb als Obergrenze zu verstehen. In der
Regel ist von einer kürzeren Aufbauphase auszugehen.

20. Die Steuerbegünstigung ist auch dann zu versagen, wenn das Verhältnis der Verwaltungsausgaben zu den Ausgaben für die steuerbegünstigten Zwecke zwar insgesamt nicht zu beanstanden, eine einzelne
Verwaltungsausgabe (zum Beispiel das Gehalt des Geschäftsführers
oder der Aufwand für die Mitglieder- und Spendenwerbung) aber nicht
angemessen ist (§ 55 Abs. 1 Nr. 3).

21. Bei den Kosten für die Beschäftigung eines Geschäftsführers handelt
es sich grundsätzlich um Verwaltungsausgaben. Eine Zuordnung dieser
Kosten zu der steuerbegünstigten Tätigkeit ist nur insoweit möglich, als
der Geschäftsführer unmittelbar bei steuerbegünstigten Projekten mit-
arbeitet. Entsprechendes gilt für die Zuordnung von Reisekosten.

Zu § 55 Abs. 1 Nrn. 2 und 4:

22. Die in § 55 Abs. 1 Nrn. 2 und 4 genannten Sacheinlagen sind Einlagen im Sinne des Handelsrechts, für die dem Mitglied Gesellschaftsrechte eingeräumt worden sind. Insoweit sind also nur Kapitalgesellschaften, nicht aber Vereine angesprochen. Unentgeltlich zur Verfügung gestellte Vermögensgegenstände, für die keine Gesellschaftsrechte eingeräumt sind (Leihgaben, Sachspenden) fallen nicht unter § 55 Abs. 1 Nrn. 2 und 4. Soweit Kapitalanteile und Sacheinlagen von der Vermögensbindung ausgenommen werden, kann von dem Gesellschafter nicht die Spendenbegünstigung des § 10b EStG (§ 9 Abs. 1 Nr. 2 KStG) in Anspruch genommen werden.

Zu § 55 Abs. 1 Nr. 4:

23. Eine wesentliche Voraussetzung für die Annahme der Selbstlosigkeit bildet der Grundsatz der Vermögensbindung für steuerbegünstigte Zwecke im Falle der Beendigung des Bestehens der Körperschaft oder des Wegfalles des bisherigen Zwecks (§ 55 Abs. 1 Nr. 4).

Hiermit soll verhindert werden, dass Vermögen, das sich aufgrund der Steuervergünstigungen gebildet hat, später zu nicht begünstigten Zwecken verwendet wird. Die satzungsmäßigen Anforderungen an die Vermögensbindung sind in den §§ 61 und 62 geregelt.

24. Eine Körperschaft ist nur dann steuerbegünstigt im Sinne des § 55 Abs. 1 Nr. 4 Satz 2, wenn sie nach § 5 Abs. 1 Nr. 9 KStG von der Körperschaftsteuer befreit ist. Dies kann nur eine Körperschaft sein, die unbeschränkt steuerpflichtig ist (§ 5 Abs. 2 Nr. 2 KStG). Eine satzungsmäßige Vermögensbindung auf eine nicht unbeschränkt steuerpflichtige ausländische Körperschaft genügt deshalb nicht den Anforderungen (vgl. zu § 61 Nr. 1).

Zu § 55 Abs. 1 Nr. 5:

25. Die Körperschaft muss ihre Mittel grundsätzlich zeitnah für ihre steuerbegünstigten satzungsmäßigen Zwecke verwenden. Verwendung in diesem Sinne ist auch die Verwendung der Mittel für die Anschaffung oder Herstellung von Vermögensgegenständen, die satzungsmäßigen Zwecken dienen (zum Beispiel Bau eines Altenheims, Kauf von Sportgeräten oder medizinischen Geräten).

Die Bildung von Rücklagen ist nur unter den Voraussetzungen des § 58 Nrn. 6 und 7 zulässig. Davon unberührt bleiben Rücklagen in einem steuerpflichtigen wirtschaftlichen Geschäftsbetrieb und Rücklagen im Bereich der Vermögensverwaltung (vgl. Nr. 3). Die Verwendung von

Mitteln, die zeitnah für die steuerbegünstigten Zwecke zu verwenden sind, für die Ausstattung einer Körperschaft mit Vermögen ist ein Verstoß gegen das Gebot der zeitnahen Mittelverwendung, es sei denn, die Mittel werden von der empfangenden Körperschaft zeitnah für satzungsmäßige Zwecke verwendet, zum Beispiel für die Errichtung eines Altenheims.

26. Eine zeitnahe Mittelverwendung ist gegeben, wenn die Mittel spätestens in dem auf den Zufluss folgenden Kalender- oder Wirtschaftsjahr für die steuerbegünstigten satzungsmäßigen Zwecke verwendet werden. Am Ende des Kalender- oder Wirtschaftsjahres noch vorhandene Mittel müssen in der Bilanz oder Vermögensaufstellung der Körperschaft zulässigerweise dem Vermögen oder einer zulässigen Rücklage zugeordnet oder als im zurückliegenden Jahr zugeflossene Mittel, die im folgenden Jahr für die steuerbegünstigten Zwecke zu verwenden sind, ausgewiesen sein. Soweit Mittel nicht schon im Jahr des Zuflusses für die steuerbegünstigten Zwecke verwendet oder zulässigerweise dem Vermögen zugeführt werden, ist ihre zeitnahe Verwendung nachzuweisen, zweckmäßigerweise durch eine Nebenrechnung (Mittelverwendungsrechnung).

27. Nicht dem Gebot der zeitnahen Mittelverwendung unterliegt das Vermögen der Körperschaften, auch soweit es durch Umschichtungen innerhalb des Bereichs der Vermögensverwaltung entstanden ist (zum Beispiel Verkauf eines zum Vermögen gehörenden Grundstücks einschließlich des den Buchwert übersteigenden Teils des Preises). Außerdem kann eine Körperschaft die in § 58 Nrn. 11 und 12 bezeichneten Mittel ohne für die Gemeinnützigkeit schädliche Folgen ihrem Vermögen zuführen.

Zu § 55 Abs. 2:

28. Wertsteigerungen bleiben für steuerbegünstigte Zwecke gebunden. Bei der Rückgabe des Wirtschaftsguts selbst hat der Empfänger die Differenz in Geld auszugleichen.

Zu § 55 Abs. 3:

29. Die Regelung, nach der sich die Vermögensbindung nicht auf die eingezahlten Kapitalanteile der Mitglieder und den gemeinen Wert der von den Mitgliedern geleisteten Sacheinlagen erstreckt, gilt bei Stiftungen für die Stifter und ihre Erben sinngemäß (§ 55 Abs. 3 erster Halbsatz). Es ist also zulässig, das Stiftungskapital und die Zustiftungen von der Vermögensbindung auszunehmen und im Falle des Erlöschens der Stiftung an den Stifter oder seine Erben zurückfallen zu lassen. Für solche Stiftungen und Zustiftungen kann aber vom Stifter nicht die Spendenvergünstigung nach § 10b EStG (§ 9 Abs. 1 Nr. 2 KStG) in Anspruch genommen werden.

30. Die Vorschrift des § 55 Abs. 3 zweiter Halbsatz, die sich nur auf Stiftungen und Körperschaften des öffentlichen Rechts bezieht, berücksichtigt die Regelung im EStG, wonach die Entnahme eines Wirtschaftsgutes mit dem Buchwert angesetzt werden kann, wenn das Wirtschaftsgut den in § 6 Abs. 1 Nr. 4 Satz 5 EStG genannten Körperschaften unentgeltlich überlassen wird. Dies hat zur Folge, dass der Zuwendende bei der Aufhebung der Stiftung nicht den gemeinen Wert der Zuwendung, sondern nur den dem ursprünglichen Buchwert entsprechenden Betrag zurückerhält. Stille Reserven und Wertsteigerungen bleiben hiernach für steuerbegünstigte Zwecke gebunden. Bei Rückgabe des Wirtschaftsgutes selbst hat der Empfänger die Differenz in Geld auszugleichen.

§ 56 Ausschließlichkeit. Ausschließlichkeit liegt vor, wenn eine Körperschaft nur ihre steuerbegünstigten satzungsmäßigen Zwecke verfolgt.

AEAO zu § 56 – Ausschließlichkeit:

Die Vorschrift stellt klar, dass eine Körperschaft mehrere steuerbegünstigte Zwecke nebeneinander verfolgen darf, ohne dass dadurch die Ausschließlichkeit verletzt wird. Die verwirklichten steuerbegünstigten Zwecke müssen jedoch sämtlich satzungsmäßige Zwecke sein. Will demnach eine Körperschaft steuerbegünstigte Zwecke, die nicht in die Satzung aufgenommen sind, fördern, so ist eine Satzungsänderung erforderlich, die den Erfordernissen des § 60 entsprechen muss.

§ 57 Unmittelbarkeit. (1) Eine Körperschaft verfolgt unmittelbar ihre steuerbegünstigten satzungsmäßigen Zwecke, wenn sie selbst diese Zwecke verwirklicht. Das kann auch durch Hilfspersonen geschehen, wenn nach den Umständen des Falles, insbesondere nach den rechtlichen und tatsächlichen Beziehungen, die zwischen der Körperschaft und der Hilfsperson bestehen, das Wirken der Hilfsperson wie eigenes Wirken der Körperschaft anzusehen ist.

(2) Eine Körperschaft, in der steuerbegünstigte Körperschaften zusammengefasst sind, wird einer Körperschaft, die unmittelbar steuerbegünstigte Zwecke verfolgt, gleichgestellt.

AEAO zu § 57 – Unmittelbarkeit:

1. Die Vorschrift stellt in Absatz 1 klar, dass die Körperschaft die steuerbegünstigten satzungsmäßigen Zwecke selbst verwirklichen muss, damit Unmittelbarkeit gegeben ist (wegen der Ausnahmen Hinweis auf § 58).

2. Das Gebot der Unmittelbarkeit ist gemäß § 57 Abs. 1 Satz 2 auch dann erfüllt, wenn sich die steuerbegünstigte Körperschaft einer Hilfsperson bedient. Hierfür ist es erforderlich, dass nach den Umständen des Falles, insbesondere nach den rechtlichen und tatsächlichen Beziehungen, die zwischen der Körperschaft und der Hilfsperson bestehen, das Wirken der Hilfsperson wie eigenes Wirken der Körperschaft anzusehen ist, das heißt die Hilfsperson nach den Weisungen der Körperschaft einen konkreten Auftrag ausführt. Hilfsperson kann eine natürliche Person, Personenvereinigung oder juristische Person sein. Die Körperschaft hat durch Vorlage entsprechender Vereinbarungen nachzuweisen, dass sie den Inhalt und den Umfang der Tätigkeit der Hilfsperson bestimmen kann. Als Vertragsformen kommen zum Beispiel Arbeits-, Dienst- oder Werkverträge in Betracht. Im Innenverhältnis muss die Hilfsperson an die Weisung der Körperschaft gebunden sein. Die Tätigkeit der Hilfsperson muss den Satzungsbestimmungen der Körperschaft entsprechen. Diese hat nachzuweisen, dass sie die Hilfsperson überwacht. Die weisungsgemäße Verwendung der Mittel ist von ihr sicherzustellen. Die Steuerbegünstigung einer Körperschaft, die nur über eine Hilfsperson das Merkmal der Unmittelbarkeit erfüllt (§ 57 Abs. 1 Satz 2), ist unabhängig davon zu gewähren, wie die Hilfsperson gemeinnützigkeitsrechtlich behandelt wird. Ein Handeln als Hilfsperson nach § 57 Abs. 1 Satz 2 begründet keine eigene steuerbegünstigte Tätigkeit (BFH-Urteil vom 7. 3. 2007 – I R 90/04 – BStBl. II, S. 628). Eine Hilfspersonentätigkeit in diesem Sinne liegt nicht vor, wenn der auftraggebenden Person dadurch nicht nach § 57 Abs. 1 Satz 2 die Gemeinnützigkeit vermittelt wird, zum Beispiel Tätigkeiten im Auftrag von juristischen Personen des öffentlichen Rechts (Hoheitsbereich), voll steuerpflichtigen Körperschaften oder natürlichen Personen.

3. Ein Zusammenschluss im Sinne des § 57 Abs. 2 AO ist gegeben, wenn die Einrichtung ausschließlich allgemeine, aus der Tätigkeit und Aufgabenstellung der Mitgliederkörperschaften erwachsene Interessen wahrnimmt. Nach Absatz 2 wird eine Körperschaft, in der steuerbegünstigte Körperschaften zusammengefasst sind, einer Körperschaft gleichgestellt, die unmittelbar steuerbegünstigte Zwecke verfolgt. Voraussetzung ist, dass jede der zusammengefassten Körperschaften sämtliche Voraussetzungen für die Steuerbegünstigung erfüllt. Verfolgt eine solche Körperschaft selbst unmittelbar steuerbegünstigte Zwecke, ist die bloße Mitgliedschaft einer nicht steuerbegünstigten Organisation für die Steuerbegünstigung unschädlich. Die Körperschaft darf die nicht steuerbegünstigte Organisation aber nicht mit Rat und Tat fördern (zum Beispiel Zuweisung von Mitteln, Rechtsberatung).

§ 58 Steuerlich unschädliche Betätigungen. Die Steuervergünstigung wird nicht dadurch ausgeschlossen, dass

1. eine Körperschaft Mittel für die Verwirklichung der steuerbegünstigten Zwecke einer anderen Körperschaft oder für die Verwirklichung steuerbegünstigter Zwecke durch eine Körperschaft des öffentlichen Rechts beschafft; die Beschaffung von Mitteln für eine unbeschränkt steuerpflichtige Körperschaft des privaten Rechts setzt voraus, dass diese selbst steuerbegünstigt ist,

2. eine Körperschaft ihre Mittel teilweise einer anderen, ebenfalls steuerbegünstigten Körperschaft oder einer Körperschaft des öffentlichen Rechts zur Verwendung zu steuerbegünstigten Zwecken zuwendet,

3. eine Körperschaft ihre Arbeitskräfte anderen Personen, Unternehmen, Einrichtungen oder einer Körperschaft des öffentlichen Rechts für steuerbegünstigte Zwecke zur Verfügung stellt,

4. eine Körperschaft ihr gehörende Räume einer anderen, ebenfalls steuerbegünstigten Körperschaft oder einer Körperschaft des öffentlichen Rechts zur Nutzung zu steuerbegünstigten Zwecken überlässt,

5. eine Stiftung einen Teil, jedoch höchstens ein Drittel ihres Einkommens dazu verwendet, um in angemessener Weise den Stifter und seine nächsten Angehörigen zu unterhalten, ihre Gräber zu pflegen und ihr Andenken zu ehren,

6. eine Körperschaft ihre Mittel ganz oder teilweise einer Rücklage zuführt, soweit dies erforderlich ist, um ihre steuerbegünstigten satzungsmäßigen Zwecke nachhaltig erfüllen zu können,

7. a) eine Körperschaft höchstens ein Drittel des Überschusses der Einnahmen über die Unkosten aus Vermögensverwaltung und darüber hinaus höchstens 10 Prozent ihrer sonstigen nach § 55 Abs. 1 Nr. 5 zeitnah zu verwendenden Mittel einer freien Rücklage zuführt,

   b) eine Körperschaft Mittel zum Erwerb von Gesellschaftsrechten zur Erhaltung der prozentualen Beteiligung an Kapitalgesellschaften ansammelt oder im Jahr des Zuflusses verwendet; diese Beträge sind auf die nach Buchstabe a in demselben Jahr oder künftig zulässigen Rücklagen anzurechnen,

8. eine Körperschaft gesellige Zusammenkünfte veranstaltet, die im Vergleich zu ihrer steuerbegünstigten Tätigkeit von untergeordneter Bedeutung sind,

9. ein Sportverein neben dem unbezahlten auch den bezahlten Sport fördert,

10. eine von einer Gebietskörperschaft errichtete Stiftung zur Erfüllung ihrer steuerbegünstigten Zwecke Zuschüsse an Wirtschaftsunternehmen vergibt.

11. eine Körperschaft folgende Mittel ihrem Vermögen zuführt:

   a) Zuwendungen von Todes wegen, wenn der Erblasser keine Verwendung für den laufenden Aufwand der Körperschaft vorgeschrieben hat,

   b) Zuwendungen, bei denen der Zuwendende ausdrücklich erklärt, dass sie zur Ausstattung der Körperschaft mit Vermögen oder zur Erhöhung des Vermögens bestimmt sind,

   c) Zuwendungen auf Grund eines Spendenaufrufs der Körperschaft, wenn aus dem Spendenaufruf ersichtlich ist, dass Beträge zur Aufstockung des Vermögens erbeten werden,

   d) Sachzuwendungen, die ihrer Natur nach zum Vermögen gehören,

12. eine Stiftung im Jahr ihrer Errichtung und in den zwei folgenden Kalenderjahren Überschüsse aus der Vermögensverwaltung und die Gewinne aus wirtschaftlichen Geschäftsbetrieben (§ 14) ganz oder teilweise ihrem Vermögen zuführt.

AEAO zu § 58 – Steuerlich unschädliche Betätigungen:

Zu § 58 Nr. 1:

1. Diese Ausnahmeregelung ermöglicht es, Körperschaften als steuerbegünstigt anzuerkennen, die andere Körperschaften fördern und dafür Spenden sammeln oder auf andere Art Mittel beschaffen (Mittelbeschaffungskörperschaften). Die Beschaffung von Mitteln muss als Satzungszweck festgelegt sein. Ein steuerbegünstigter Zweck, für den Mittel beschafft werden sollen, muss in der Satzung angegeben sein. Es ist nicht erforderlich, die Körperschaften, für die Mittel beschafft werden sollen, in der Satzung aufzuführen. Die Körperschaft, für die Mittel beschafft werden, muss nur dann selbst steuerbegünstigt sein, wenn sie eine unbeschränkt steuerpflichtige Körperschaft des privaten Rechts ist. Werden Mittel für nicht unbeschränkt steuerpflichtige Körperschaften beschafft, muss die Verwendung der Mittel für die steuerbegünstigten Zwecke ausreichend nachgewiesen werden.

Zu § 58 Nr. 2:

2. Die teilweise (nicht überwiegende) Weitergabe eigener Mittel (auch Sachmittel) ist unschädlich. Ausschüttungen und sonstige Zuwendungen einer steuerbegünstigten Körperschaft sind unschädlich, wenn die Gesellschafter oder Mitglieder als Begünstigte ausschließlich steuerbegünstigte Körperschaften sind.

Zu § 58 Nr. 3:

3. Eine steuerlich unschädliche Betätigung liegt auch dann vor, wenn nicht nur Arbeitskräfte, sondern zugleich Arbeitsmittel (zum Beispiel Krankenwagen) zur Verfügung gestellt werden.

Zu § 58 Nr. 4:

4. Zu den „Räumen" im Sinne der Nr. 4 gehören beispielsweise auch Sportstätten, Sportanlagen und Freibäder.

Zu § 58 Nr. 5:

5. Eine Stiftung darf einen Teil ihres Einkommens – höchstens ein Drittel – dazu verwenden, die Gräber des Stifters und seiner nächsten Angehörigen zu pflegen und deren Andenken zu ehren. In diesem Rahmen ist auch gestattet, dem Stifter und seinen nächsten Angehörigen Unterhalt zu gewähren.

Unter Einkommen ist die Summe der Einkünfte aus den einzelnen Einkunftsarten des § 2 Abs. 1 EStG zu verstehen, unabhängig davon, ob die Einkünfte steuerpflichtig sind oder nicht. Positive und negative Einkünfte sind zu saldieren. Die Verlustverrechnungsbeschränkungen nach § 2 Abs. 3 EStG sind dabei unbeachtlich. Bei der Ermittlung der Einkünfte sind von den Einnahmen die damit zusammenhängenden Aufwendungen einschließlich der Abschreibungsbeträge abzuziehen.

Zur steuerrechtlichen Beurteilung von Ausgaben für die Erfüllung von Verbindlichkeiten, die durch die Übertragung von belastetem Vermögen begründet worden sind, wird auf die Nrn. 12 bis 14 zu § 55 hingewiesen.

6. Der Begriff des nächsten Angehörigen ist enger als der Begriff des Angehörigen nach § 15. Er umfasst:

– Ehegatten,
– Eltern, Großeltern, Kinder, Enkel (auch falls durch Adoption verbunden),
– Geschwister,
– Pflegeeltern, Pflegekinder.

7. Unterhalt, Grabpflege und Ehrung des Andenkens müssen sich in angemessenem Rahmen halten. Damit ist neben der relativen Grenze von einem Drittel des Einkommens eine gewisse absolute Grenze festgelegt. Maßstab für die Angemessenheit des Unterhalts ist der Lebensstandard des Zuwendungsempfängers.

8. § 58 Nr. 5 enthält lediglich eine Ausnahmeregelung zu § 55 Abs. 1 Nr. 1 für Stiftungen (vgl. zu § 55 Nr. 14), begründet jedoch keinen eigenständigen steuerbegünstigten Zweck. Eine Stiftung, zu deren Satzungszwecken die Unterstützung von hilfsbedürftigen Verwandten des Stifters gehört, kann daher nicht unter Hinweis auf § 58 Nr. 5 als steuerbegünstigt behandelt werden.

Zu § 58 Nr. 6:

9. Bei der Bildung der Rücklage nach § 58 Nr. 6 kommt es nicht auf die Herkunft der Mittel an. Der Rücklage dürfen also auch zeitnah zu verwendende Mittel wie zum Beispiel Spenden zugeführt werden.

10. Voraussetzung für die Bildung einer Rücklage nach § 58 Nr. 6 ist in jedem Fall, dass ohne sie die steuerbegünstigten satzungsmäßigen Zwecke nachhaltig nicht erfüllt werden können. Das Bestreben, ganz allgemein die Leistungsfähigkeit der Körperschaft zu erhalten, reicht für eine steuerlich unschädliche Rücklagenbildung nach dieser Vorschrift nicht aus (hierfür können nur freie Rücklagen nach § 58 Nr. 7 gebildet werden, vgl. Nrn. 13 bis 17). Vielmehr müssen die Mittel für bestimmte – die steuerbegünstigten Satzungszwecke verwirklichende – Vorhaben angesammelt werden, für deren Durchführung bereits konkrete Zeitvorstellungen bestehen. Besteht noch keine konkrete Zeitvorstellung, ist eine Rücklagenbildung zulässig, wenn die Durchführung des Vorhabens glaubhaft und bei den finanziellen Verhältnissen der steuerbegünstigten Körperschaft in einem angemessenen Zeitraum möglich ist. Die Bildung von Rücklagen für periodisch wiederkehrende Ausgaben (zum Beispiel Löhne, Gehälter, Mieten) in Höhe des Mittelbedarfs für eine angemessene Zeitperiode ist zulässig (so genannte Betriebsmittelrücklage). Ebenfalls unschädlich ist die vorsorgliche Bildung einer Rücklage zur Bezahlung von Steuern außerhalb eines steuerpflichtigen wirtschaftlichen Geschäftsbetriebs, solange Unklarheit darüber besteht, ob die Körperschaft insoweit in Anspruch genommen wird.

Die Bildung einer Rücklage kann nicht damit begründet werden, dass die Überlegungen zur Verwendung der Mittel noch nicht abgeschlossen sind.

11. Die vorstehenden Grundsätze zu § 58 Nr. 6 gelten auch für Mittelbeschaffungskörperschaften im Sinne des § 58 Nr. 1 (BFH-Urteil vom 13. 9. 1989 – I R 19/85 – BStBl. 1990 II, S. 28). Voraussetzung ist jedoch, dass die Rücklagenbildung dem Zweck der Beschaffung von Mitteln für die steuerbegünstigten Zwecke einer anderen Körperschaft entspricht. Diese Voraussetzung ist zum Beispiel erfüllt, wenn die Mittelbeschaffungskörperschaft wegen Verzögerung der von ihr zu finanzierenden steuerbegünstigten Maßnahmen gezwungen ist, die beschafften Mittel zunächst zu thesaurieren.

12. Unterhält eine steuerbegünstigte Körperschaft einen steuerpflichtigen wirtschaftlichen Geschäftsbetrieb, so können dessen Erträge der Rücklage erst nach Versteuerung zugeführt werden.

Zu § 58 Nr. 7:

13. Der freien Rücklage (§ 58 Nr. 7 Buchstabe a) darf jährlich höchstens ein Drittel des Überschusses der Einnahmen über die Unkosten aus der Vermögensverwaltung zugeführt werden. Unter Unkosten sind Aufwendungen zu verstehen, die dem Grunde nach Werbungskosten sind. 14. Darüber hinaus kann die Körperschaft höchstens 10 v. H. ihrer sonstigen nach § 55 Abs. 1 Nr. 5 zeitnah zu verwendenden Mittel einer freien Rücklage zuführen. Mittel im Sinne dieser Vorschrift sind die Überschüsse bzw. Gewinne aus steuerpflichtigen wirtschaftlichen Geschäftsbetrieben und Zweckbetrieben sowie die Bruttoeinnahmen aus dem ideellen Bereich. Bei Anwendung der Regelungen des § 64 Abs. 5 und 6 können in die Bemessungsgrundlage zur Ermittlung der Rücklage statt der geschätzten bzw. pauschal ermittelten Gewinne die tatsächlichen Gewinne einbezogen werden.

Verluste aus Zweckbetrieben sind mit entsprechenden Überschüssen zu verrechnen; darüber hinaus gehende Verluste mindern die Bemessungsgrundlage nicht. Das gilt entsprechend für Verluste aus dem einheitlichen wirtschaftlichen Geschäftsbetrieb. Ein Überschuss aus der Vermögensverwaltung ist – unabhängig davon, inwieweit er in eine Rücklage eingestellt wurde – nicht in die Bemessungsgrundlage für die Zuführung aus den sonstigen zeitnah zu verwendenden Mitteln einzubeziehen. Ein Verlust aus der Vermögensverwaltung mindert die Bemessungsgrundlage nicht.

15. Wird die Höchstgrenze nach den Nrn. 13 und 14 nicht voll ausgeschöpft, so ist eine Nachholung in späteren Jahren nicht zulässig. Die steuerbegünstigte Körperschaft braucht die freie Rücklage während der Dauer ihres Bestehens nicht aufzulösen. Die in die Rücklage eingestellten Mittel können auch dem Vermögen zugeführt werden.

16. Die Ansammlung und Verwendung von Mitteln zum Erwerb von Gesellschaftsrechten zur Erhaltung der prozentualen Beteiligung an Kapitalgesellschaften schließen die Steuervergünstigungen nicht aus (§ 58 Nr. 7 Buchstabe b). Die Herkunft der Mittel ist dabei ohne Bedeutung. § 58 Nr. 7 Buchstabe b ist nicht auf den erstmaligen Erwerb von Anteilen an Kapitalgesellschaften anzuwenden. Hierfür können unter anderem freie Rücklagen nach § 58 Nr. 7 Buchstabe a eingesetzt werden.

17. Die Höchstgrenze für die Zuführung zu der freien Rücklage mindert

sich um den Betrag, den die Körperschaft zum Erwerb von Gesellschaftsrechten zur Erhaltung der prozentualen Beteiligung an Kapitalgesellschaften ausgibt oder bereitstellt. Übersteigt der für die Erhaltung der Beteiligungsquote verwendete oder bereitgestellte Betrag die Höchstgrenze, ist auch in den Folgejahren eine Zuführung zu der freien Rücklage erst wieder möglich, wenn die für eine freie Rücklage verwendbaren Mittel insgesamt die für die Erhaltung der Beteiligungsquote verwendeten oder bereitgestellten Mittel übersteigen. Die Zuführung von Mitteln zu Rücklagen nach § 58 Nr. 6 berührt die Höchstgrenze für die Bildung freier Rücklagen dagegen nicht.

Beispiel:

	€	Freie Rücklage (§ 58 Nr. 7 Buchstabe a) €	Verwendung von Mitteln zur Erhaltung der Beteiligungsquote (§ 58 Nr. 7 Buchstabe b) €
Jahr 01			
Zuführung zur freien Rücklage		25.000	
Jahr 02			
Höchstbetrag für die Zuführung zur freien Rücklage:			
$^1/_3$ von 15.000 € =	5.000		
10 v. H. von 50.000 € =	5.000		
Ergibt	10.000		
Verwendung von Mitteln zur Erhaltung der Beteiligungsquote	25.000		25.000
Übersteigender Betrag	./. 15.000		
Zuführung zur freien Rücklage		0	
Jahr 03			
Höchstbetrag für die Zuführung zur freien Rücklage:			
$^1/_3$ von 30.000 € =	10.000		
10 v. H. von 100.000 € =	10.000		
Ergibt	20.000		
Übersteigender Betrag aus dem Jahr 02	./. 15.000		
Verbleibender Betrag	5.000		
Zuführung zur freien Rücklage		5.000	

Zu § 58 Nrn. 6 und 7:

18. Ob die Voraussetzungen für die Bildung einer Rücklage gegeben sind, hat die steuerbegünstigte Körperschaft dem zuständigen Finanzamt im Einzelnen darzulegen. Weiterhin muss sie die Rücklagen nach § 58 Nrn. 6 und 7 in ihrer Rechnungslegung – ggf. in einer Nebenrechnung – gesondert ausweisen, damit eine Kontrolle jederzeit und ohne besonderen Aufwand möglich ist (BFH-Urteil vom 20. 12. 1978 – I R 21/76 – BStBl. 1979 II, S. 496).

Zu § 58 Nr. 8:

19. Gesellige Zusammenkünfte, die im Vergleich zur steuerbegünstigten Tätigkeit nicht von untergeordneter Bedeutung sind, schließen die Steuervergünstigung aus.

Zu § 58 Nr. 10:

20. Diese Ausnahmeregelung ermöglicht es den ausschließlich von einer oder mehreren Gebietskörperschaften errichteten rechtsfähigen und nichtrechtsfähigen Stiftungen, die Erfüllung ihrer steuerbegünstigten Zwecke mittelbar durch Zuschüsse an Wirtschaftsunternehmen zu verwirklichen. Diese mittelbare Zweckverwirklichung muss in der Satzung festgelegt sein. Die Verwendung der Zuschüsse für steuerbegünstigte Satzungszwecke muss nachgewiesen werden.

Zu § 58 Nr. 11:

21. Bei den in der Vorschrift genannten Zuwendungen ist es ausnahmsweise zulässig, grundsätzlich zeitnah zu verwendende Mittel dem zulässigen Vermögen zuzuführen. Die Aufzählung ist abschließend. Unter Sachzuwendungen, die ihrer Natur nach zum Vermögen gehören, sind Wirtschaftsgüter zu verstehen, die ihrer Art nach von der Körperschaft im ideellen Bereich, im Rahmen der Vermögensverwaltung oder im wirtschaftlichen Geschäftsbetrieb genutzt werden können.

Werden Mittel nach dieser Vorschrift dem Vermögen zugeführt, sind sie aus der Bemessungsgrundlage für Zuführungen von sonstigen zeitnah zu verwendenden Mitteln nach § 58 Nr. 7 Buchstabe a herauszurechnen.

Zu § 58 Nr. 12:

22. Stiftungen dürfen im Jahr ihrer Errichtung und in den zwei folgenden Kalenderjahren Überschüsse und Gewinne aus der Vermögensverwaltung, aus Zweckbetrieb und aus steuerpflichtigen wirtschaftlichen Geschäftsbetrieben ganz oder teilweise ihrem Vermögen zuführen. Für

§§ 51–68 AO mit AEAO

sonstige Mittel, zum Beispiel Zuwendungen und Zuschüsse, gilt diese Regelung dagegen nicht. Liegen in einem Kalenderjahr positive und negative Ergebnisse aus der Vermögensverwaltung, aus den Zweckbetrieben und dem einheitlichen steuerpflichtigen wirtschaftlichen Geschäftsbetrieb vor, ist eine Zuführung zum Vermögen auf den positiven Betrag begrenzt, der nach der Verrechnung der Ergebnisse verbleibt.

Zu § 58 Nr. 2 bis 12:

23. Die in § 58 Nrn. 2 bis 9, 11 und 12 genannten Ausnahmetatbestände können auch ohne entsprechende Satzungsbestimmung verwirklicht werden. Entgeltliche Tätigkeiten nach § 58 Nrn. 3, 4 oder 8 begründen einen steuerpflichtigen wirtschaftlichen Geschäftsbetrieb oder Vermögensverwaltung (zum Beispiel Raumüberlassung). Bei den Regelungen des § 58 Nrn. 5, 10 und 12 kommt es jeweils nicht auf die Bezeichnung der Körperschaft als Stiftung, sondern auf die tatsächliche Rechtsform an. Dabei ist es unmaßgeblich, ob es sich um eine rechtsfähige oder nichtrechtsfähige Stiftung handelt.

§ 59 Voraussetzung der Steuervergünstigung. Die Steuervergünstigung wird gewährt, wenn sich aus der Satzung, dem Stiftungsgeschäft oder der sonstigen Verfassung (Satzung im Sinne dieser Vorschriften) ergibt, welchen Zweck die Körperschaft verfolgt, dass dieser Zweck den Anforderungen der §§ 52 bis 55 entspricht und dass er ausschließlich und unmittelbar verfolgt wird; die tatsächliche Geschäftsführung muss diesen Satzungsbestimmungen entsprechen.

AEAO zu § 59 – Voraussetzung der Steuervergünstigung:
1. Die Vorschrift bestimmt unter anderem, dass die Steuervergünstigung nur gewährt wird, wenn ein steuerbegünstigter Zweck (§§ 52 bis 54), die Selbstlosigkeit (§ 55) und die ausschließliche und unmittelbare Zweckverfolgung (§§ 56, 57) durch die Körperschaft aus der Satzung direkt hervorgehen. Eine weitere satzungsmäßige Voraussetzung in diesem Sinn ist die in § 61 geforderte Vermögensbindung. Das Unterhalten wirtschaftlicher Geschäftsbetriebe (§ 14 Sätze 1 und 2 und § 64), die keine Zweckbetriebe (§§ 65 bis 68) sind, und die Vermögensverwaltung (§ 14 Satz 3) dürfen nicht Satzungszweck sein. Die Erlaubnis zur Unterhaltung eines Nichtzweckbetriebs und die Vermögensverwaltung in der Satzung können zulässig sein (BFH-Urteil vom 18. 12. 2002 – I R 15/02 – BStBl. 2003 II, S. 384). Bei Körperschaften, die ausschließlich Mittel für andere Körperschaften oder Körperschaften des öffentlichen Rechts

277

beschaffen (§ 58 Nr. 1), kann in der Satzung auf das Gebot der Unmittelbarkeit verzichtet werden.

2. Bei mehreren Betrieben gewerblicher Art einer juristischen Person des öffentlichen Rechts ist für jeden Betrieb gewerblicher Art eine eigene Satzung erforderlich.

3. Ein besonderes Anerkennungsverfahren ist im steuerlichen Gemeinnützigkeitsrecht nicht vorgesehen. Ob eine Körperschaft steuerbegünstigt ist, entscheidet das Finanzamt im Veranlagungsverfahren durch Steuerbescheid (ggf. Freistellungsbescheid). Dabei hat es von Amts wegen die tatsächlichen und rechtlichen Verhältnisse zu ermitteln, die für die Steuerpflicht und für die Bemessung der Steuer wesentlich sind. Eine Körperschaft, bei der nach dem Ergebnis dieser Prüfung die gesetzlichen Voraussetzungen für die steuerliche Behandlung als steuerbegünstigte Körperschaft vorliegen, muss deshalb auch als solche behandelt werden, und zwar ohne Rücksicht darauf, ob ein entsprechender Antrag gestellt worden ist oder nicht. Ein Verzicht auf die Behandlung als steuerbegünstigte Körperschaft ist somit für das Steuerrecht unbeachtlich.

4. Auf Antrag einer neu gegründeten Körperschaft, bei der die Voraussetzungen der Steuervergünstigung noch nicht im Veranlagungsverfahren festgestellt worden sind, bescheinigt das zuständige Finanzamt vorläufig, zum Beispiel für den Empfang steuerbegünstigter Spenden oder für eine Gebührenbefreiung, dass bei ihm die Körperschaft steuerlich erfasst ist und die eingereichte Satzung alle nach § 59 Satz 1, §§ 60 und 61 geforderten Voraussetzungen erfüllt, welche unter anderem für die Steuerbefreiung nach § 5 Abs. 1 Nr. 9 KStG vorliegen müssen. Eine vorläufige Bescheinigung über die Gemeinnützigkeit darf erst ausgestellt werden, wenn eine Satzung vorliegt, die den gemeinnützigkeitsrechtlichen Vorschriften entspricht.

5. Die vorläufige Bescheinigung über die Gemeinnützigkeit stellt keinen Verwaltungsakt, sondern lediglich eine Auskunft über den gekennzeichneten Teilbereich der für die Steuervergünstigung erforderlichen Voraussetzungen dar. Sie sagt zum Beispiel nichts über die Übereinstimmung von Satzung und tatsächlicher Geschäftsführung aus. Sie ist befristet zu erteilen und ist frei widerruflich (BFH-Beschluss vom 7. 5. 1986 – I B 58/85 – BStBl. II, S. 677). Die Geltungsdauer sollte 18 Monate nicht überschreiten.

6. Die Erteilung einer vorläufigen Bescheinigung über die Gemeinnützigkeit kann auch in Betracht kommen, wenn eine Körperschaft schon längere Zeit existiert und die Gemeinnützigkeit im Veranlagungsverfahren versagt wurde (BFH-Beschluss vom 23 .9. 1998 – I B 82/98 – BStBl. 2000 II, S. 320).

6.1 Eine vorläufige Bescheinigung über die Gemeinnützigkeit ist in diesen Fällen auf Antrag zu erteilen, wenn die Körperschaft die Voraussetzungen für die Gemeinnützigkeit im gesamten Veranlagungszeitraum, der dem Zeitraum der Nichtgewährung folgt, voraussichtlich erfüllen wird. Ihre Geltungsdauer sollte 18 Monate nicht überschreiten.

6.2 Darüber hinaus kann die Erteilung einer vorläufigen Bescheinigung über die Gemeinnützigkeit auch dann geboten sein, wenn die Körperschaft nach Auffassung des Finanzamts nicht gemeinnützig ist. In diesen Fällen darf die Bescheinigung nur erteilt werden, wenn die folgenden Voraussetzungen erfüllt sind:

6.2.1 Die Körperschaft muss gegen eine Entscheidung des Finanzamts, mit der die Erteilung einer vorläufigen Bescheinigung über die Gemeinnützigkeit abgelehnt wurde, beim zuständigen Finanzgericht Rechtsschutz begehrt haben.

6.2.2 Es müssen ernstliche Zweifel bestehen, ob die Ablehnung der Gemeinnützigkeit im Klageverfahren bestätigt wird. Dies erfordert, dass die Körperschaft schlüssig darlegt und glaubhaft macht, dass sie die Voraussetzungen für die Gemeinnützigkeit nach ihrer Satzung und bei der tatsächlichen Geschäftsführung erfüllt.

6.2.3 Die wirtschaftliche Existenz der Körperschaft muss in Folge der Nichterteilung der vorläufigen Bescheinigung gefährdet sein. Für die Beurteilung sind die Verhältnisse im jeweiligen Einzelfall maßgeblich. Eine Existenzgefährdung kann nicht allein deshalb unterstellt werden, weil sich die Körperschaft bisher zu einem wesentlichen Teil aus Spenden oder steuerlich abziehbaren Mitgliedsbeiträgen finanziert hat und wegen der Nichtgewährung der Steuervergünstigungen ein erheblicher Rückgang dieser Einnahmen zu erwarten ist. Sie liegt zum Beispiel auch dann nicht vor, wenn die Körperschaft über ausreichendes verwertbares Vermögen verfügt oder sich ausreichende Kredite verschaffen kann. Die Körperschaft muss als Antragsgrund die Existenzgefährdung schlüssig darlegen und glaubhaft machen.

6.3 Die vorläufige Bescheinigung über die Gemeinnützigkeit nach Nr. 6.2 ist ggf. formlos zu erteilen. Sie muss die Körperschaft in die Lage versetzen, unter Hinweis auf die steuerliche Abzugsfähigkeit um Zuwendungen zu werben. Ihre Geltungsdauer ist bis zum rechtskräftigen Abschluss des gerichtlichen Verfahrens zu befristen. Ob Auflagen, wie sie der BFH in dem entschiedenen Fall beschlossen hat (unter anderem vierteljährliche Einreichung von Aufstellungen über die Einnahmen und Ausgaben), sinnvoll und erforderlich sind, hängt von den Umständen des Einzelfalls ab.

7. Die vorläufige Bescheinigung wird durch den Steuerbescheid (ggf. Freistellungsbescheid) ersetzt. Die Steuerbefreiung soll spätestens alle drei Jahre überprüft werden.

8. Die Satzung einer Körperschaft ist vor der Erteilung einer erstmaligen vorläufigen Bescheinigung über die Steuerbegünstigung oder eines Freistellungsbescheids zur Körperschaft- und Gewerbesteuer sorgfältig zu prüfen. Wird eine vorläufige Bescheinigung über die Gemeinnützigkeit erteilt oder die Steuerbegünstigung anerkannt, bei einer späteren Überprüfung der Körperschaft aber festgestellt, dass die Satzung doch nicht den Anforderungen des Gemeinnützigkeitsrechts genügt, dürfen aus Vertrauensschutzgründen hieraus keine nachteiligen Folgerungen für die Vergangenheit gezogen werden. Die Körperschaft ist trotz der fehlerhaften Satzung für abgelaufene Veranlagungszeiträume und für das Kalenderjahr, in dem die Satzung beanstandet wird, als steuerbegünstigt zu behandeln. Dies gilt nicht, wenn bei der tatsächlichen Geschäftsführung gegen Vorschriften des Gemeinnützigkeitsrechts verstoßen wurde.

Die Vertreter der Körperschaft sind aufzufordern, die zu beanstandenden Teile der Satzung so zu ändern, dass die Körperschaft die satzungsmäßigen Voraussetzungen für die Steuervergünstigung erfüllt. Hierfür ist eine angemessene Frist zu setzen. Vereinen soll dabei in der Regel eine Beschlussfassung in der nächsten ordentlichen Mitgliederversammlung ermöglicht werden. Wird die Satzung innerhalb der gesetzten Frist entsprechend den Vorgaben des Finanzamts geändert, ist die Steuervergünstigung für das der Beanstandung der Satzung folgende Kalenderjahr auch dann anzuerkennen, wenn zu Beginn des Kalenderjahres noch keine ausreichende Satzung vorgelegen hat.

Die vorstehenden Grundsätze gelten nicht, wenn die Körperschaft die Satzung geändert hat und eine geänderte Satzungsvorschrift zu beanstanden ist. In diesen Fällen fehlt es an einer Grundlage für die Gewährung von Vertrauensschutz.

§ 60 Anforderungen an die Satzung. (1) Die Satzungszwecke und die Art ihrer Verwirklichung müssen so genau bestimmt sein, dass auf Grund der Satzung geprüft werden kann, ob die satzungsmäßigen Voraussetzungen für Steuervergünstigungen gegeben sind. Die Satzung muss die in der Anlage 1 bezeichneten Festlegungen enthalten.[1]

---

[1] Satz 2 ist anzuwenden gem. Art 97 § 1 f des Einführungsgesetzes zur Abgabenordnung auf Körperschaften, die nach dem 31. 12. 2008 gegründet werden, sowie auf Satzungs-

(2) Die Satzung muss den vorgeschriebenen Erfordernissen bei der Körperschaftsteuer und bei der Gewerbesteuer während des ganzen Veranlagungs- oder Bemessungszeitraums, bei den anderen Steuern im Zeitpunkt der Entstehung der Steuer entsprechen.

[Fassung bis 31. 12. 2008:][1] (1) Die Satzungszwecke und die Art ihrer Verwirklichung müssen so genau bestimmt sein, dass auf Grund der Satzung geprüft werden kann, ob die satzungsmäßigen Voraussetzungen für Steuervergünstigungen gegeben sind.

(2) Die Satzung muss den vorgeschriebenen Erfordernissen bei der Körperschaftsteuer und bei der Gewerbesteuer während des ganzen Veranlagungs- oder Bemessungszeitraums, bei den anderen Steuern im Zeitpunkt der Entstehung der Steuer entsprechen.

AEAO zu § 60 – Anforderungen an die Satzung:

1. Die Satzung muss so präzise gefasst sein, dass aus ihr unmittelbar entnommen werden kann, ob die Voraussetzungen der Steuerbegünstigung vorliegen (formelle Satzungsmäßigkeit). Die bloße Bezugnahme auf Satzungen oder andere Regelungen Dritter genügt nicht (BFH-Urteil vom 19. 4. 1989 – I R 3/88 – BStBl. II, S. 595). Es reicht aus, wenn sich die satzungsmäßigen Voraussetzungen aufgrund einer Auslegung aller Satzungsbestimmungen ergeben (BFH-Urteil vom 13. 12. 1978 – I R 39/78 – BStBl. 1979 II, S. 482 und vom 13. 8. 1997 – I R 19/96 – BStBl. II, S. 794).

2. Die Anlage 1[2] enthält das Muster einer Satzung. Die Verwendung der Mustersatzung ist nicht vorgeschrieben.

3. Eine Satzung braucht nicht allein deswegen geändert zu werden, weil in ihr auf Vorschriften des StAnpG oder der GemV verwiesen oder das Wort „selbstlos" nicht verwandt wird.

4. Ordensgemeinschaften haben eine den Ordensstatuten entsprechende zusätzliche Erklärung nach dem Muster der Anlage 2[2] abzugeben, die die zuständigen Organe der Orden bindet.

5. Die tatsächliche Geschäftsführung (vgl. § 63) muss mit der Satzung übereinstimmen.

6. Die satzungsmäßigen Voraussetzungen für die Anerkennung der Steuerbegünstigung müssen

---

änderungen bestehender Körperschaften, die nach dem 31. 12. 2008 wirksam werden. Anlage 1 abgedruckt auf Seite 310 ff.

[1] Siehe Mustersatzung zu § 60 a. F., Anlage 3 auf Seite 313 ff.

[2] Anlagen 1 und 2 abgedruckt auf S. 310 ff.

– bei der Körperschaftsteuer vom Beginn bis zum Ende des Veranlagungszeitraums,
– bei der Gewerbesteuer vom Beginn bis zum Ende des Erhebungszeitraums,
– bei der Grundsteuer zum Beginn des Kalenderjahres, für das über die Steuerpflicht zu entscheiden ist (§ 9 Abs. 2 GrStG),
– bei der Umsatzsteuer zu den sich aus § 13 Abs. 1 UStG ergebenden Zeitpunkten,
– bei der Erbschaftsteuer zu den sich aus § 9 ErbStG ergebenden Zeitpunkten,
erfüllt sein.

§ 61 Satzungsmäßige Vermögensbindung. (1) Eine steuerlich ausreichende Vermögensbindung (§ 55 Abs. 1 Nr. 4) liegt vor, wenn der Zweck, für den das Vermögen bei Auflösung oder Aufhebung der Körperschaft oder bei Wegfall ihres bisherigen Zwecks verwendet werden soll, in der Satzung so genau bestimmt ist, dass auf Grund der Satzung geprüft werden kann, ob der Verwendungszweck steuerbegünstigt ist.

(2) *(aufgehoben)*

(3) Wird die Bestimmung über die Vermögensbindung nachträglich so geändert, dass sie den Anforderungen des § 55 Abs. 1 Nr. 4 nicht mehr entspricht, so gilt sie von Anfang an als steuerlich nicht ausreichend. § 175 Abs. 1 Satz 1 Nr. 2 ist mit der Maßgabe anzuwenden, dass Steuerbescheide erlassen, aufgehoben oder geändert werden können, soweit sie Steuern betreffen, die innerhalb der letzten zehn Kalenderjahre vor der Änderung der Bestimmung über die Vermögensbindung entstanden sind.

AEAO zu § 61 – Satzungsmäßige Vermögensbindung:
1. Die Vorschrift stellt klar, dass die zu den Voraussetzungen der Selbstlosigkeit zählende Bindung des Vermögens für steuerbegünstigte Zwecke vor allem im Falle der Auflösung der Körperschaft aus der Satzung genau hervorgehen muss (Mustersatzung, § 5).[1] Eine satzungsmäßige Vermögensbindung auf eine nicht unbeschränkt steuerpflichtige ausländische Körperschaft genügt nicht den Anforderungen (vgl. Nr. 24 zu § 55).
2. Nach dem aufgehobenen § 61 Abs. 2 durfte bei Vorliegen zwingender Gründe in der Satzung bestimmt werden, dass über die Verwendung des Vermögens zu steuerbegünstigten Zwecken nach Auflösung oder Aufhebung der Körperschaft oder bei Wegfall steuerbegünstigter Zwecke

---

[1] Mustersatzung siehe Seite 310 ff.

erst nach Einwilligung des Finanzamtes bestimmt wird. Eine Satzung braucht nicht allein deswegen geändert zu werden, weil sie eine vor der Aufhebung des § 61 Abs. 2 zulässige Bestimmung über die Vermögensbindung enthält.

3. *Für bestimmte Körperschaften, zum Beispiel Betriebe gewerblicher Art von juristischen Personen des öffentlichen Rechts und bestimmte Stiftungen, enthält § 62 eine Ausnahme von der Vermögensbindung.*

4. Wird die satzungsmäßige Vermögensbindung aufgehoben, gilt sie von Anfang an als steuerlich nicht ausreichend. Die Regelung greift auch ein, wenn die Bestimmung über die Vermögensbindung erst zu einem Zeitpunkt geändert wird, in dem die Körperschaft nicht mehr als steuerbegünstigt anerkannt ist. Die entsprechenden steuerlichen Folgerungen sind durch Steuerfestsetzung rückwirkend zu ziehen.

5. Bei Verstößen gegen den Grundsatz der Vermögensbindung bildet die Festsetzungsverjährung (§§ 169 ff.) keine Grenze. Vielmehr können nach § 175 Abs. 1 Satz 1 Nr. 2 auch Steuerbescheide noch geändert werden, die Steuern betreffen, die innerhalb von zehn Jahren vor der erstmaligen Verletzung der Vermögensbindungsregelung entstanden sind. Es kann demnach auch dann noch zugegriffen werden, wenn zwischen dem steuerfreien Bezug der Erträge und dem Wegfall der Steuerbegünstigung ein Zeitraum von mehr als fünf Jahren liegt, selbst wenn in der Zwischenzeit keine Erträge mehr zugeflossen sind.

Beispiel: Eine gemeinnützige Körperschaft hat in den Jahren 01 bis 11 steuerfreie Einnahmen aus einem Zweckbetrieb bezogen und diese teils für gemeinnützige Zwecke ausgegeben und zum Teil in eine Rücklage eingestellt. Eine in 11 vollzogene Satzungsänderung sieht jetzt vor, dass bei Auflösung des Vereins das Vermögen an die Mitglieder ausgekehrt wird. In diesem Fall muss das Finanzamt für die Veranlagungszeiträume 01 ff. Steuerbescheide erlassen, welche die Nachversteuerung aller genannten Einnahmen vorsehen, wobei es unerheblich ist, ob die Einnahmen noch im Vereinsvermögen vorhanden sind.

6. Verstöße gegen § 55 Abs. 1 bis 3 begründen die Möglichkeit einer Nachversteuerung im Rahmen der Festsetzungsfrist.

7. Die Nachversteuerung gemäß § 61 Abs. 3 greift nicht nur bei gemeinnützigkeitsschädlichen Änderungen satzungsrechtlicher Bestimmungen über die Vermögensbindung ein, sondern erfasst auch die Fälle, in denen die tatsächliche Geschäftsführung gegen die von § 61 geforderte Vermögensbindung verstößt (§ 63 Abs. 2).

Beispiel: Eine gemeinnützige Körperschaft verwendet bei ihrer Auflösung oder bei Aufgabe ihres begünstigten Satzungszweckes ihr Vermögen entgegen der Vermögensbindungsbestimmung in der Satzung nicht für begünstigte Zwecke.

8. Verstöße der tatsächlichen Geschäftsführung gegen § 55 Abs. 1 Nrn. 1 bis 3 können so schwerwiegend sein, dass sie einer Verwendung des gesamten Vermögens für satzungsfremde Zwecke gleichkommen. Auch in diesen Fällen ist eine Nachversteuerung nach § 61 Abs. 3 möglich.

9. Bei der nachträglichen Besteuerung ist so zu verfahren, als ob die Körperschaft von Anfang an uneingeschränkt steuerpflichtig gewesen wäre. § 13 Abs. 3 KStG ist nicht anwendbar.

§ 62[1] Ausnahmen von der satzungsmäßigen Vermögensbindung.
Bei Betrieben gewerblicher Art von Körperschaften des öffentlichen Rechts, bei den von einer Körperschaft des öffentlichen Rechts verwalteten unselbstständigen Stiftungen und bei geistlichen Genossenschaften (Orden, Kongregationen) braucht die Vermögensbindung in der Satzung nicht festgelegt zu werden.

AEAO zu § 62 – Ausnahmen von der satzungsmäßigen Vermögensbindung:
1. *Die Vorschrift befreit nur von der Verpflichtung, die Vermögensbindung in der Satzung festzulegen. Materiell unterliegen auch diese Körperschaften der Vermögensbindung.*
2. *(aufgehoben)*

§ 63 Anforderungen an die tatsächliche Geschäftsführung. (1) Die tatsächliche Geschäftsführung der Körperschaft muss auf die ausschließliche und unmittelbare Erfüllung der steuerbegünstigten Zwecke gerichtet sein und den Bestimmungen entsprechen, die die Satzung über die Voraussetzungen für Steuervergünstigungen enthält.

(2) Für die tatsächliche Geschäftsführung gilt sinngemäß § 60 Abs. 2, für eine Verletzung der Vorschrift über die Vermögensbindung § 61 Abs. 3.

(3) Die Körperschaft hat den Nachweis, dass ihre tatsächliche Geschäftsführung den Erfordernissen des Absatzes 1 entspricht, durch ordnungsmäßige Aufzeichnungen über ihre Einnahmen und Ausgaben zu führen.

(4) Hat die Körperschaft Mittel angesammelt, ohne dass die Voraussetzun-

---

[1] § 62 mit Wirkung ab 1. 1. **2009** aufgehoben durch Jahressteuergesetz 2009.

gen des § 58 Nr. 6 und 7 vorliegen, kann das Finanzamt ihr eine Frist für die Verwendung der Mittel setzen. Die tatsächliche Geschäftsführung gilt als ordnungsgemäß im Sinne des Absatzes 1, wenn die Körperschaft die Mittel innerhalb der Frist für steuerbegünstigte Zwecke verwendet.

AEAO zu § 63 – Anforderungen an die tatsächliche Geschäftsführung:

1. Den Nachweis, dass die tatsächliche Geschäftsführung den notwendigen Erfordernissen entspricht, hat die Körperschaft durch ordnungsmäßige Aufzeichnungen (insbesondere Aufstellung der Einnahmen und Ausgaben, Tätigkeitsbericht, Vermögensübersicht mit Nachweisen über die Bildung und Entwicklung der Rücklagen) zu führen. Die Vorschriften der AO über die Führung von Büchern und Aufzeichnungen (§§ 140 ff.) sind zu beachten. Die Vorschriften des Handelsrechts einschließlich der entsprechenden Buchführungsvorschriften gelten nur, sofern sich dies aus der Rechtsform der Körperschaft oder aus ihrer wirtschaftlichen Tätigkeit ergibt. Bei der Verwirklichung steuerbegünstigter Zwecke im Ausland besteht eine erhöhte Nachweispflicht (§ 90 Abs. 2).

2. Die tatsächliche Geschäftsführung umfasst auch die Ausstellung steuerlicher Zuwendungsbestätigungen. Bei Missbräuchen auf diesem Gebiet, zum Beispiel durch die Ausstellung von Gefälligkeitsbestätigungen, ist die Steuerbegünstigung zu versagen.

3. Die tatsächliche Geschäftsführung muss sich im Rahmen der verfassungsmäßigen Ordnung halten, da die Rechtsordnung als selbstverständlich das gesetzestreue Verhalten aller Rechtsunterworfenen voraussetzt (vgl. zu § 52 Nr. 16). Als Verstoß gegen die Rechtsordnung, der die Steuerbegünstigung ausschließt, kommt auch eine Steuerverkürzung in Betracht (BFH-Urteil vom 27. 9. 2001 – V R 17/99 – BStBl. 2002 II, S. 169).

§ 64 Steuerpflichtige wirtschaftliche Geschäftsbetriebe. (1) Schließt das Gesetz die Steuervergünstigung insoweit aus, als ein wirtschaftlicher Geschäftsbetrieb (§ 14) unterhalten wird, so verliert die Körperschaft die Steuervergünstigung für die dem Geschäftsbetrieb zuzuordnenden Besteuerungsgrundlagen (Einkünfte, Umsätze, Vermögen), soweit der wirtschaftliche Geschäftsbetrieb kein Zweckbetrieb (§§ 65 bis 68) ist.

(2) Unterhält die Körperschaft mehrere wirtschaftliche Geschäftsbetriebe, die keine Zweckbetriebe (§§ 65 bis 68) sind, werden diese als ein wirtschaftlicher Geschäftsbetrieb behandelt.

(3) Übersteigen die Einnahmen einschließlich Umsatzsteuer aus wirtschaftlichen Geschäftsbetrieben, die keine Zweckbetriebe sind, insgesamt nicht

35 000 Euro im Jahr, so unterliegen die diesen Geschäftsbetrieben zuzuordnenden Besteuerungsgrundlagen nicht der Körperschaftsteuer und der Gewerbesteuer.

(4) Die Aufteilung einer Körperschaft in mehrere selbstständige Körperschaften zum Zweck der mehrfachen Inanspruchnahme der Steuervergünstigung nach Absatz 3 gilt als Missbrauch von rechtlichen Gestaltungsmöglichkeiten im Sinne des § 42.

(5) Überschüsse aus der Verwertung unentgeltlich erworbenen Altmaterials außerhalb einer ständig dafür vorgehaltenen Verkaufsstelle, die der Körperschaftsteuer und der Gewerbesteuer unterliegen, können in Höhe des branchenüblichen Reingewinns geschätzt werden.

(6) Bei den folgenden steuerpflichtigen wirtschaftlichen Geschäftsbetrieben kann der Besteuerung ein Gewinn von 15 Prozent der Einnahmen zugrunde gelegt werden:

1. Werbung für Unternehmen, die im Zusammenhang mit der steuerbegünstigten Tätigkeit einschließlich Zweckbetrieben stattfindet,
2. Totalisatorbetriebe,
3. Zweite Fraktionierungsstufe der Blutspendedienste.

AEAO zu § 64 – Steuerpflichtige wirtschaftliche Geschäftsbetriebe:

Zu § 64 Abs. 1:

1. Als Gesetz, das die Steuervergünstigung teilweise, nämlich für den wirtschaftlichen Geschäftsbetrieb (§ 14 Sätze 1 und 2), ausschließt, ist das jeweilige Steuergesetz zu verstehen, also § 5 Abs. 1 Nr. 9 KStG, § 3 Nr. 6 GewStG, § 12 Abs. 2 Nr. 8 Satz 2 UStG, § 3 Abs. 1 Nr. 3b GrStG i. V. m. A 12 Abs. 4 GrStR.

2. Wegen des Begriffs „Wirtschaftlicher Geschäftsbetrieb" wird auf § 14 hingewiesen. Zum Begriff der „Nachhaltigkeit" bei wirtschaftlichen Geschäftsbetrieben siehe BFH-Urteil vom 21. 8. 1985 – I R 60/80 – BStBl. 1986 II, S. 88. Danach ist eine Tätigkeit grundsätzlich nachhaltig, wenn sie auf Wiederholung angelegt ist. Es genügt, wenn bei der Tätigkeit der allgemeine Wille besteht, gleichartige oder ähnliche Handlungen bei sich bietender Gelegenheit zu wiederholen. Wiederholte Tätigkeiten liegen auch vor, wenn der Grund zum Tätigwerden auf einem einmaligen Entschluss beruht, die Erledigung aber mehrere (Einzel-)Tätigkeiten erfordert. Die Einnahmen aus der Verpachtung eines vorher selbst betriebenen wirtschaftlichen Geschäftsbetriebs unterliegen solange der Körperschaft- und Gewerbesteuer, bis die Körperschaft die Betriebsaufgabe erklärt (BFH-Urteil vom 4. 4. 2007 – I R 55/06 – BStBl. II, S. 725).

3. Ob eine an einer Personengesellschaft oder Gemeinschaft beteiligte steuerbegünstigte Körperschaft gewerbliche Einkünfte bezieht und damit einen wirtschaftlichen Geschäftsbetrieb (§ 14 Sätze 1 und 2) unterhält, wird im einheitlichen und gesonderten Gewinnfeststellungsbescheid der Personengesellschaft bindend festgestellt (BFH-Urteil vom 27. 7. 1988 – I R 113/84 – BStBl. 1989 II, S. 134). Ob der wirtschaftliche Geschäftsbetrieb steuerpflichtig ist oder ein Zweckbetrieb (§§ 65 bis 68) vorliegt, ist dagegen bei der Körperschaftsteuerveranlagung der steuerbegünstigten Körperschaft zu entscheiden. Die Beteiligung einer steuerbegünstigten Körperschaft an einer Kapitalgesellschaft ist grundsätzlich Vermögensverwaltung (§ 14 Satz 3). Sie stellt jedoch einen wirtschaftlichen Geschäftsbetrieb dar, wenn mit ihr tatsächlich ein entscheidender Einfluss auf die laufende Geschäftsführung der Kapitalgesellschaft ausgeübt wird oder ein Fall der Betriebsaufspaltung vorliegt (vgl. BFH-Urteil vom 30. 6. 1971 – I R 57/70 – BStBl. II, S. 753; H 15.7 Abs. 4 bis 6 EStH). Besteht die Beteiligung an einer Kapitalgesellschaft, die selbst ausschließlich der Vermögensverwaltung dient, so liegt auch bei Einflussnahme auf die Geschäftsführung kein wirtschaftlicher Geschäftsbetrieb vor (vgl. R 16 Abs. 5 KStR). Dies gilt auch bei Beteiligung an einer steuerbegünstigten Kapitalgesellschaft. Die Grundsätze der Betriebsaufspaltung sind nicht anzuwenden, wenn sowohl das Betriebs- als auch das Besitzunternehmen steuerbegünstigt sind.

4. Bei der Ermittlung des Gewinns aus dem wirtschaftlichen Geschäftsbetrieb sind die Betriebsausgaben zu berücksichtigen, die durch den Betrieb veranlasst sind. Dazu gehören Ausgaben, die dem Betrieb unmittelbar zuzuordnen sind, weil sie ohne den Betrieb nicht oder zumindest nicht in dieser Höhe angefallen wären.

5. Bei so genannten gemischt veranlassten Kosten, die sowohl durch die steuerfreie als auch durch die steuerpflichtige Tätigkeit veranlasst sind, scheidet eine Berücksichtigung als Betriebsausgaben des steuerpflichtigen wirtschaftlichen Geschäftsbetriebs grundsätzlich aus, wenn sie ihren primären Anlass im steuerfreien Bereich haben. Werden zum Beispiel Werbemaßnahmen bei sportlichen oder kulturellen Veranstaltungen durchgeführt, sind die Veranstaltungskosten, soweit sie auch ohne die Werbung entstanden wären, keine Betriebsausgaben des steuerpflichtigen wirtschaftlichen Geschäftsbetriebs „Werbung" (BFH-Urteil vom 27. 3. 1991 – I R 31/89 – BStBl. 1992 II, S. 103; zur pauschalen Gewinnermittlung bei Werbung im Zusammenhang mit der steuerbegünstigten Tätigkeit einschließlich Zweckbetrieben vgl. Nrn. 28 ff.).

6. Unabhängig von ihrer primären Veranlassung ist eine anteilige Berücksichtigung von gemischt veranlassten Aufwendungen (einschließlich Absetzung für Abnutzung) als Betriebsausgaben des steuerpflichtigen wirtschaftlichen Geschäftsbetriebs dann zulässig, wenn ein objektiver Maßstab für die Aufteilung der Aufwendungen (zum Beispiel nach zeitlichen Gesichtspunkten) auf den ideellen Bereich einschließlich der Zweckbetriebe und den steuerpflichtigen wirtschaftlichen Geschäftsbetrieb besteht.

Danach ist zum Beispiel bei der Gewinnermittlung für den steuerpflichtigen wirtschaftlichen Geschäftsbetrieb „Greenfee" von steuerbegünstigten Golfvereinen – abweichend von den Grundsätzen des BFH-Urteils vom 27. 3. 1991 – I R 31/89 – BStBl. 1992 II, S. 103 – wegen der Abgrenzbarkeit nach objektiven Maßstäben (zum Beispiel im Verhältnis der Nutzung der Golfanlage durch vereinsfremde Spieler zu den Golf spielenden Vereinsmitgliedern im Kalenderjahr) trotz primärer Veranlassung durch den ideellen Bereich des Golfvereins ein anteiliger Betriebsausgabenabzug der Aufwendungen (zum Beispiel für Golfplatz- und Personalkosten) zulässig. Bei gemeinnützigen Musikvereinen sind Aufwendungen, die zu einem Teil mit Auftritten ihrer Musikgruppen bei eigenen steuerpflichtigen Festveranstaltungen zusammenhängen, anteilig als Betriebsausgaben des steuerpflichtigen wirtschaftlichen Geschäftsbetriebs abzuziehen. Derartige Aufwendungen sind zum Beispiel Kosten für Notenmaterial, Uniformen und Verstärkeranlagen, die sowohl bei Auftritten, die unentgeltlich erfolgen oder Zweckbetriebe sind, als auch bei Auftritten im Rahmen eines eigenen steuerpflichtigen Betriebs eingesetzt werden. Als Maßstab für die Aufteilung kommt die Zahl der Stunden, die einschließlich der Proben auf die jeweiligen Bereiche entfallen, in Betracht.

Auch die Personal- und Sachkosten für die allgemeine Verwaltung können grundsätzlich im wirtschaftlichen Geschäftsbetrieb abgezogen werden, soweit sie bei einer Aufteilung nach objektiven Maßstäben teilweise darauf entfallen. Bei Kosten für die Errichtung und Unterhaltung von Vereinsheimen gibt es in der Regel keinen objektiven Aufteilungsmaßstab.

7. Unter Sponsoring wird üblicherweise die Gewährung von Geld oder geldwerten Vorteilen durch Unternehmen zur Förderung von Personen, Gruppen und/oder Organisationen in sportlichen, kulturellen, kirchlichen, wissenschaftlichen, sozialen, ökologischen oder ähnlich bedeutsamen gesellschaftspolitischen Bereichen verstanden, mit der regelmäßig auch eigene unternehmensbezogene Ziele der Werbung oder Öffentlichkeitsarbeit verfolgt werden. Leistungen eines Sponsors beruhen

häufig auf einer vertraglichen Vereinbarung zwischen dem Sponsor und dem Empfänger der Leistungen (Sponsoring-Vertrag), in dem Art und Umfang der Leistungen des Sponsors und des Empfängers geregelt sind.
8. Die im Zusammenhang mit dem Sponsoring erhaltenen Leistungen können bei einer steuerbegünstigten Körperschaft steuerfreie Einnahmen im ideellen Bereich, steuerfreie Einnahmen aus der Vermögensverwaltung oder Einnahmen eines steuerpflichtigen wirtschaftlichen Geschäftsbetriebs sein. Die steuerliche Behandlung der Leistungen beim Empfänger hängt grundsätzlich nicht davon ab, wie die entsprechenden Aufwendungen beim leistenden Unternehmen behandelt werden. Für die Abgrenzung gelten die allgemeinen Grundsätze.
9. Danach liegt kein wirtschaftlicher Geschäftsbetrieb vor, wenn die steuerbegünstigte Körperschaft dem Sponsor nur die Nutzung ihres Namens zu Werbezwecken in der Weise gestattet, dass der Sponsor selbst zu Werbezwecken oder zur Imagepflege auf seine Leistungen an die Körperschaft hinweist.

Ein wirtschaftlicher Geschäftsbetrieb liegt auch dann nicht vor, wenn der Empfänger der Leistungen zum Beispiel auf Plakaten, Veranstaltungshinweisen, in Ausstellungskatalogen oder in anderer Weise auf die Unterstützung durch einen Sponsor lediglich hinweist. Dieser Hinweis kann unter Verwendung des Namens, Emblems oder Logos des Sponsors, jedoch ohne besondere Hervorhebung, erfolgen. Entsprechende Sponsoringeinnahmen sind nicht als Einnahmen aus der Vermögensverwaltung anzusehen. Eine Zuführung zur freien Rücklage nach § 58 Nr. 7 Buchstabe a ist daher lediglich i. H. v. 10 v. H. der Einnahmen, nicht aber i. H. v. einem Drittel des daraus erzielten Überschusses möglich.
10. Ein wirtschaftlicher Geschäftsbetrieb liegt dagegen vor, wenn die Körperschaft an den Werbemaßnahmen mitwirkt. Der wirtschaftliche Geschäftsbetrieb kann kein Zweckbetrieb (§§ 65 bis 68) sein. Soweit Sponsoringeinnahmen unmittelbar in einem aus anderen Gründen steuerpflichtigen wirtschaftlichen Geschäftsbetrieb anfallen, sind sie diesem zuzurechnen.

Zu § 64 Abs. 2:

11. Die Regelung, dass bei steuerbegünstigten Körperschaften mehrere steuerpflichtige wirtschaftliche Geschäftsbetriebe als ein Betrieb zu behandeln sind, gilt auch für die Ermittlung des steuerpflichtigen Einkommens der Körperschaft und für die Beurteilung der Buchführungspflicht nach § 141 Abs. 1. Für die Frage, ob die Grenzen für die Buchführungspflicht überschritten sind, kommt es also auf die Werte (Einnahmen, Überschuss) des Gesamtbetriebs an.

12. § 55 Abs. 1 Nr. 1 Satz 2 und Nr. 3 gilt auch für den steuerpflichtigen wirtschaftlichen Geschäftsbetrieb. [2]Das bedeutet unter anderem, dass Verluste und Gewinnminderungen in den einzelnen steuerpflichtigen wirtschaftlichen Geschäftsbetrieben nicht durch Zuwendungen an Mitglieder oder durch unverhältnismäßig hohe Vergütungen entstanden sein dürfen.

13. Bei einer Körperschaft, die mehrere steuerpflichtige wirtschaftliche Geschäftsbetriebe unterhält, ist für die Frage, ob gemeinnützigkeitsschädliche Verluste vorliegen, nicht auf das Ergebnis des einzelnen steuerpflichtigen wirtschaftlichen Geschäftsbetriebs, sondern auf das zusammengefasste Ergebnis aller steuerpflichtigen wirtschaftlichen Geschäftsbetriebe abzustellen. Danach ist die Gemeinnützigkeit einer Körperschaft gefährdet, wenn die steuerpflichtigen wirtschaftlichen Geschäftsbetriebe insgesamt Verluste erwirtschaften (vgl. zu § 55 Nrn. 4 ff.).

In den Fällen des § 64 Abs. 5 und 6 ist nicht der geschätzte bzw. pauschal ermittelte Gewinn, sondern das Ergebnis zu berücksichtigen, das sich bei einer Ermittlung nach den allgemeinen Regelungen ergeben würde (vgl. Nrn. 4 bis 6).

Zu § 64 Abs. 3:

14. Die Höhe der Einnahmen aus den steuerpflichtigen wirtschaftlichen Geschäftsbetrieben bestimmt sich nach den Grundsätzen der steuerlichen Gewinnermittlung. Bei steuerbegünstigten Körperschaften, die den Gewinn nach § 4 Abs. 1 oder § 5 EStG ermitteln, kommt es deshalb nicht auf den Zufluss im Sinne des § 11 EStG an, so dass auch Forderungszugänge als Einnahmen zu erfassen sind. Bei anderen steuerbegünstigten Körperschaften sind die im Kalenderjahr zugeflossenen Einnahmen (§ 11 EStG) maßgeblich. Ob die Einnahmen die Besteuerungsgrenze übersteigen, ist für jedes Jahr gesondert zu prüfen. Nicht leistungsbezogene Einnahmen sind nicht den für die Besteuerungsgrenze maßgeblichen Einnahmen zuzurechnen (vgl. Nr. 16).

15. Zu den Einnahmen im Sinne des § 64 Abs. 3 gehören leistungsbezogene Einnahmen einschließlich Umsatzsteuer aus dem laufenden Geschäft, wie Einnahmen aus dem Verkauf von Speisen und Getränken. [2]Dazu zählen auch erhaltene Anzahlungen.

16. Zu den leistungsbezogenen Einnahmen im Sinne der Nr. 15 gehören zum Beispiel nicht

a) der Erlös aus der Veräußerung von Wirtschaftsgütern des Anlagevermögens des steuerpflichtigen wirtschaftlichen Geschäftsbetriebs;
b) Betriebskostenzuschüsse sowie Zuschüsse für die Anschaffung oder
   Herstellung von Wirtschaftsgütern des steuerpflichtigen wirtschaftlichen Geschäftsbetriebs;
c) Investitionszulagen;
d) der Zufluss von Darlehen;
e) Entnahmen im Sinne des § 4 Abs. 1 EStG;
f) die Auflösung von Rücklagen;
g) erstattete Betriebsausgaben, zum Beispiel Gewerbe- oder Umsatzsteuer;
h) Versicherungsleistungen mit Ausnahme des Ersatzes von leistungsbezogenen Einnahmen.

17. Ist eine steuerbegünstigte Körperschaft an einer Personengesellschaft oder Gemeinschaft beteiligt, sind für die Beurteilung, ob die Besteuerungsgrenze überschritten wird, die anteiligen (Brutto-)Einnah-
men aus der Beteiligung – nicht aber der Gewinnanteil – maßgeblich.
Bei Beteiligung einer steuerbegünstigten Körperschaft an einer Kapitalgesellschaft sind die Bezüge im Sinne des § 8b Abs. 1 KStG und die Er-
löse aus der Veräußerung von Anteilen im Sinne des § 8b Abs. 2 KStG
als Einnahmen im Sinne des § 64 Abs. 3 zu erfassen, wenn die Beteiligung einen steuerpflichtigen wirtschaftlichen Geschäftsbetrieb darstellt
(vgl. Nr. 3) oder in einem steuerpflichtigen wirtschaftlichen Geschäftsbetrieb gehalten wird.

18. In den Fällen des § 64 Abs. 5 und 6 sind für die Prüfung, ob die Besteuerungsgrenze im Sinne des § 64 Abs. 3 überschritten wird, die tatsächlichen Einnahmen anzusetzen.

19. Einnahmen aus sportlichen Veranstaltungen, die nach § 67a Abs. 1
Satz 1 oder – bei einer Option – Abs. 3 kein Zweckbetrieb sind, gehören zu den Einnahmen im Sinne des § 64 Abs. 3.

Beispiel: Ein Sportverein, der auf die Anwendung des § 67a Abs. 1
Satz 1 (Zweckbetriebsgrenze) verzichtet hat, erzielt im Jahr 01 folgende
Einnahmen aus wirtschaftlichen Geschäftsbetrieben:

Sportliche Veranstaltungen, an denen kein bezahlter Sportler
teilgenommen hat: 40.000 €
Sportliche Veranstaltungen, an denen bezahlte Sportler des
Vereins teilgenommen haben: 20.000 €
Verkauf von Speisen und Getränken: 5.000 €
Die Einnahmen aus wirtschaftlichen Geschäftsbetrieben, die keine

Zweckbetriebe sind, betragen 25.000 € (20.000 € + 5.000 €). Die Besteuerungsgrenze von 35.000 € wird nicht überschritten.

20. Eine wirtschaftliche Betätigung verliert durch das Unterschreiten der Besteuerungsgrenze nicht den Charakter des steuerpflichtigen wirtschaftlichen Geschäftsbetriebs. Das bedeutet, dass kein Beginn einer teilweisen Steuerbefreiung im Sinne des § 13 Abs. 5 KStG vorliegt und dementsprechend keine Schlussbesteuerung durchzuführen ist, wenn Körperschaft- und Gewerbesteuer wegen § 64 Abs. 3 nicht mehr erhoben werden.

21. Bei Körperschaften mit einem vom Kalenderjahr abweichenden Wirtschaftsjahr sind für die Frage, ob die Besteuerungsgrenze überschritten wird, die in dem Wirtschaftsjahr erzielten Einnahmen maßgeblich.

22. Der allgemeine Grundsatz des Gemeinnützigkeitsrechts, dass für die steuerbegünstigten Zwecke gebundene Mittel nicht für den Ausgleich von Verlusten aus steuerpflichtigen wirtschaftlichen Geschäftsbetrieben verwendet werden dürfen, wird durch § 64 Abs. 3 nicht aufgehoben. Unter diesem Gesichtspunkt braucht jedoch bei Unterschreiten der Besteuerungsgrenze der Frage der Mittelverwendung nicht nachgegangen zu werden, wenn bei überschlägiger Prüfung der Aufzeichnungen erkennbar ist, dass in dem steuerpflichtigen wirtschaftlichen Geschäftsbetrieb (§ 64 Abs. 2) keine Verluste entstanden sind.

23. Verluste und Gewinne aus Jahren, in denen die maßgeblichen Einnahmen die Besteuerungsgrenze nicht übersteigen, bleiben bei dem Verlustabzug (§ 10 d EStG) außer Ansatz. Ein rück- und vortragbarer Verlust kann danach nur in Jahren entstehen, in denen die Einnahmen die Besteuerungsgrenze übersteigen. Dieser Verlust wird nicht für Jahre verbraucht, in denen die Einnahmen die Besteuerungsgrenze von 35.000 € nicht übersteigen.

Zu § 64 Abs. 4:

24. § 64 Abs. 4 gilt nicht für regionale Untergliederungen (Landes-, Bezirks-, Ortsverbände) steuerbegünstigter Körperschaften.

Zu § 64 Abs. 5:

25. § 64 Abs. 5 gilt nur für Altmaterialsammlungen (Sammlung und Verwertung von Lumpen, Altpapier, Schrott). Die Regelung gilt nicht für den Einzelverkauf gebrauchter Sachen (Gebrauchtwarenhandel). Basare und ähnliche Einrichtungen sind deshalb nicht begünstigt.

26. § 64 Abs. 5 ist nur anzuwenden, wenn die Körperschaft dies beantragt (Wahlrecht).

27. Der branchenübliche Reingewinn ist bei der Verwertung von Altpapier mit 5 v. H. und bei der Verwertung von anderem Altmaterial mit 20 v. H, der Einnahmen anzusetzen.

Zu § 64 Abs. 6:

28. Bei den genannten steuerpflichtigen wirtschaftlichen Geschäftsbetrieben ist der Besteuerung auf Antrag der Körperschaft ein Gewinn von 15 v. H. der Einnahmen zugrunde zu legen. Der Antrag gilt jeweils für alle gleichartigen Tätigkeiten in dem betreffenden Veranlagungszeitraum. Er entfaltet keine Bindungswirkung für folgende Veranlagungszeiträume.

29. Nach § 64 Abs. 6 Nr. 1 kann der Gewinn aus Werbemaßnahmen pauschal ermittelt werden, wenn sie im Zusammenhang mit der steuerbegünstigten Tätigkeit einschließlich Zweckbetrieben stattfinden. Beispiele für derartige Werbemaßnahmen sind die Trikot- oder Bandenwerbung bei Sportveranstaltungen, die ein Zweckbetrieb sind, oder die aktive Werbung in Programmheften oder auf Plakaten bei kulturellen Veranstaltungen. Dies gilt auch für Sponsoring im Sinne von Nr. 10.

30. Soweit Werbeeinnahmen nicht im Zusammenhang mit der ideellen steuerbegünstigten Tätigkeit oder einem Zweckbetrieb erzielt werden, zum Beispiel Werbemaßnahmen bei einem Vereinsfest oder bei sportlichen Veranstaltungen, die wegen Überschreitens der Zweckbetriebsgrenze des § 67a Abs. 1 oder wegen des Einsatzes bezahlter Sportler ein steuerpflichtiger wirtschaftlicher Geschäftsbetrieb sind, ist § 64 Abs. 6 nicht anzuwenden.

31. Nach § 64 Abs. 6 Nr. 2 kann auch der Gewinn aus dem Totalisatorbetrieb der Pferderennvereine mit 15 v. H. der Einnahmen angesetzt werden. Die maßgeblichen Einnahmen ermitteln sich wie folgt:

Wetteinnahmen

abzgl. Rennwettsteuer (Totalisatorsteuer)

abzgl. Auszahlungen an die Wetter.

Zu § 64 Abs. 5 und 6:

32. Wird in den Fällen des § 64 Abs. 5 oder 6 kein Antrag auf Schätzung des Überschusses oder auf pauschale Gewinnermittlung gestellt, ist der Gewinn nach den allgemeinen Regeln durch Gegenüberstellung der Betriebseinnahmen und der Betriebsausgaben zu ermitteln (vgl. Nrn. 4 bis 6).

33. Wird der Überschuss nach § 64 Abs. 5 geschätzt oder nach § 64

Abs. 6 pauschal ermittelt, sind dadurch auch die damit zusammenhängenden tatsächlichen Aufwendungen der Körperschaft abgegolten; sie können nicht zusätzlich abgezogen werden.

34. Wird der Überschuss nach § 64 Abs. 5 geschätzt oder nach § 64 Abs. 6 pauschal ermittelt, muss die Körperschaft die mit diesen Einnahmen im Zusammenhang stehenden Einnahmen und Ausgaben gesondert aufzeichnen. Die genaue Höhe der Einnahmen wird zur Ermittlung des Gewinns nach § 64 Abs. 5 bzw. 6 benötigt. Die mit diesen steuerpflichtigen wirtschaftlichen Geschäftsbetrieben zusammenhängenden Ausgaben dürfen das Ergebnis der anderen steuerpflichtigen wirtschaftlichen Geschäftsbetriebe nicht mindern.

35. Die in den Bruttoeinnahmen ggf. enthaltene Umsatzsteuer gehört nicht zu den maßgeblichen Einnahmen im Sinne des § 64 Abs. 5 und 6.

§ 65 Zweckbetrieb. Ein Zweckbetrieb ist gegeben, wenn

1. der wirtschaftliche Geschäftsbetrieb in seiner Gesamtrichtung dazu dient, die steuerbegünstigten satzungsmäßigen Zwecke der Körperschaft zu verwirklichen,

2. die Zwecke nur durch einen solchen Geschäftsbetrieb erreicht werden können und

3. der wirtschaftliche Geschäftsbetrieb zu nicht begünstigten Betrieben derselben oder ähnlicher Art nicht in größerem Umfang in Wettbewerb tritt, als es bei Erfüllung der steuerbegünstigten Zwecke unvermeidbar ist.

AEAO zu § 65 – Zweckbetrieb:

1. Der Zweckbetrieb ist ein wirtschaftlicher Geschäftsbetrieb im Sinne von § 14. Jedoch wird ein wirtschaftlicher Geschäftsbetrieb unter bestimmten Voraussetzungen steuerlich dem begünstigten Bereich der Körperschaft zugerechnet.

2. Ein Zweckbetrieb muss tatsächlich und unmittelbar satzungsmäßige Zwecke der Körperschaft verwirklichen, die ihn betreibt. Es genügt nicht, wenn er begünstigte Zwecke verfolgt, die nicht satzungsmäßige Zwecke der ihn tragenden Körperschaft sind. Ebenso wenig genügt es, wenn er der Verwirklichung begünstigter Zwecke nur mittelbar dient, zum Beispiel durch Abführung seiner Erträge (BFH-Urteil vom 21. 8. 1985 – I R 60/80 – BStBl. 1986 II, S. 88). Ein Zweckbetrieb muss deshalb in seiner Gesamtrichtung mit den ihn begründenden Tätigkeiten und nicht nur mit den durch ihn erzielten Einnahmen den steuerbegünstigten Zwecken dienen (BFH-Urteil vom 26. 4. 1995 – I R 35/93 – BStBl. II, S. 767).

3. Weitere Voraussetzung eines Zweckbetriebes ist, dass die Zwecke der

Körperschaft nur durch ihn erreicht werden können. Die Körperschaft muss den Zweckbetrieb zur Verwirklichung ihrer satzungsmäßigen Zwecke unbedingt und unmittelbar benötigen.

4. Der Wettbewerb eines Zweckbetriebes zu nicht begünstigten Betrieben derselben oder ähnlicher Art muss auf das zur Erfüllung der steuerbegünstigten Zwecke unvermeidbare Maß begrenzt sein. Eine tatsächliche, konkrete Konkurrenz- und Wettbewerbslage zu steuerpflichtigen Betrieben derselben oder ähnlichen Art ist nicht erforderlich (BFH-Urteil vom 27. 10. 1993 – I R 60/91 – BStBl. 1994 II, S. 573). Ein Zweckbetrieb ist daher – entgegen dem BFH-Urteil vom 30. 3. 2000 – V R 30/99 – BStBl. II, S. 705) – bereits dann nicht gegeben, wenn ein Wettbewerb mit steuerpflichtigen Unternehmen lediglich möglich wäre, ohne dass es auf die tatsächliche Wettbewerbssituation vor Ort ankommt. Unschädlich ist dagegen der uneingeschränkte Wettbewerb zwischen Zweckbetrieben, die demselben steuerbegünstigten Zweck dienen und ihn in der gleichen oder in ähnlicher Form verwirklichen.

§ 66 Wohlfahrtspflege. (1) Eine Einrichtung der Wohlfahrtspflege ist ein Zweckbetrieb, wenn sie in besonderem Maß den in § 53 genannten Personen dient.

(2) Wohlfahrtspflege ist die planmäßige, zum Wohle der Allgemeinheit und nicht des Erwerbs wegen ausgeübte Sorge für notleidende oder gefährdete Mitmenschen. Die Sorge kann sich auf das gesundheitliche, sittliche, erzieherische oder wirtschaftliche Wohl erstrecken und Vorbeugung oder Abhilfe bezwecken.

(3) Eine Einrichtung der Wohlfahrtspflege dient in besonderem Maße den in § 53 genannten Personen, wenn diesen mindestens zwei Drittel ihrer Leistungen zugute kommen. Für Krankenhäuser gilt § 67.

AEAO zu § 66 – Wohlfahrtspflege:

1. Die Bestimmung enthält eine Sonderregelung für wirtschaftliche Geschäftsbetriebe, die sich mit der Wohlfahrtspflege befassen.

2. Die Wohlfahrtspflege darf nicht des Erwerbs wegen ausgeführt werden. Damit ist keine Einschränkung gegenüber den Voraussetzungen der Selbstlosigkeit gegeben, wie sie in § 55 bestimmt sind.

3. Die Tätigkeit muss auf die Sorge für notleidende oder gefährdete Menschen gerichtet sein. Notleidend bzw. gefährdet sind Menschen, die eine oder beide der in § 53 Nrn. 1 und 2 genannten Voraussetzungen erfüllen. Es ist nicht erforderlich, dass die gesamte Tätigkeit auf die Förderung notleidender bzw. gefährdeter Menschen gerichtet ist. Es genügt, wenn zwei Drittel der Leistungen einer Einrichtung notleidenden bzw.

gefährdeten Menschen zugute kommen. Auf das Zahlenverhältnis von gefährdeten bzw. notleidenden und übrigen geförderten Menschen kommt es nicht an.

4. Eine Einrichtung der Wohlfahrtspflege liegt regelmäßig vor bei häuslichen Pflegeleistungen durch eine steuerbegünstigte Körperschaft im Rahmen des Siebten oder Elften Buches Sozialgesetzbuch, des *Bundessozialhilfegesetzes* oder des Bundesversorgungsgesetzes.

5. Die Belieferung von Studentinnen und Studenten mit Speisen und Getränken in Mensa- und Cafeteria-Betrieben von Studentenwerken ist als Zweckbetrieb zu beurteilen. Der Verkauf von alkoholischen Getränken, Tabakwaren und sonstigen Handelswaren darf jedoch nicht mehr als 5 v. H. des Gesamtumsatzes ausmachen. Entsprechendes gilt für die Grundversorgung von Schülerinnen und Schülern mit Speisen und Getränken an Schulen.

6. Der Krankentransport von Personen, für die während der Fahrt eine fachliche Betreuung bzw. der Einsatz besonderer Einrichtungen eines Krankentransport- oder Rettungswagens erforderlich ist oder möglicherweise notwendig wird, ist als Zweckbetrieb zu beurteilen. Dagegen erfüllt die bloße Beförderung von Personen, für die der Arzt eine Krankenfahrt (Beförderung in Pkw's, Taxen oder Mietwagen) verordnet hat, nicht die Kriterien nach § 66 Abs. 2.

7. Gesellige Veranstaltungen sind als steuerpflichtige wirtschaftliche Geschäftsbetriebe zu behandeln. Veranstaltungen, bei denen zwar auch die Geselligkeit gepflegt wird, die aber in erster Linie zur Betreuung behinderter Personen durchgeführt werden, können unter den Voraussetzungen der §§ 65, 66 Zweckbetrieb sein.

8. Unter § 68 ist eine Reihe von Einrichtungen der Wohlfahrtspflege beispielhaft aufgezählt.

§ 67 Krankenhäuser. (1) Ein Krankenhaus, das in den Anwendungsbereich des Krankenhausentgeltgesetzes oder der Bundespflegesatzverordnung fällt, ist ein Zweckbetrieb, wenn mindestens 40 Prozent der jährlichen Belegungstage oder Berechnungstage auf Patienten entfallen, bei denen nur Entgelte für allgemeine Krankenhausleistungen (§ 7 des Krankenhausentgeltgesetzes, § 10 der Bundespflegesatzverordnung) berechnet werden.

(2) Ein Krankenhaus, das nicht in den Anwendungsbereich des Krankenhausentgeltgesetzes oder der Bundespflegesatzverordnung fällt, ist ein Zweckbetrieb, wenn mindestens 40 Prozent der jährlichen Belegungstage oder Berechnungstage auf Patienten entfallen, bei denen für die Krankenhausleistungen kein höheres Entgelt als nach Absatz 1 berechnet wird.

§ 67 a Sportliche Veranstaltungen. (1) Sportliche Veranstaltungen eines Sportvereins sind ein Zweckbetrieb, wenn die Einnahmen einschließlich Umsatzsteuer insgesamt 35.000 Euro im Jahr nicht übersteigen. Der Verkauf von Speisen und Getränken sowie die Werbung gehören nicht zu den sportlichen Veranstaltungen.

(2) Der Sportverein kann dem Finanzamt bis zur Unanfechtbarkeit des Körperschaftsteuerbescheids erklären, dass er auf die Anwendung des Absatzes 1 Satz 1 verzichtet. Die Erklärung bindet den Sportverein für mindestens fünf Veranlagungszeiträume.

(3) Wird auf die Anwendung des Absatzes 1 Satz 1 verzichtet, sind sportliche Veranstaltungen eines Sportvereins ein Zweckbetrieb, wenn

1. kein Sportler des Vereins teilnimmt, der für seine sportliche Betätigung oder für die Benutzung seiner Person, seines Namens, seines Bildes oder seiner sportlichen Betätigung zu Werbezwecken von dem Verein oder einem Dritten über eine Aufwandsentschädigung hinaus Vergütungen oder andere Vorteile erhält und

2. kein anderer Sportler teilnimmt, der für die Teilnahme an der Veranstaltung von dem Verein oder einem Dritten im Zusammenwirken mit dem Verein über eine Aufwandsentschädigung hinaus Vergütungen oder andere Vorteile erhält.

Andere sportliche Veranstaltungen sind ein steuerpflichtiger wirtschaftlicher Geschäftsbetrieb. Dieser schließt die Steuervergünstigung nicht aus, wenn die Vergütungen oder andere Vorteile ausschließlich aus wirtschaftlichen Geschäftsbetrieben, die nicht Zweckbetriebe sind, oder von Dritten geleistet werden

AEAO zu § 67 a – Sportliche Veranstaltungen:

Allgemeines

1. Sportliche Veranstaltungen eines Sportvereins sind grundsätzlich ein Zweckbetrieb, wenn die Einnahmen einschließlich der Umsatzsteuer aus allen sportlichen Veranstaltungen des Vereins die Zweckbetriebsgrenze von 35.000 € im Jahr nicht übersteigen (§ 67 a Abs. 1 Satz 1). Übersteigen die Einnahmen die Zweckbetriebsgrenze von 35.000 €, liegt grundsätzlich ein steuerpflichtiger wirtschaftlicher Geschäftsbetrieb vor.

Der Verein kann auf die Anwendung der Zweckbetriebsgrenze verzichten (§ 67 a Abs. 2). Die steuerliche Behandlung seiner sportlichen Veranstaltungen richtet sich dann nach § 67 a Abs. 3.

2. Unter Sportvereinen im Sinne der Vorschrift sind alle gemeinnützigen Körperschaften zu verstehen, bei denen die Förderung des Sports

(§ 52 Abs. 2 Nr. 21) Satzungszweck ist; die tatsächliche Geschäftsführung muss diesem Satzungszweck entsprechen (§ 59). § 67 a gilt also zum Beispiel auch für Sportverbände. Sie gilt auch für Sportvereine, die Fußballveranstaltungen unter Einsatz ihrer Lizenzspieler nach der „Lizenzordnung Spieler" der Organisation „Die Liga-Fußballverband e.V. – Ligaverband" durchführen.

3. Als sportliche Veranstaltung ist die organisatorische Maßnahme eines Sportvereins anzusehen, die es aktiven Sportlern (die nicht Mitglieder des Vereins zu sein brauchen) ermöglicht, Sport zu treiben (BFH-Urteil vom 25. 7. 1996 – V R 7/95 – BStBl. 1997 II, S. 154). Eine sportliche Veranstaltung liegt auch dann vor, wenn ein Sportverein in Erfüllung seiner Satzungszwecke im Rahmen einer Veranstaltung einer anderen Person oder Körperschaft eine sportliche Darbietung erbringt. Die Veranstaltung, bei der die sportliche Darbietung präsentiert wird, braucht keine steuerbegünstigte Veranstaltung zu sein (BFH-Urteil vom 4. 5. 1994 – XI R 109/90 – BStBl. II, S. 886).

4. Sportreisen sind als sportliche Veranstaltungen anzusehen, wenn die sportliche Betätigung wesentlicher und notwendiger Bestandteil der Reise ist (zum Beispiel Reise zum Wettkampfort). Reisen, bei denen die Erholung der Teilnehmer im Vordergrund steht (Touristikreisen), zählen dagegen nicht zu den sportlichen Veranstaltungen, selbst wenn anlässlich der Reise auch Sport getrieben wird.

5. Die Ausbildung und Fortbildung in sportlichen Fertigkeiten gehört zu den typischen und wesentlichen Tätigkeiten eines Sportvereins. Sportkurse und Sportlehrgänge für Mitglieder und Nichtmitglieder von Sportvereinen (Sportunterricht) sind daher als „sportliche Veranstaltungen" zu beurteilen. Es ist unschädlich für die Zweckbetriebseigenschaft, dass der Verein mit dem Sportunterricht in Konkurrenz zu gewerblichen Sportlehrern (zum Beispiel Reitlehrer, Skilehrer, Tennislehrer, Schwimmlehrer) tritt, weil § 67 a als die speziellere Vorschrift dem § 65 vorgeht. Die Beurteilung des Sportunterrichts als sportliche Veranstaltung hängt nicht davon ab, ob der Unterricht durch Beiträge, Sonderbeiträge oder Sonderentgelte abgegolten wird.

6. Der Verkauf von Speisen und Getränken – auch an Wettkampfteilnehmer, Schiedsrichter, Kampfrichter, Sanitäter usw. – und die Werbung gehören nicht zu den sportlichen Veranstaltungen. Diese Tätigkeiten sind gesonderte steuerpflichtige wirtschaftliche Geschäftsbetriebe. Nach § 64 Abs. 2 ist es jedoch möglich, Überschüsse aus diesen Betrieben mit Verlusten aus sportlichen Veranstaltungen, die steuerpflichtige wirtschaftliche Geschäftsbetriebe sind, zu verrechnen.

7. Wird für den Besuch einer sportlichen Veranstaltung, die Zweckbetrieb ist, mit Bewirtung ein einheitlicher Eintrittspreis bezahlt, so ist dieser – ggf. im Wege der Schätzung – in einen Entgeltsanteil für den Besuch der sportlichen Veranstaltung und in einen Entgeltsanteil für die Bewirtungsleistungen aufzuteilen.

8. Zur Zulässigkeit einer pauschalen Gewinnermittlung beim steuerpflichtigen wirtschaftlichen Geschäftsbetrieb „Werbung" wird auf Nrn. 28 bis 35 zu § 64 hingewiesen.

9. Die entgeltliche Übertragung des Rechts zur Nutzung von Werbeflächen in vereinseigenen oder gemieteten Sportstätten (zum Beispiel an der Bande) sowie von Lautsprecheranlagen an Werbeunternehmer ist als steuerfreie Vermögensverwaltung (§ 14 Satz 3) zu beurteilen. Voraussetzung ist jedoch, dass dem Pächter (Werbeunternehmer) ein angemessener Gewinn verbleibt. Es ist ohne Bedeutung, ob die sportlichen Veranstaltungen, bei denen der Werbeunternehmer das erworbene Recht nutzt, Zweckbetrieb oder wirtschaftlicher Geschäftsbetrieb sind.

Die entgeltliche Übertragung des Rechts zur Nutzung von Werbeflächen auf der Sportkleidung (zum Beispiel auf Trikots, Sportschuhen, Helmen) und auf Sportgeräten ist stets als steuerpflichtiger wirtschaftlicher Geschäftsbetrieb zu behandeln.

10. Die Unterhaltung von Club-Häusern, Kantinen, Vereinsheimen oder Vereinsgaststätten ist keine „sportliche Veranstaltung", auch wenn diese Einrichtungen ihr Angebot nur an Mitglieder richten.

11. Bei Vermietung von Sportstätten einschließlich der Betriebsvorrichtungen für sportliche Zwecke ist zwischen der Vermietung auf längere Dauer und der Vermietung auf kurze Dauer (zum Beispiel stundenweise Vermietung, auch wenn die Stunden für einen längeren Zeitraum im Voraus festgelegt werden) zu unterscheiden.

12. Die Vermietung auf längere Dauer ist dem Bereich der steuerfreien Vermögensverwaltung zuzuordnen, so dass sich die Frage der Behandlung als „sportliche Veranstaltung" im Sinne des § 67 a dort nicht stellt.

Die Vermietung von Sportstätten und Betriebsvorrichtungen auf kurze Dauer schafft lediglich die Voraussetzungen für sportliche Veranstaltungen. Sie ist jedoch selbst keine „sportliche Veranstaltung", sondern ein wirtschaftlicher Geschäftsbetrieb eigener Art. Dieser ist als Zweckbetrieb im Sinne des § 65 anzusehen, wenn es sich bei den Mietern um Mitglieder des Vereins handelt. Bei der Vermietung auf kurze Dauer an Nichtmitglieder tritt der Verein dagegen in größerem Umfang in Wettbewerb zu nicht begünstigten Vermietern, als es bei Erfüllung seiner steuerbegünstigten Zwecke unvermeidbar ist (§ 65 Nr. 3). Diese Art der Vermietung ist deshalb als steuerpflichtiger wirtschaftlicher Geschäftsbetrieb zu behandeln.

13. Werden im Zusammenhang mit der Vermietung von Sportstätten und Betriebsvorrichtungen auch bewegliche Gegenstände, zum Beispiel Tennisschläger oder Golfschläger überlassen, stellt die entgeltliche Überlassung dieser Gegenstände ein Hilfsgeschäft dar, das das steuerliche Schicksal der Hauptleistung teilt (BFH-Urteil vom 30. 3. 2000 – V R 30/99 – BStBl. II, S. 705). Bei der alleinigen Überlassung von Sportgeräten, zum Beispiel eines Flugzeugs, bestimmt sich die Zweckbetriebseigenschaft danach, ob die Sportgeräte Mitgliedern oder Nichtmitgliedern des Vereins überlassen werden.

14. § 3 Nr. 26 EStG gilt nicht für Einnahmen, die ein nebenberuflicher Übungsleiter etc. für eine Tätigkeit in einem steuerpflichtigen wirtschaftlichen Geschäftsbetrieb „sportliche Veranstaltungen" erhält.

15. Werden sportliche Veranstaltungen, die im vorangegangenen Veranlagungszeitraum Zweckbetrieb waren, zu einem steuerpflichtigen wirtschaftlichen Geschäftsbetrieb oder umgekehrt, ist grundsätzlich § 13 Abs. 5 KStG anzuwenden.

Zu § 67 a Abs. 1:

16. Bei der Anwendung der Zweckbetriebsgrenze von 35.000 € sind alle Einnahmen der Veranstaltungen zusammenzurechnen, die in dem maßgeblichen Jahr nach den Regelungen der Nrn. 1 bis 15 als sportliche Veranstaltungen anzusehen sind. Zu diesen Einnahmen gehören insbesondere Eintrittsgelder, Startgelder, Zahlungen für die Übertragung sportlicher Veranstaltungen in Rundfunk und Fernsehen, Lehrgangsgebühren und Ablösezahlungen. Zum allgemeinen Einnahmebegriff wird auf die Nrn. 15 und 16 zu § 64 hingewiesen.

17. Die Bezahlung von Sportlern in einem Zweckbetrieb im Sinne des § 67 a Abs. 1 Satz 1 ist zulässig (§ 58 Nr. 9). Dabei ist die Herkunft der Mittel, mit denen die Sportler bezahlt werden, ohne Bedeutung.

18. Die Zahlung von Ablösesummen ist in einem Zweckbetrieb im Sinne des § 67 a Abs. 1 Satz 1 uneingeschränkt zulässig.

19. Bei Spielgemeinschaften von Sportvereinen ist – unabhängig von der Qualifizierung der Einkünfte im Feststellungsbescheid für die Gemeinschaft – bei der Körperschaftsteuerveranlagung der beteiligten Sportvereine zu entscheiden, ob ein Zweckbetrieb oder ein steuerpflichtiger wirtschaftlicher Geschäftsbetrieb gegeben ist. Dabei ist für die Beurteilung der Frage, ob die Zweckbetriebsgrenze des § 67a Abs. 1 Satz 1 überschritten wird, die Höhe der anteiligen Einnahmen (nicht des anteiligen Gewinns) maßgeblich.

Zu § 67a Abs. 2:

20. Ein Verzicht auf die Anwendung des § 67a Abs. 1 Satz 1 ist auch dann möglich, wenn die Einnahmen aus den sportlichen Veranstaltungen die Zweckbetriebsgrenze von 35.000 € nicht übersteigen.
21. Die Option nach § 67a Abs. 2 kann bis zur Unanfechtbarkeit des Körperschaftsteuerbescheids widerrufen werden. Die Regelungen in Abschnitt 247 Abs. 2 und 6 UStR sind entsprechend anzuwenden. Der Widerruf ist – auch nach Ablauf der Bindungsfrist – nur mit Wirkung ab dem Beginn eines Kalender- oder Wirtschaftsjahres zulässig.

Zu § 67a Abs. 3:

22. Verzichtet ein Sportverein gemäß § 67a Abs. 2 auf die Anwendung der Zweckbetriebsgrenze (§ 67a Abs. 1 Satz 1), sind sportliche Veranstaltungen ein Zweckbetrieb, wenn an ihnen kein bezahlter Sportler des Vereins teilnimmt und der Verein keinen vereinsfremden Sportler selbst oder im Zusammenwirken mit einem Dritten bezahlt. ²Auf die Höhe der Einnahmen oder Überschüsse dieser sportlichen Veranstaltungen kommt es bei Anwendung des § 67a Abs. 3 nicht an. Sportliche Veranstaltungen, an denen ein oder mehrere Sportler teilnehmen, die nach § 67a Abs. 3 Satz 1 Nr. 1 oder 2 als bezahlte Sportler anzusehen sind, sind steuerpflichtige wirtschaftliche Geschäftsbetriebe. Es kommt nach dem Gesetz nicht darauf an, ob ein Verein eine Veranstaltung von vornherein als steuerpflichtigen wirtschaftlichen Geschäftsbetrieb angesehen oder ob er – aus welchen Gründen auch immer – zunächst irrtümlich einen Zweckbetrieb angenommen hat.
23. Unter Veranstaltungen im Sinne des § 67a Abs. 3 sind bei allen Sportarten grundsätzlich die einzelnen Wettbewerbe zu verstehen, die in engem zeitlichen und örtlichen Zusammenhang durchgeführt werden. Bei einer Mannschaftssportart ist also nicht die gesamte Meisterschaftsrunde, sondern jedes einzelne Meisterschaftsspiel die zu beurteilende sportliche Veranstaltung. Bei einem Turnier hängt es von der Gestaltung im Einzelfall ab, ob das gesamte Turnier oder jedes einzelne Spiel als eine sportliche Veranstaltung anzusehen ist. Dabei ist von wesentlicher Bedeutung, ob für jedes Spiel gesondert Eintritt erhoben wird und ob die Einnahmen und Ausgaben für jedes Spiel gesondert ermittelt werden.

24. Sportkurse und Sportlehrgänge für Mitglieder und Nichtmitglieder von Sportvereinen sind bei Anwendung des § 67a Abs. 3 als Zweckbetrieb zu behandeln, wenn kein Sportler als Auszubildender teilnimmt, der wegen seiner Betätigung in dieser Sportart als bezahlter Sportler im Sinne des § 67a Abs. 3 anzusehen ist. Die Bezahlung von Ausbildern berührt die Zweckbetriebseigenschaft nicht.

25. Ist ein Sportler in einem Kalenderjahr als bezahlter Sportler anzusehen, sind alle in dem Kalenderjahr durchgeführten sportlichen Veranstaltungen des Vereins, an denen der Sportler teilnimmt, ein steuerpflichtiger wirtschaftlicher Geschäftsbetrieb. Bei einem vom Kalenderjahr abweichenden Wirtschaftsjahr ist das abweichende Wirtschaftsjahr zugrunde zu legen. Es kommt nicht darauf an, ob der Sportler die Merkmale des bezahlten Sportlers erst nach Beendigung der sportlichen Veranstaltung erfüllt. Die Teilnahme unbezahlter Sportler an einer Veranstaltung, an der auch bezahlte Sportler teilnehmen, hat keinen Einfluss auf die Behandlung der Veranstaltung als steuerpflichtiger wirtschaftlicher Geschäftsbetrieb.

26. Die Vergütungen oder anderen Vorteile müssen in vollem Umfang aus steuerpflichtigen wirtschaftlichen Geschäftsbetrieben oder von Dritten geleistet werden (§ 67a Abs. 3 Satz 3). Eine Aufteilung der Vergütungen ist nicht zulässig. Es ist also zum Beispiel steuerlich nicht zulässig, Vergütungen an bezahlte Sportler bis zu 400 € im Monat als Ausgaben des steuerbegünstigten Bereichs und nur die 400 € übersteigenden Vergütungen als Ausgaben des steuerpflichtigen wirtschaftlichen Geschäftsbetriebs „sportliche Veranstaltungen" zu behandeln.

27. Auch die anderen Kosten müssen aus dem steuerpflichtigen wirtschaftlichen Geschäftsbetrieb „sportliche Veranstaltungen", anderen steuerpflichtigen wirtschaftlichen Geschäftsbetrieben oder von Dritten geleistet werden. Dies gilt auch dann, wenn an der Veranstaltung neben bezahlten Sportlern auch unbezahlte Sportler teilnehmen. Die Kosten eines steuerpflichtigen wirtschaftlichen Geschäftsbetriebs „sportliche Veranstaltungen" sind also nicht danach aufzuteilen, ob sie auf bezahlte oder auf unbezahlte Sportler entfallen. Etwaiger Aufwandsersatz an unbezahlte Sportler für die Teilnahme an einer Veranstaltung mit bezahlten Sportlern ist als eine Ausgabe dieser Veranstaltung zu behandeln. Aus Vereinfachungsgründen ist es aber nicht zu beanstanden, wenn die Aufwandspauschale (vgl. Nr. 31) an unbezahlte Sportler nicht als Betriebsausgabe des steuerpflichtigen wirtschaftlichen Geschäftsbetriebs behandelt, sondern aus Mitteln des ideellen Bereichs abgedeckt wird.

28. Trainingskosten (zum Beispiel Vergütungen an Trainer), die sowohl unbezahlte als auch bezahlte Sportler betreffen, sind nach den im Einzelfall gegebenen Abgrenzungsmöglichkeiten aufzuteilen. Als solche kommen beispielsweise in Betracht der jeweilige Zeitaufwand oder – bei gleichzeitigem Training unbezahlter und bezahlter Sportler – die Zahl der trainierten Sportler oder Mannschaften. Soweit eine Abgrenzung anders nicht möglich ist, sind die auf das Training unbezahlter und bezahlter Sportler entfallenden Kosten im Wege der Schätzung zu ermitteln.

29. Werden bezahlte und unbezahlte Sportler einer Mannschaft gleichzeitig für eine Veranstaltung trainiert, die als steuerpflichtiger wirtschaftlicher Geschäftsbetrieb zu beurteilen ist, sind die gesamten Trainingskosten dafür Ausgaben des steuerpflichtigen wirtschaftlichen Geschäftsbetriebs. Die Vereinfachungsregelung in Nr. 27 letzter Satz gilt entsprechend.

30. Sportler des Vereins im Sinne des § 67a Abs. 3 Satz 1 Nr. 1 sind nicht nur die (aktiven) Mitglieder des Vereins, sondern alle Sportler, die für den Verein auftreten, zum Beispiel in einer Mannschaft des Vereins mitwirken. Für Verbände gilt Nr. 37.

31. Zahlungen an einen Sportler des Vereins bis zu insgesamt 400 € je Monat im Jahresdurchschnitt sind für die Beurteilung der Zweckbetriebseigenschaft der sportlichen Veranstaltungen – nicht aber bei der Besteuerung des Sportlers – ohne Einzelnachweis als Aufwandsentschädigung anzusehen. Werden höhere Aufwendungen erstattet, sind die gesamten Aufwendungen im Einzelnen nachzuweisen. Dabei muss es sich um Aufwendungen persönlicher oder sachlicher Art handeln, die dem Grunde nach Werbungskosten oder Betriebsausgaben sein können.

Die Regelung gilt für alle Sportarten.

32. Die Regelung über die Unschädlichkeit pauschaler Aufwandsentschädigungen bis zu 400 € je Monat im Jahresdurchschnitt gilt nur für Sportler des Vereins, nicht aber für Zahlungen an andere Sportler. Einem anderen Sportler, der in einem Jahr nur an einer Veranstaltung des Vereins teilnimmt, kann also nicht ein Betrag bis zu 4.800 € als pauschaler Aufwandsersatz dafür gezahlt werden. Vielmehr führt in den Fällen des § 67a Abs. 3 Satz 1 Nr. 2 jede Zahlung an einen Sportler, die über eine Erstattung des tatsächlichen Aufwands hinausgeht, zum Verlust der Zweckbetriebseigenschaft der Veranstaltung.

33. Zuwendungen der Stiftung Deutsche Sporthilfe, Frankfurt, und vergleichbarer Einrichtungen der Sporthilfe an Spitzensportler sind in der

Regel als Ersatz von besonderen Aufwendungen der Spitzensportler für ihren Sport anzusehen. Sie sind deshalb nicht auf die zulässige Aufwandspauschale von 400 € je Monat im Jahresdurchschnitt anzurechnen. Weisen Sportler die tatsächlichen Aufwendungen nach, so muss sich der Nachweis auch auf die Aufwendungen erstrecken, die den Zuwendungen der Stiftung Deutsche Sporthilfe und vergleichbarer Einrichtungen gegenüber stehen.

34. Bei der Beurteilung der Zweckbetriebseigenschaft einer Sportveranstaltung nach § 67 a Abs. 3 ist nicht zu unterscheiden, ob Vergütungen oder andere Vorteile an einen Sportler für die Teilnahme an sich oder für die erfolgreiche Teilnahme gewährt werden. Entscheidend ist, dass der Sportler aufgrund seiner Teilnahme Vorteile hat, die er ohne seine Teilnahme nicht erhalten hätte. Auch die Zahlung eines Preisgeldes, das über eine Aufwandsentschädigung hinausgeht, begründet demnach einen steuerpflichtigen wirtschaftlichen Geschäftsbetrieb.

35. Bei einem so genannten Spielertrainer ist zu unterscheiden, ob er für die Trainertätigkeit oder für die Ausübung des Sports Vergütungen erhält. Wird er nur für die Trainertätigkeit bezahlt oder erhält er für die Tätigkeit als Spieler nicht mehr als den Ersatz seiner Aufwendungen (vgl. Nr. 31), ist seine Teilnahme an sportlichen Veranstaltungen unschädlich für die Zweckbetriebseigenschaft.

36. Unbezahlte Sportler werden wegen der Teilnahme an Veranstaltungen mit bezahlten Sportlern nicht selbst zu bezahlten Sportlern. Die Ausbildung dieser Sportler gehört nach wie vor zu der steuerbegünstigten Tätigkeit eines Sportvereins, es sei denn, sie werden zusammen mit bezahlten Sportlern für eine Veranstaltung trainiert, die ein steuerpflichtiger wirtschaftlicher Geschäftsbetrieb ist (vgl. Nr. 29).

37. Sportler, die einem bestimmten Sportverein angehören und die nicht selbst unmittelbar Mitglieder eines Sportverbandes sind, werden bei der Beurteilung der Zweckbetriebseigenschaft von Veranstaltungen des Verbandes als andere Sportler im Sinne des § 67 a Abs. 3 Satz 1 Nr. 2 angesehen. Zahlungen der Vereine an Sportler im Zusammenhang mit sportlichen Veranstaltungen der Verbände (zum Beispiel Länderwettkämpfe) sind in diesen Fällen als „Zahlungen von Dritten im Zusammenwirken mit dem Verein" (hier: Verband) zu behandeln.

38. Ablösezahlungen, die einem steuerbegünstigten Sportverein für die Freigabe von Sportlern zufließen, beeinträchtigen seine Gemeinnützigkeit nicht. Die erhaltenen Beträge zählen zu den Einnahmen aus dem steuerpflichtigen wirtschaftlichen Geschäftsbetrieb „sportliche Veranstaltungen", wenn der den Verein wechselnde Sportler in den letzten zwölf Monaten vor seiner Freigabe bezahlter Sportler im Sinne des § 67a Abs. 3 Satz 1 Nr. 1 war. Ansonsten gehören sie zu den Einnahmen aus dem Zweckbetrieb „sportliche Veranstaltungen".

39. Zahlungen eines steuerbegünstigten Sportvereins an einen anderen (abgebenden) Verein für die Übernahme eines Sportlers sind unschädlich für die Gemeinnützigkeit des zahlenden Vereins, wenn sie aus steuerpflichtigen wirtschaftlichen Geschäftsbetrieben für die Übernahme eines Sportlers gezahlt werden, der beim aufnehmenden Verein in den ersten zwölf Monaten nach dem Vereinswechsel als bezahlter Sportler im Sinne des § 67a Abs. 3 Satz 1 Nr. 1 anzusehen ist. Zahlungen für einen Sportler, der beim aufnehmenden Verein nicht als bezahlter Sportler anzusehen ist, sind bei Anwendung des § 67a Abs. 3 nur dann unschädlich für die Gemeinnützigkeit des zahlenden Vereins, wenn lediglich die Ausbildungskosten für den den Verein wechselnden Sportler erstattet werden. ³Eine derartige Kostenerstattung kann bei Zahlungen bis zur Höhe von 2.557 € je Sportler ohne weiteres angenommen werden. Bei höheren Kostenerstattungen sind sämtliche Ausbildungskosten im Einzelfall nachzuweisen. Die Zahlungen mindern nicht den Überschuss des steuerpflichtigen wirtschaftlichen Geschäftsbetriebs „sportliche Veranstaltungen".

Zur steuerlichen Behandlung von Ablösezahlungen bei Anwendung der Zweckbetriebsgrenze des § 67a Abs. 1 Satz 1 vgl. Nrn. 16 und 18.

§ 68 Einzelne Zweckbetriebe. Zweckbetriebe sind auch:

1. a) Alten-, Altenwohn- und Pflegeheime, Erholungsheime, Mahlzeitendienste, wenn sie in besonderem Maß den in § 53 genannten Personen dienen (§ 66 Abs. 3),

   b) Kindergärten, Kinder-, Jugend- und Studentenheime, Schullandheime und Jugendherbergen,

2. a) landwirtschaftliche Betriebe und Gärtnereien, die der Selbstversorgung von Körperschaften dienen und dadurch die sachgemäße Ernährung und ausreichende Versorgung von Anstaltsangehörigen sichern,

   b) andere Einrichtungen, die für die Selbstversorgung von Körperschaften erforderlich sind, wie Tischlereien, Schlossereien,

   wenn die Lieferungen und sonstigen Leistungen dieser Einrichtungen an Außenstehende dem Wert nach 20 Prozent der gesamten Lieferungen und sonstigen Leistungen des Betriebs – einschließlich der an die Körperschaft selbst bewirkten – nicht übersteigen,

3. a) Werkstätten für behinderte Menschen, die nach den Vorschriften des Dritten Buches Sozialgesetzbuch förderungsfähig sind und Personen

Arbeitsplätze bieten, die wegen ihrer Behinderung nicht auf dem allgemeinen Arbeitsmarkt tätig sein können,

b) Einrichtungen für Beschäftigungs- und Arbeitstherapie, in denen behinderte Menschen aufgrund ärztlicher Indikationen außerhalb eines Beschäftigungsverhältnisses zum Träger der Therapieeinrichtung mit dem Ziel behandelt werden, körperliche oder psychische Grundfunktionen zum Zwecke der Wiedereingliederung in das Alltagsleben wiederherzustellen oder die besonderen Fähigkeiten und Fertigkeiten auszubilden, zu fördern und zu trainieren, die für eine Teilnahme am Arbeitsleben erforderlich sind, und

c) Integrationsprojekte im Sinne des § 132 Abs. 1 des Neunten Buches Sozialgesetzbuch, wenn mindestens 40 Prozent der Beschäftigten besonders betroffene schwerbehinderte Menschen im Sinne des § 132 Abs. 1 des Neunten Buches Sozialgesetzbuch sind,

4. Einrichtungen, die zur Durchführung der Blindenfürsorge und zur Durchführung der Fürsorge für Körperbehinderte unterhalten werden,

5. Einrichtungen der Fürsorgeerziehung und der freiwilligen Erziehungshilfe,

6. von den zuständigen Behörden genehmigte Lotterien und Ausspielungen, wenn der Reinertrag unmittelbar und ausschließlich zur Förderung mildtätiger, kirchlicher oder gemeinnütziger Zwecke verwendet wird,

7. kulturelle Einrichtungen, wie Museen, Theater, und kulturelle Veranstaltungen, wie Konzerte, Kunstausstellungen; dazu gehört nicht der Verkauf von Speisen und Getränken,

8. Volkshochschulen und andere Einrichtungen, soweit sie selbst Vorträge, Kurse und andere Veranstaltungen wissenschaftlicher oder belehrender Art durchführen; dies gilt auch, soweit die Einrichtungen den Teilnehmern dieser Veranstaltungen selbst Beherbergung und Beköstigung gewähren,

9. Wissenschafts- und Forschungseinrichtungen, deren Träger sich überwiegend aus Zuwendungen der öffentlichen Hand oder Dritter oder aus der Vermögensverwaltung finanziert. Der Wissenschaft und Forschung dient auch die Auftragsforschung. Nicht zum Zweckbetrieb gehören Tätigkeiten, die sich auf die Anwendung gesicherter wissenschaftlicher Erkenntnisse beschränken, die Übernahme von Projektträgerschaften sowie wirtschaftliche Tätigkeiten ohne Forschungsbezug.

AEAO zu § 68 – Einzelne Zweckbetriebe:

Allgemeines

1. § 68 enthält einen gesetzlichen Katalog einzelner Zweckbetriebe und geht als spezielle Norm der Regelung des § 65 vor (BFH-Urteil vom 4. 6. 2003 – I R 25/02 – BStBl. 2004 II, S. 660). Die beispielhafte Aufzählung von Betrieben, die ihrer Art nach Zweckbetriebe sein können, gibt wichtige Anhaltspunkte für die Auslegung der Begriffe Zweckbetrieb (§ 65) im Allgemeinen und Einrichtungen der Wohlfahrtspflege (§ 66) im Besonderen.

Zu § 68 Nr. 1:

2. Wegen der Begriffe „Alten-, Altenwohn- und Pflegeheime" Hinweis auf § 1 des Heimgesetzes. Eine für die Allgemeinheit zugängliche Cafeteria ist ein steuerpflichtiger wirtschaftlicher Geschäftsbetrieb. [3]Soweit eine steuerbegünstigte Körperschaft Leistungen im Rahmen der häuslichen Pflege erbringt, liegt in der Regel ein Zweckbetrieb nach § 66 vor (vgl. zu § 66 Nr. 4).

3. Bei Kindergärten, Kinder-, Jugend- und Studentenheimen sowie bei Schullandheimen und Jugendherbergen müssen die geförderten Personen die Voraussetzungen nach § 53 nicht erfüllen. Jugendherbergen verlieren ihre Zweckbetriebseigenschaft nicht, wenn außerhalb ihres satzungsmäßigen Zwecks der Umfang der Beherbergung allein reisender Erwachsener 10 v. H. der Gesamtbeherbergungen nicht übersteigt (BFH-Urteil vom 18. 1. 1995 – V R 139–142/92 – BStBl. II, S. 446).

Zu § 68 Nr. 2:

4. Begünstigt sind insbesondere so genannte Selbstversorgungseinrichtungen, die Teil der steuerbegünstigten Körperschaft sind. Bei Lieferungen und Leistungen an Außenstehende tritt die Körperschaft mit Dritten in Leistungsbeziehung. Solange der Umfang dieser Geschäfte an Dritte, hierzu gehören auch Leistungsempfänger, die selbst eine steuerbegünstigte Körperschaft im Sinne von § 68 Nr. 2 sind (BFH-Urteil vom 18. 10. 1990 – V R 35/85 – BStBl. II 1991, S. 157), nicht mehr als 20 v. H. der gesamten Lieferungen und Leistungen der begünstigten Körperschaft ausmachen, bleibt die Zweckbetriebseigenschaft erhalten.

Zu § 68 Nr. 3:

5. Der Begriff „Werkstatt für behinderte Menschen" bestimmt sich nach § 136 Sozialgesetzbuch – Neuntes Buch – (SGB IX). Hierbei handelt es sich um eine Einrichtung zur Eingliederung behinderter Menschen in das Arbeitsleben. Läden oder Verkaufsstellen von Werkstätten für behinderte Menschen sind grundsätzlich als Zweckbetriebe zu behandeln, wenn dort Produkte verkauft werden, die von Werkstätten für behinderte Menschen hergestellt worden sind. Eine Herstellung ist nur dann anzunehmen, wenn die Wertschöpfung durch die Werkstatt mehr als 10 % des Nettowerts (Bemessungsgrundlage) der zugekauften Waren beträgt. Werden von dem Laden oder der Verkaufsstelle der Werkstatt auch zugekaufte Waren, die nicht von ihr oder anderen Werkstätten für behinderte Menschen hergestellt worden sind, weiterverkauft, liegt insoweit ein gesonderter wirtschaftlicher Geschäftsbetrieb vor.

6. Zu den Zweckbetrieben gehören auch die von den Trägern der Werkstätten für behinderte Menschen betriebenen Kantinen, weil die besondere Situation der behinderten Menschen auch während der Mahlzeiten eine Betreuung erfordert.

7. Einrichtungen für Beschäftigungs- und Arbeitstherapie, die der Eingliederung von behinderten Menschen dienen, sind besondere Einrichtungen, in denen eine Behandlung von behinderten Menschen aufgrund ärztlicher Indikationen erfolgt. Während eine Beschäftigungstherapie ganz allgemein das Ziel hat, körperliche oder psychische Grundfunktionen zum Zwecke der Wiedereingliederung in das Alltagsleben wiederherzustellen, zielt die Arbeitstherapie darauf ab, die besonderen Fähigkeiten und Fertigkeiten auszubilden, zu fördern und zu trainieren, die für eine Teilnahme am Arbeitsleben erforderlich sind. Beschäftigungs- und Arbeitstherapie sind vom medizinischen Behandlungszweck geprägt und erfolgen regelmäßig außerhalb eines Beschäftigungsverhältnisses zum Träger der Therapieeinrichtung. Ob eine entsprechende Einrichtung vorliegt, ergibt sich aufgrund der Vereinbarungen über Art und Umfang der Heilbehandlung und Rehabilitation zwischen dem Träger der Einrichtung und den Leistungsträgern.

Zu § 68 Nr. 4:

8. Begünstigte Einrichtungen sind insbesondere Werkstätten, die zur Fürsorge von blinden und körperbehinderten Menschen unterhalten werden.

Zu § 68 Nr. 6:

9. Lotterien und Ausspielungen sind ein Zweckbetrieb, wenn sie von den zuständigen Behörden genehmigt sind oder nach den jeweiligen landesrechtlichen Bestimmungen wegen des geringen Umfangs der Tombola oder Lotterieveranstaltung per Verwaltungserlass pauschal als genehmigt gelten. Die sachlichen Voraussetzungen und die Zuständigkeit für die Genehmigung bestimmen sich nach den lotterierechtlichen Verordnungen der Länder. Der Gesetzeswortlaut lässt es offen, in welchem Umfang solche Lotterien veranstaltet werden dürfen. Da eine besondere Einschränkung fehlt, ist auch eine umfangreiche Tätigkeit so lange unschädlich, als die allgemein durch das Gesetz gezogenen Grenzen nicht überschritten werden und die Körperschaft durch den Umfang

der Lotterieveranstaltungen nicht ihr Gepräge als begünstigte Einrichtung verliert.

10. Zur Ermittlung des Reinertrags dürfen den Einnahmen aus der Lotterieveranstaltung oder Ausspielung nur die unmittelbar damit zusammenhängenden Ausgaben gegenübergestellt werden. Führt eine steuerbegünstigte Körperschaft eine Lotterieveranstaltung durch, die nach dem Rennwett- und Lotteriegesetz nicht genehmigungsfähig ist, zum Beispiel eine Tombola anlässlich einer geselligen Veranstaltung, handelt es sich insoweit nicht um einen Zweckbetrieb nach § 68 Nr. 6.

Zu § 68 Nr. 7:

11. Wegen der Breite des Spektrums, die die Förderung von Kunst und Kultur umfasst, ist die im Gesetz enthaltene Aufzählung der kulturellen Einrichtungen nicht abschließend.

12. Kulturelle Einrichtungen und Veranstaltungen im Sinne des § 68 Nr. 7 können nur vorliegen, wenn die Förderung der Kultur Satzungszweck der Körperschaft ist. Sie sind stets als Zweckbetrieb zu behandeln. Das BFH-Urteil vom 4.5.1994 – XI R 109/90 – BStBl. II, S. 886 zu sportlichen Darbietungen eines Sportvereins (vgl. zu § 67 a Nr. 3) gilt für kulturelle Darbietungen entsprechend. Demnach liegt auch dann eine kulturelle Veranstaltung der Körperschaft vor, wenn diese eine Darbietung kultureller Art im Rahmen einer Veranstaltung präsentiert, die nicht von der Körperschaft selbst organisiert wird und die ihrerseits keine kulturelle Veranstaltung im Sinne des § 68 Nr. 7 darstellt. Wenn zum Beispiel ein steuerbegünstigter Musikverein, der der Förderung der volkstümlichen Musik dient, gegen Entgelt im Festzelt einer Brauerei ein volkstümliches Musikkonzert darbietet, gehört der Auftritt des Musikvereins als kulturelle Veranstaltung zum Zweckbetrieb.

13. Der Verkauf von Speisen und Getränken und die Werbung bei kulturellen Veranstaltungen gehören nicht zu dem Zweckbetrieb. Diese Tätigkeiten sind gesonderte wirtschaftliche Geschäftsbetriebe. Wird für den Besuch einer kulturellen Veranstaltung mit Bewirtung ein einheitliches Entgelt entrichtet, so ist dieses – ggf. im Wege der Schätzung – in einen Entgeltsanteil für den Besuch der Veranstaltung (Zweckbetrieb) und für die Bewirtungsleistungen (wirtschaftlicher Geschäftsbetrieb) aufzuteilen.

Zu § 68 Nr. 9:

14. Auf das BMF-Schreiben vom 22. 9. 1999 (BStBl. I, S. 944) wird verwiesen.

Anlage 1 zu § 60

Mustersatzung für Vereine, Stiftungen, Betriebe gewerblicher Art von juristischen Personen des öffentlichen Rechts, geistliche Genossenschaften und Kapitalgesellschaften[1]

(nur aus steuerlichen Gründen notwendige Bestimmungen)

§ 1

Der – Die – ... (Körperschaft) mit Sitz in ... verfolgt ausschließlich und unmittelbar – gemeinnützige – mildtätige – kirchliche – Zwecke (nicht verfolgte Zwecke streichen) im Sinne des Abschnitts „Steuerbegünstigte Zwecke" der Abgabenordnung.

Zweck der Körperschaft ist ... (zum Beispiel die Förderung von Wissenschaft und Forschung, Jugend- und Altenhilfe, Erziehung, Volks- und Berufsbildung, Kunst und Kultur, Landschaftspflege, Umweltschutz, des öffentlichen Gesundheitswesens, des Sports, Unterstützung hilfsbedürftiger Personen).

Der Satzungszweck wird verwirklicht insbesondere durch ... (zum Beispiel Durchführung wissenschaftlicher Veranstaltungen und Forschungsvorhaben, Vergabe von Forschungsaufträgen, Unterhaltung einer Schule, einer Erziehungsberatungsstelle, Pflege von Kunstsammlungen, Pflege des Liedgutes und des Chorgesanges, Errichtung von Naturschutzgebieten, Unterhaltung eines Kindergartens, Kinder-, Jugendheimes, Unterhaltung eines Altenheimes, eines Erholungsheimes, Bekämpfung des Drogenmissbrauchs, des Lärms, Förderung sportlicher Übungen und Leistungen).

§ 2

Die Körperschaft ist selbstlos tätig; sie verfolgt nicht in erster Linie eigenwirtschaftliche Zwecke.

§ 3

Mittel der Körperschaft dürfen nur für die satzungsmäßigen Zwecke verwendet werden. Die Mitglieder erhalten keine Zuwendungen aus Mitteln der Körperschaft.

§ 4

Es darf keine Person durch Ausgaben, die dem Zweck der Körperschaft fremd sind, oder durch unverhältnismäßig hohe Vergütungen begünstigt werden.

---

[1] Anzuwenden gem. Art 97 § 1 f des Einführungsgesetzes zur Abgabenordnung auf Körperschaften, die nach dem 31. 12. 2008 gegründet werden, sowie auf Satzungsänderungen bestehender Körperschaften, die nach dem 31. 12. 2008 wirksam werden.

§ 5

Bei Auflösung oder Aufhebung der Körperschaft oder bei Wegfall steuerbegünstigter Zwecke fällt das Vermögen der Körperschaft

1. an – den – die – das –... (Bezeichnung einer juristischen Person des öffentlichen Rechts oder einer anderen steuerbegünstigten Körperschaft), – der – die – das – es unmittelbar und ausschließlich für gemeinnützige, mildtätige oder kirchliche Zwecke zu verwenden hat,

oder

2. an eine juristische Person des öffentlichen Rechts oder eine andere steuerbegünstigte Körperschaft zwecks Verwendung für ... (Angabe eines bestimmten gemeinnützigen, mildtätigen oder kirchlichen Zwecks, zum Beispiel Förderung von Wissenschaft und Forschung, Erziehung, Volks- und Berufsbildung, der Unterstützung von Personen, die im Sinne von § 53 der Abgabenordnung wegen ... bedürftig sind, Unterhaltung des Gotteshauses in ...)

Weitere Hinweise

Bei **Betrieben gewerblicher Art** von juristischen Personen des öffentlichen Rechts, bei den von einer juristischen Person des öffentlichen Rechts verwalteten **unselbstständigen Stiftungen** und bei **geistlichen Genossenschaften** (Orden, Kongregationen) ist folgende Bestimmung aufzunehmen:

§ 3 Abs. 2:

„Der – die – das – ... erhält bei Auflösung oder Aufhebung der Körperschaft oder bei Wegfall steuerbegünstigter Zwecke nicht mehr als – seine – ihre – eingezahlten Kapitalanteile und den gemeinen Wert – seiner – ihrer – geleisteten Sacheinlagen zurück."

Bei **Stiftungen** ist diese Bestimmung nur erforderlich, wenn die Satzung dem Stifter einen Anspruch auf Rückgewähr von Vermögen einräumt. Fehlt die Regelung, wird das eingebrachte Vermögen wie das übrige Vermögen behandelt.

Bei **Kapitalgesellschaften** sind folgende ergänzende Bestimmungen in die Satzung aufzunehmen:

1. § 3 Abs. 1 Satz 2:

„Die Gesellschafter dürfen keine Gewinnanteile und auch keine sonstigen Zuwendungen aus Mitteln der Körperschaft erhalten."

2. § 3 Abs. 2:

„Sie erhalten bei ihrem Ausscheiden oder bei Auflösung der Körperschaft oder bei Wegfall steuerbegünstigter Zwecke nicht mehr als ihre eingezahlten Kapitalanteile und den gemeinen Wert ihrer geleisteten Sacheinlagen zurück."

3. § 5:

„Bei Auflösung der Körperschaft oder bei Wegfall steuerbegünstigter Zwecke fällt das Vermögen der Körperschaft, soweit es die eingezahlten Kapitalanteile der Gesellschafter und den gemeinen Wert der von den Gesellschaftern geleisteten Sacheinlagen übersteigt, ..."

§ 3 Abs. 2 und der Satzteil „soweit es die eingezahlten Kapitalanteile der Gesellschafter und den gemeinen Wert der von den Gesellschaftern geleisteten
Sacheinlagen übersteigt", in § 5 sind nur erforderlich, wenn die Satzung einen Anspruch auf Rückgewähr von Vermögen einräumt.

Anlage 2 zu § 60 AO

Muster einer Erklärung der Ordensgemeinschaften

1. Der – Die ....
                        (Bezeichnung der Ordensgemeinschaft)
mit dem Sitz in ....
ist eine anerkannte Ordensgemeinschaft der Katholischen Kirche.

2. Der – Die ....
    verfolgt ausschließlich und unmittelbar kirchliche, gemeinnützige oder mild-
    tätige Zwecke, und zwar insbesondere
    durch ....
    ....

3. Überschüsse aus der Tätigkeit der Ordensgemeinschaft werden nur für die
    satzungsmäßigen Zwecke verwendet. Den Mitgliedern stehen keine Antei-
    le an den Überschüssen zu. Ferner erhalten die Mitglieder weder während
    der Zeit ihrer Zugehörigkeit zu der Ordensgemeinschaft noch im Fall ihres
    Ausscheidens noch bei Auflösung oder Aufhebung der Ordensgemein-
    schaft irgendwelche Zuwendungen oder Vermögensvorteile aus deren Mit-
    teln. Es darf keine Person durch Ausgaben, die den Zwecken der Or-
    densgemeinschaft fremd sind, oder durch unverhältnismäßig hohe Vergü-
    tungen begünstigt werden.

4. Der – Die ....
    wird vertreten durch ....
    ....
    ....

             (Ort)   (Datum)
          ....
          (Unterschrift des Ordensobern)

Anlage 3 (zu § 60 a. F.)

Mustersatzung für Vereine, Stiftungen, Betriebe gewerblicher Art von juristischen Personen des öffentlichen Rechts, geistliche Genossenschaften

(nur aus steuerlichen Gründen notwendige Bestimmungen ohne Berücksichtigung der Vorschriften des BGB)

§ 1

Der – Die –

.... (Körperschaft)

mit Sitz in ....

verfolgt ausschließlich und unmittelbar – gemeinnützige – mildtätige – kirchliche – Zwecke (nicht verfolgte Zwecke streichen) im Sinne des Abschnitts „Steuerbegünstigte Zwecke" der Abgabenordnung.

Zweck der Körperschaft ist ....

....

(zum Beispiel die Förderung von Wissenschaft und Forschung, Jugend- und Altenhilfe, Erziehung, Volks- und Berufsbildung, Kunst und Kultur, Landschaftspflege, Umweltschutz, des öffentlichen Gesundheitswesens, des Sports, Unterstützung hilfsbedürftiger Personen).

Der Satzungszweck wird verwirklicht insbesondere durch ....

....

(zum Beispiel Durchführung wissenschaftlicher Veranstaltungen und Forschungsvorhaben, Vergabe von Forschungsaufträgen, Unterhaltung einer Schule, einer Erziehungsberatungsstelle, Pflege von Kunstsammlungen, Pflege des Liedgutes und des Chorgesanges, Errichtung von Naturschutzgebieten, Unterhaltung eines Kindergartens, Kinder-, Jugendheimes, Unterhaltung eines Altenheimes, eines Erholungsheimes, Bekämpfung des Drogenmissbrauchs, des Lärms, Förderung sportlicher Übungen und Leistungen).

§ 2

Die Körperschaft ist selbstlos tätig; sie verfolgt nicht in erster Linie eigenwirtschaftliche Zwecke.

§ 3

Mittel der Körperschaft dürfen nur für die satzungsmäßigen Zwecke verwendet werden. Die Mitglieder erhalten keine Zuwendungen aus Mitteln der Körperschaft.

§ 4

Es darf keine Person durch Ausgaben, die dem Zweck der Körperschaft fremd sind, oder durch unverhältnismäßig hohe Vergütungen begünstigt werden.

§ 5

Bei Auflösung oder Aufhebung der Körperschaft oder bei Wegfall steuerbegünstigter Zwecke fällt das Vermögen der Körperschaft

a) an – den – die – das – ....
....

(Bezeichnung einer juristischen Person des öffentlichen Rechts oder einer anderen steuerbegünstigten Körperschaft)

– der – die – das – es unmittelbar und ausschließlich für gemeinnützige, mildtätige oder kirchliche Zwecke zu verwenden hat,

oder

b) an eine juristische Person des öffentlichen Rechts oder eine andere steuerbegünstigte Körperschaft zwecks Verwendung für ....
....

(Angabe eines bestimmten gemeinnützigen, mildtätigen oder kirchlichen Zwecks, zum Beispiel Förderung von Wissenschaft und Forschung, Erziehung, Volks- und Berufsbildung, der Unterstützung von Personen, die im Sinne von § 53 AO wegen
....

bedürftig sind, Unterhaltung des Gotteshauses in ....
....).

Weitere Hinweise

Bei **Betrieben gewerblicher Art von juristischen Personen des öffentlichen Rechts, bei den von einer juristischen Person des öffentlichen Rechts verwalteten unselbstständigen Stiftungen und bei geistlichen Genossenschaften** (Orden, Kongregationen)

– braucht die Vermögensbindung in der Satzung nicht festgelegt zu werden. Damit kann § 5 des Musters entfallen.

Außerdem ist folgende Bestimmung aufzunehmen:

– § 3 Abs. 2:

„Der – die – das – ....
erhält bei Auflösung oder Aufhebung der Körperschaft oder bei Wegfall steuerbegünstigter Zwecke nicht mehr als – seine – ihre – eingezahlten Kapitalanteile und den gemeinen Wert – seiner – ihrer – geleisteten Sacheinlagen zurück."

Bei Stiftungen ist diese Bestimmung nur erforderlich, wenn die Satzung dem Stifter einen Anspruch auf Rückgewähr von Vermögen einräumt (vgl. hierzu Nr. 29 Satz 2 und 3 zu § 55). Fehlt die Regelung, wird das eingebrachte Vermögen wie das übrige Vermögen behandelt.

Bei **Kapitalgesellschaften** sind folgende ergänzende Bestimmungen in die Satzung aufzunehmen:

– § 3 Abs. 1 Satz 2:

„Die Gesellschafter dürfen keine Gewinnanteile und auch keine sonstigen Zuwendungen aus Mitteln der Körperschaft erhalten."

– § 3 Abs. 2:

„Sie erhalten bei ihrem Ausscheiden oder bei Auflösung der Körperschaft oder bei Wegfall steuerbegünstigter Zwecke nicht mehr als ihre eingezahlten Kapitalanteile und den gemeinen Wert ihrer geleisteten Sacheinlagen zurück."

– § 5:

„Bei Auflösung der Körperschaft oder bei Wegfall steuerbegünstigter Zwecke fällt das Vermögen der Körperschaft, soweit es die eingezahlten Kapitalanteile der Gesellschafter und den gemeinen Wert der von den Gesellschaftern geleisteten Sacheinlagen übersteigt, ..."

§ 3 Abs. 2 und der Satzteil „soweit es die eingezahlten Kapitalanteile der Gesellschafter und den gemeinen Wert der von den Gesellschaftern geleisteten Sacheinlagen übersteigt", in § 5 sind nur erforderlich, wenn die Satzung einen Anspruch auf Rückgewähr von Vermögen einräumt (vgl. hierzu Nr. 22 Satz 4 zu § 55).

Stichwortverzeichnis

Die Zahlen bezeichnen die Seitenzahlen

Buchanzeigen